Decifrar Pessoas

Decifrar Pessoas

Como entender e prever o comportamento humano

Jo-Ellan Dimitrius
Mark Mazzarella

Tradução
Sonia Augusto

Capa: Adriana Conti
Produção editorial: Tatiana Pavanelli Valsi/Patrícia Russo
Preparação: Lizete Mercadante
Revisão: Maria Sylvia Castro de Azevedo Corrêa/Maria Aparecida Pereira

Dados Internacionais de Catalogação na Publicação (CIP)
(Câmara Brasileira do Livro, SP, Brasil)

Dimitrius, Jo-Ellan
    Decifrar pessoas : como entender e prever o comportamento humano /
Jo-Ellan Dimitrius, Mark Mazzarella ; tradução Sonia Augusto. –
São Paulo : Alegro, 2000.

    Título original : Reading People.
    ISBN 85-87122-06-1

    1. Comportamento humano 2. Comunicação não-verbal (Psicologia)
3. Fisiognomia 4. Personalidade – Avaliação I. Mazzarella, Mark. II. Título

00–0820   CDD – 155.28

Índices para catálogo sistemático:

1. Comportamento humano : Avaliação : Psicologia individual 155.28

06 05 04 03 02   19 18 17 16 15

Editora Alegro
Rua Elvira Ferraz, 198
CEP 04552-040 São Paulo - SP
Fone/Fax (0xx11) 3845 8555
www.editoraalegro.com.br
alegro@editoraalegro.com.br

Para meu pai, Hurlan Huebner, cujo amor pelas pessoas era contagioso; para minha mãe, Joan Huebner, que continua a me inspirar com sua paixão pelas pessoas; para meus maravilhosos filhos, Nikki, Francis e Stirling, que trazem amor e alegria a todos os dias de minha vida; e para Mark, cuja inteligência, humor, compaixão, paciência e devoção tornaram este livro possível.

JO-ELLAN DIMITRIUS

Para minha mãe, Carol, que sempre está comigo em espírito; para meus filhos, Eve, Laurel, Joel, Michael e Cody, que me dão força – e muita prática em decifrar as pessoas; e para Jo-Ellan, que me ensinou a ver as pessoas e o mundo através de outros olhos.

MARK MAZZARELLA

Agradecimentos

Ninguém consegue muita coisa sem a contribuição dos outros, e a criação deste livro não foi uma exceção. Nós fomos abençoados com o incentivo e a ajuda de muitas pessoas maravilhosas e talentosas, desde o momento em que decidimos escrever *Decifrar pessoas*, passando pelas numerosas versões, e durante o processo de edição, publicação e promoção deste livro, que nunca poderíamos agradecer a todos. Mas gostaríamos de agradecer a algumas pessoas a quem devemos muito.

Somos especialmente gratos ao dr. Spencer Johnson, que sugeriu que escrevêssemos juntos este livro. Sua visão de uma obra que ajudaria as pessoas a levar vidas mais agradáveis, significativas e produtivas criou raízes e cresceu até *Decifrar pessoas*. Agradecemos também a Spencer, por nos apresentar a nossa agente, Margret McBride, que deu um apoio vital e entusiasmado desde a concepção deste projeto.

Este livro nunca poderia ter sido escrito sem o auxílio de Jack Dunn, o CEO da FTI Corporation, que incentivou Jo-Ellan a se afastar de suas obrigações no escritório, pelo tempo que fosse necessário. Também foi essencial o apoio dos sócios, associados e equipe do escritório de advocacia de Mazzarella, Dunwoody, Wilson & Petty, que trabalharam duro para que Mark ficasse livre e dispusesse dos meses necessários para colocar nossos pensamentos no papel.

Somos gratos a Diane Anderson e a Melinda Lewis, que transcreveram várias versões do texto, sendo diligentes, talentosas e demonstrando fenomenal capacidade de entender o ditado de Mark e ler as modificações manuscritas nos mantendo no cronograma. Também somos gratos a John Wexo e a Michael Rondeau, bons amigos e escritores talentosos, que encontraram tempo em suas vidas ocupadas para idéias e para publicação deste livro. Um agradecimento especial a você, John – você nos mostrou o caminho.

Nossos agradecimentos vão também para todas as pessoas maravilhosas da Random House, especialmente para Deb Futter, nossa editora, por acreditar neste projeto e nos ajudar a transformar nosso sonho em realidade; para Jolanta Benal, nossa revisora; e a Lynette Padwa pelo trabalho intenso que realizou nas primeiras versões do texto.

Mais do que tudo, queremos agradecer às nossas famílias, amigos, pessoas queridas, cujas contribuições silenciosas nunca serão conhecidas, a não ser por nós.

Muita gratidão a todos vocês.

Sumário

Introdução:
Uma Paixão pelas Pessoas

Quando criança, eu me empoleirava no alto das escadas da sala para espiar as festas que meus pais, com freqüência, davam. Observava enquanto minha mãe circulava apressada, cuidando para que nenhum copo estivesse vazio. Lembro-me de um homem calvo e gordo, cujo riso estrondoso ressoava por toda a casa, e de sua esposa, muito magra, que balançava a cabeça e virava os olhos enquanto ele começava uma versão ligeiramente modificada da história que já havia contado dezenas de vezes. Ria comigo mesma quando John, um amigo de meu pai, casualmente pegava outro canapé, enquanto meu pai brincava, e batia na barriga dele, dizendo, sorridente: "Deixe um pouco de espaço para o jantar". Eu adorava essas noites de sábado, quando a casa ficava cheia com o riso e a conversa de uma dúzia de pessoas – todas tão diferentes e no entanto tão iguais. As pessoas eram a minha paixão, mesmo quando eu era criança.

Vinte e cinco anos depois, munida apenas de minhas experiências, papel e caneta, eu me sentava nervosamente num tribunal observando várias dúzias de possíveis jurados entrarem no tribunal pela primeira vez. Teria de selecionar os 12 que decidiriam se meu cliente iria viver ou morrer. De repente, todas as outras decisões que já havia tomado a respeito das pessoas me pareciam insignificantes. Será que deveria ter confiado no vendedor que me vendeu meu primeiro carro usado? Não errava ao confidenciar a minha melhor amiga uma queda pelo irmão mais velho dela? Eu tinha escolhido uma boa babá para minha filha pequena? Eu havia decifrado pessoas por mais de 30 anos, mas daquela vez a vida de um homem estava em jogo.

Desde essa época, por 15 anos, tenho ganhado a vida decifrando pessoas. Considerei mais de 10 mil jurados em potencial e avaliei milhares de testemunhas, advogados e até juízes. Estive durante semanas perto de Richard Ramirez, o "Caçador Noturno", olhando todos os dias nos olhos mais frios que já vi. Compartilhei a angústia de Peggy Buckey por sua acusação não-comprovada de abuso de crianças no caso da pré-escola McMartin. Observei horrorizada enquanto os tumultos se espalhavam por Los Angeles, depois do veredicto da defesa no caso do espancamento de Rodney King em Simi Valley. Tentei entender por que quatro jovens foram espancados sem piedade por um estranho, no caso de Reginald Denny, e empenhei-me para selecionar jurados que entenderiam aqueles motivos e responderiam com clemência. E esforcei-me para entender o tormento interior que levou John DuPont a atirar e matar o lutador olímpico David Schultz. E suportei o escrutínio mundial e freqüentemente a crítica impiedosa, por ter ajudado a escolher o júri que absolveu O. J. Simpson.

Tem sido uma corrida selvagem, e algumas vezes empolgante, mas não tão glamourosa como alguns poderiam pensar. Trabalhei por longas horas agonizantes, e embora tenha sido aplaudida por algumas pessoas por ter me envolvido em casos impopulares, também fui criticada por outras por causa do mesmo envolvimento. Meus esforços para explicar meu profundo comprometimento com o sistema norte-americano de justiça e com o princípio de que ninguém deve perder a liberdade, e muito menos a vida, sem ter um júri verdadeiramente imparcial, muitas vezes têm caído em ouvidos surdos. Minha vida foi ameaçada. Algumas pessoas até chegaram a me responsabilizar pelos tumultos de Los Angeles em 1992, porque ajudei a escolher o júri que absolveu os quatro policiais acusados de espancar Rodney King.

Durante tudo isso, observei e ouvi. Fiz o melhor que pude para usar minha educação, meus poderes de observação, meu bom senso e minha intuição para entender aqueles que passaram pelos tribunais onde trabalhei. A maioria dos casos ensinou-me muito. E se houve uma coisa que aprendi, às vezes do modo mais difícil, foi como decifrar as pessoas.

Desde o dia em que fui escolhida pelo *Dream Team* como consultora de júri no julgamento criminal de O. J. Simpson, as pessoas insistiram comigo, de todos os modos possíveis, para que eu escrevesse um livro. Não um livro sobre aquilo que faço melhor – decifrar as pessoas – mas sobre a sujeira no Departamento da Procuradoria de Los Angeles, ou sobre os segredos internos do *Dream Team* (e este foi, de longe, o tema mais popular). Mas nunca me interessei em escrever uma exposição de caso. Só quando um amigo, o escritor Spencer Johnson, sugeriu: "Escreva sobre aquilo que você mais conhece, algo que fará diferença na vida das pessoas", é que nós nos sentimos inspirados a escrever *Decifrar pessoas*.

A qualidade de sua vida irá depender em grande medida da qualidade de suas decisões a respeito das pessoas, não importa com quem você interaja, não importa onde ou quando essa interação aconteça. Os vendedores venderão mais, e os clientes farão compras melhores. Os empregadores escolherão melhor seus contratados; empregados em potencial aumentarão suas chances de conseguir os melhores empregos. Você irá escolher melhor seus amigos, namorados e sócios, e entenderá melhor os membros de sua família. Você será mais sensível, como amigo, e mais alerta, como competidor.

Alguns daqueles que decifram as pessoas profissionalmente, como eu, recorrem quase que exclusivamente a pesquisas científicas, pesquisas de mercado, estudos, apurações e análises estatísticas. Outros afirmam que têm um talento dado por Deus. Minha experiência me ensinou que decifrar as pessoas não é uma ciência nem um dom inato. É uma questão de saber o que olhar e ouvir, de ter a curiosidade e a paciência para reunir a informação necessária, e saber como reconhecer os padrões na aparência, na linguagem corporal, na voz e na conduta de uma pessoa.

Durante a faculdade, passei quase uma década estudando psicologia, sociologia, fisiologia e criminologia, além de noções de estatística, comunicação e lingüística. Por mais valiosa que minha educação formal tenha sido, não foi ela que fez com que, alguns anos depois, *The American Lawyer* me chamasse de "a Vidente". Foi minha curiosidade quase obsessiva pelas pessoas — como elas parecem, soam e agem — que me tornou tão competente em decifrar pessoas. A empatia que sinto pelos outros me leva a entendê-los melhor.

Minha habilidade mais importante é minha capacidade de ver o padrão da personalidade e das crenças de outra pessoa emergindo entre seus traços e características, que com freqüência são conflitantes. É uma habilidade que aprendi quando era uma menininha, sentada no alto daquelas escadas durante as festas de meus pais, e que refinei durante uma vida de experiências, e em mais de 400 julgamentos. O melhor de tudo é que essa habilidade pode ser aprendida e aplicada com igual sucesso por qualquer pessoa – em qualquer tempo, em qualquer lugar.

Por que tenho tanta certeza?

Porque nos últimos 15 anos testei esse método em mais de 10 mil "sujeitos de pesquisa". Depois de prever o comportamento de milhares de jurados, testemunhas, advogados e juízes, pude ver se minhas previsões aconteciam. Depois de os casos terem sido decididos, conversei com os participantes para explorar o que eles pensaram e por quê. Nem sempre identifiquei tudo corretamente, principalmente nos primeiros anos. Mas ao testar cada vez mais as minhas percepções, verifiquei que pistas são geralmente confiáveis e quais não são. Também aprendi que é importante não se fixar em nenhum traço ou característica isolados: quase todos os traços podem ser enganosos se considerados isoladamente. E descobri que a abordagem delineada neste livro irá ajudar o leitor a entender as pessoas e a prever melhor o comportamento delas no tribunal, na sala de reuniões ou no quarto.

Pessoas são pessoas, onde quer que estejam. O homem que, no banco das testemunhas, tenta persuadir o júri de que sua causa é justa não é diferente do vendedor que apregoa suas mercadorias no mercado de quinquilharias. Os preconceitos demonstrados por um jurado são os mesmos que podem aparecer numa entrevista de emprego. Um jurado ou testemunha tentará evitar uma pergunta delicada no tribunal, do mesmo modo que faria em casa ou no trabalho.

Cada tribunal é um microcosmo de vida, cheio de raiva, nervosismo, preconceito, medo, ambição, falsidade e todos os outros traços e emoções humanas concebíveis. Ali, e em todos os outros lugares, as pessoas revelam, de diversas maneiras, suas emoções e suas crenças.

No primeiro capítulo, "Prontos para Decifrar", explicaremos como você pode se preparar para decifrar as pessoas mais efetivamente. O capítulo 2, "A Descoberta de Padrões", irá lhe mostrar como encontrar sentido nas características contraditórias de uma pessoa. Nos capítulos seguintes você descobrirá como as pessoas revelam suas crenças e caráter por meio de sua aparência pessoal, da linguagem corporal, do ambiente, da voz, das técnicas de comunicação e ações. Você também irá aprender como ampliar sua intuição e usá-la em seu benefício. Os capítulos finais lhe mostrarão como dar uma boa impressão àqueles que o lêem, e como tomar decisões imediatas sábias e confiáveis.

Em todo o livro, você verá aquilo que pode ser aprendido a partir do modo como uma pessoa se apresenta, fala e age. Mas o objetivo não é apenas lhe proporcionar um "glossário" das características e comportamentos das pessoas. Ao contrário, *Decifrar pessoas* tem o objetivo de lhe ensinar como avaliar as complexas características das pessoas, e como enxergar os padrões gerais formados por essas características – o padrão que pode de fato revelar e prever o comportamento. Este método tem sido o segredo de meu sucesso ao decifrar as pessoas. Quando você tiver dominado essas habilidades, elas funcionarão para você também, no trabalho e no lazer, hoje e pelo resto de sua vida.

1
Prontos para Começar:
O Desafio de Decifrar as Pessoas

"Não consigo acreditar que não enxerguei os sinais.
Estavam ali na minha frente! Como pude ser tão cego?"

Todos nós já dissemos algo parecido com isto, provavelmente com mais freqüência do que gostaríamos de admitir. Revisamos cuidadosamente o passado, depois de haver nos enganado a respeito das intenções de um chefe, da lealdade de uma amiga, ou do bom senso de uma babá. E normalmente observamos os erros que cometemos com uma visão extremamente aguçada. Por quê, então, depois de termos vivido e revivido nossos erros, não aprendemos com eles? Se perceber as pessoas fosse como dirigir um carro ou acertar uma bola de tênis, seríamos capazes de reconhecer nossos pontos fracos e de melhorar nosso desempenho a cada tentativa. Isso acontece raramente com os relacionamentos. Ao contrário, interagimos com nossos amigos, colegas e companheiros do mesmo jeito antigo, esperando obstinadamente que seja melhor desta vez.

Teoricamente, graças às habilidades de interpretar as pessoas que adquiri no decorrer dos anos, eu deveria ter facilidade para tomar melhores decisões na minha vida pessoal – quem permito que se torne íntimo e o que espero da pessoa depois disso. Entretanto, por muitos anos, não consegui aplicar na minha vida não-profissional as habilidades obtidas no tribunal. Talvez eu tivesse de atingir um ponto de saturação de dor e desilusão em alguns dos meus relacionamentos pessoais antes de estar disposta a analisar meus erros e fazer com que minha experiência profissional trabalhasse para mim.

Quando finalmente resolvi trazer esse enfoque e essa prática para minha vida pessoal, fazia sentido começar comparando o tribunal com o mundo fora dele. Estava determinada a descobrir o que eu fazia no tribunal que me tornava capaz de decifrar as pessoas, naquele lugar, com tanta precisão e consistência. Pensei que deveria ser capaz de reduzir essa descoberta a um conjunto de itens básicos para interpretar pessoas, que funcionasse em qualquer lugar.

Quando falei a meus colegas sobre a grande diferença entre os resultados obtidos com minha percepção das pessoas, no trabalho e fora dele, descobri que não era a única. Muitos dos melhores advogados que conhecia confessaram que, embora tivessem grande sucesso ao decifrar as pessoas nos tribunais, não conseguiam ter resultados muito melhores que a média das pessoas no resto do tempo. Por quê?

Finalmente, cheguei às conclusões que me levaram aos pontos-chave do "estar pronto para decifrar" – a base para compreensão de pessoas e para prever seus comportamentos. A primeira coisa que descobri foi que a *atitude é um ponto crítico.* Num tribunal, eu estava pronta para me concentrar totalmente nas pessoas que encontrava, a ouvi-las atentamente, a observar o modo como se apresentavam e agiam, e a pensar cuidadosamente sobre o que eu estava ouvindo e vendo. Tinha uma atitude muito diferente na minha vida pessoal; raramente fazia qualquer uma dessas coisas. O fato é que você tem de estar *pronto* para decifrar as pessoas, ou todas as pistas do mundo de nada lhe servirão.

Neste capítulo você aprenderá a desenvolver um estado mental próprio do tribunal – de visão clara, observador, cuidadoso e objetivo – dentro do drama emocional e subjetivo que é a vida cotidiana. Domine as habilidades a seguir, e você estará pronto para decifrar pessoas.

1. Passe mais tempo com as pessoas. Este é o melhor modo de aprender a entendê-las.
2. Pare, olhe e ouça. Não existem substitutos para a paciência e a atenção.
3. Aprenda a revelar algo de si mesmo. Você precisa se abrir primeiro para conseguir que os outros se abram.
4. Saiba o que você está procurando. Há uma boa chance de se desapontar, a menos que saiba o que deseja da outra pessoa.

5. Treine-se a ser objetivo. A objetividade é essencial para decifrar as pessoas, mas é a habilidade que temos mais dificuldade em desenvolver, dentre estas sete.
6. Comece do início, sem desvios nem preconceitos.
7. Tome uma decisão e depois aja.

A ARTE PERDIDA DE DECIFRAR PESSOAS

A menos que tenha vivido isolado numa ilha deserta nos últimos 50 anos, você notou que o mundo mudou. Entender as pessoas sempre foi um dos maiores desafios da vida, mas as mudanças sociais e a explosão tecnológica das últimas décadas tornou-o ainda mais difícil. Hoje, muitos de nós não têm vínculos íntimos ou contato cotidianos nem mesmo com as pessoas mais importantes em nossas vidas. Estamos distantes e temos dificuldade em entender as pessoas.

Se você não praticar as habilidades que irá aprender neste livro, não irá retê-las. Mas hoje isso é difícil, porque vivemos numa sociedade globalizada. Nós estamos em contato com as pessoas do outro lado da cidade, do outro lado do país, ou até mesmo do outro lado do mundo. Mas nosso contato normalmente não é pessoal. Os mesmos avanços tecnológicos que nos permitem um acesso tão extraordinário aos outros cobraram um preço – fizeram com que as conversas cara a cara passassem a ser relativamente raras. Por que se reunir pessoalmente com um cliente se você pode ligar para ele? Por que ter uma conversa verdadeira com sua mãe, se você pode deixar uma mensagem na secretária eletrônica dela? Por que ligar para um amigo, se você pode enviar um e-mail ou um fax? Qual é a diferença, desde que a mensagem seja transmitida? A maioria de nós já ligou para alguém, *esperando* deixar uma mensagem, e ficou *desapontado* quando a pessoa atendeu o telefone. Alguns de nós até se afastam completamente, recorrendo a secretárias, filhos, esposas ou amigos para que estabeleçam a comunicação por nós. Ou nos instalamos no ciberespaço, nos reunindo, fazendo negócios, às vezes até namorando – tudo baseado na palavra estéril e gerada eletronicamente, sem o benefício de ver a pessoa ou de falar com ela.

As formas de comunicação não são todas iguais. Eu tenho várias opções, se quero pedir um favor ao meu colega Alan. Posso ir até a sala dele e falar-lhe pessoalmente; nesse caso conseguirei julgar acuradamente a sua resposta. Talvez ele diga sim alegremente. Ou então, ele pode dizer sim e ao mesmo tempo se retrair. Ou pode dizer não, e mostrar claramente suas reservas. Existe uma possibilidade quase infinita de reações que eu posso ver se estiver na sala com ele. Bem, se em vez disso eu telefonar para Alan, poderei perceber alguns de seus sentimentos em sua voz – mas posso perder os subtons mais sutis e não terei nenhuma pista visual. Se nós mandarmos e-mails um para o outro, anulando efetivamente quase todo contato humano, eu terei apenas os fatos. E se eu simplesmente pedir a outra pessoa que fale por mim?

Ainda pior, a maioria de nós evita intencionalmente as conversas significativas com qualquer pessoa que não seja parente ou amigo íntimo. Quando nos encontramos, preferimos dizer aquilo que é esperado ou "politicamente correto" em vez de dizer o que acreditamos realmente. A revelação pessoal é difícil para a maioria das pessoas; aquelas que confessam os segredos mais íntimos nos *talk-shows* da tarde são a exceção, não a regra.

Os motivos pelos quais não gostamos de nos expor poderiam encher um livro, mas sem dúvida o aspecto tenso e desconfiado da vida urbana é um deles. As pessoas que vivem nas cidades grandes são ensinadas desde criança a desconfiar dos estranhos. E esse conceito é reforçado todas as noites pelos noticiários locais. Nós, moradores das grandes cidades, freqüentemente voltamos de uma visita a uma cidade pequena maravilhados pelo modo como fomos tratados. Em vez dos olhares enviesados com que estamos acostumados, fomos acolhidos com um amigável "Oi, como vai?", dito por pessoas que realmente querem saber! Esse nível de comunicação espontânea e confiante é difícil de ser atingido nas grandes cidades em que a maioria dos norte-americanos mora.

A maioria de nós não cresceu numa comunidade onde nossos colegas de colégio se tornaram nossos dentistas, nossos barbeiros e professores de nossos filhos. É claro que temos amigos e famílias, mas a maioria das pessoas que vemos todos os dias são estranhos, e portanto, suspeitos. Como nós os tememos, na maioria das vezes evitamos o contato, e como resultado não usamos nossas habilidades sociais com tanta freqüência quanto poderíamos. Nossa habilidade de decifrar pessoas ficou atrofiada por falta de exercício.

Fazendo contato

Se você quer perceber melhor as pessoas, precisa fazer um esforço consciente para se envolver com elas. Mesmo o maior dependente da Internet pode aprender o verdadeiro significado de "bate-papo" se quiser, mas tem de sair do sofá e agir. Exercite sua capacidade de interagir com as pessoas, mesmo que isso faça você se sentir inconveniente, desajeitado ou vulnerável.

Para praticar e desenvolver suas habilidades de decifrar as pessoas, comece prestando atenção em como e quando você faz contatos pessoais. Na próxima semana, a cada vez que tiver uma oportunidade de se comunicar com alguém, amplie a qualidade dessa comunicação, subindo pelo menos um ponto na escala de contato:

1. Encontro cara a cara.
2. Telefonema.
3. Carta / fax / e-mail / secretária eletrônica.
4. Delegação a outra pessoa.

Em vez de pedir a outra pessoa para marcar uma hora para você, contate você mesmo a pessoa, por carta, fax ou e-mail. Em vez de mandar um e-mail para o amigo do outro lado do país, telefone, mesmo que a conversa seja rápida. Em vez de telefonar para a vizinha para discutir como levantar fundos para a escola, vá até a casa dela e fale pessoalmente. Passo a passo, você ficará mais à vontade com o aumento do contato pessoal.

Tente aumentar também a qualidade de suas comunicações, fazendo um esforço consciente para revelar algo de si mesmo. Não precisa ser um segredo íntimo – na verdade, muitas pessoas se afastarão se você fizer confidências inadequadas. Mas você poderá falar sobre algo de que gosta ou não, sobre seu restaurante predileto, um livro ou um filme. E pergunte algo sobre a outra pessoa – onde ela comprou aquela jóia, ou se ela assistiu ao jogo da noite passada. Faça um aquecimento, e a conversa começará a fluir.

Depois de algumas semanas, você estará gostando dessas habilidades sociais. Teste a si mesmo com a pessoa que o atende no supermercado, com a recepcionista do consultório de seu médico, com o carteiro, com o cliente que está perto de você na loja. O contato não precisa ser uma conversa de dez minutos. Pode ser simplesmente olhar nos olhos de alguém, sorrir e comentar o tempo. Essas breves fagulhas de contato não são superficiais, elas são sociáveis, e permitem que a confiança e a comunicação se estabeleçam. Decifrar pessoas também começa assim.

Aprenda a ver os carneiros

Quanto mais tempo você passar observando as pessoas, mais fácil isso será. As habilidades de perceber pessoas, que hoje lhe parecem inatingíveis, se tornarão automáticas depois de um pouco de prática, do mesmo modo que a ansiedade e a falta de jeito que você sentiu da primeira vez em que dirigiu um carro desapareceram após alguns meses dirigindo todos os dias.

Nós podemos aguçar qualquer um dos nossos sentidos, com força de vontade e perseverança. Nada ilustra melhor esse fato do que uma experiência que um cliente meu teve há alguns anos. Ele tinha sido contratado pelo Big Horn Institute, uma instituição dedicada a preservar uma espécie ameaçada de carneiro de chifre longo que vive nas montanhas a sudoeste de Palm Springs, Califórnia. O desenvolvimento das terras vizinhas estava perturbando os carneiros e interrompendo sua atividade procriativa. O instituto queria fazer algo a esse respeito.

Quando meu cliente visitou o instituto, o diretor o levou para fora, apontou para as colinas de rocha maciça que se elevavam atrás dos escritórios, e disse suavemente: "Há muitos deles lá hoje". Meu cliente olhou atentamente para as colinas marrons, tentando ocultar sua surpresa – não pela beleza dos carneiros de chifre longo, mas por sua incapacidade de avistar um só deles. O diretor obviamente estava acostumado a essa reação, e com tato chamou a atenção de meu cliente para um carneiro que estava abaixo de um rochedo triangular, e para um outro no topo de uma colina à esquerda, e para mais um outro – até que mostrou quase uma dúzia.

A visão do diretor não era melhor do que a do meu cliente. Mas ele tinha aprendido a ver os carneiros. Sabia como a forma deles quebrava os padrões sutis das colinas. Podia detectar a leve diferença entre a cor dos carneiros e a cor das rochas. Havia aprendido onde os carneiros tinham maior probabilidade de se reunir numa hora específica do dia. Ele tinha experiência. Tinha contato. Tinha prática. Aquilo que para ele já se tornara automático era novo para o meu cliente – até que este também aprendeu a enxergar os carneiros.

PARE, OLHE E OUÇA

No tribunal, observo constantemente os jurados, as testemunhas, os advogados, os espectadores, até o juiz, procurando qualquer pista de como estão respondendo ao caso e às pessoas que o apresentam. Ouço cuidadosamente as palavras que são ditas, e o modo como são ditas. Dou atenção à maneira como as pessoas respiram, suspiram, tamborilam os dedos, mexem os pés, ou mudam de posição na cadeira. Quando os jurados entram, sinto qualquer cheiro incomum – perfume forte, odor corporal, cheiro de remédio. Quando aperto a mão de alguém, percebo a sensação deste aperto de mãos. Eu uso *todos* os meus sentidos, o tempo *todo*.

Paciência, paciência

Leva tempo observar as pessoas adequadamente. A maioria simplesmente não espera para reunir informações e refletir sobre elas. Em vez disso, tira apressadamente conclusões cruciais sobre as pessoas, como se a vida fosse um jogo de televisão no qual as respostas rápidas contassem mais pontos. Na vida real costuma acontecer o contrário: as respostas rápidas quase sempre estão erradas – e perdem pontos.

De qualquer maneira, as respostas rápidas não são necessárias na maioria das vezes. Você descobrirá que com freqüência tem mais tempo para decidir sobre as pessoas do que pensa. Perguntaram uma vez a Abraham Lincoln que comprimento deveriam ter as pernas de um homem. Ele respondeu: "Longas o suficiente para alcançar o chão". Do mesmo modo, a pergunta "quanto tempo se leva para decifrar as pessoas?" pode ser respondida com "o tempo que você tiver". É raro que exista um prêmio para a velocidade com que você lê as pessoas; a maioria dos prazos para tomada de decisão são auto-impostos. *Se você usar todo o tempo que realmente tem disponível, normalmente terá aquilo de que precisa.* Se alguém lhe oferecer um emprego, provavelmente a oferta não irá desaparecer se você pedir alguns dias para pensar sobre ela. Raramente você precisa tomar uma decisão imediata sobre um médico, um advogado, um contador, a babá, o mecânico ou uma compra. Então, não o faça! Pergunte a si mesmo que informação o ajudaria a fazer a melhor escolha, e então use seu tempo para consegui-la. Se você ainda não tiver certeza, reflita com calma.

Em quase todas as jurisdições do país, o juiz chama a atenção dos jurados no início do julgamento para o fato de que eles não devem decidir o caso até que todas as evidências tenham sido apresentadas. Esse conceito permeia a lei há centenas de anos, e por uma boa razão. Do mesmo modo que você não pode resolver uma charada sem ter todas as pistas, não pode tomar uma decisão sábia sobre as pessoas se agir prematuramente. Você precisa ser paciente para ter sucesso.

Preste atenção ou arque com as conseqüências

Todas as entrevistas com o vizinho de um criminoso hediondo parecem começar com "ele parecia ser um cara tão legal". Se as perguntas forem aprofundadas, normalmente revelarão que o vizinho na verdade nunca reparou no homem e acabará admitindo: "Ele era muito fechado". Na verdade, provavelmente existiam muitas pistas de que o sr. X não era um cara tão legal assim. Mas ninguém prestou muita atenção.

As decisões não são melhores do que a informação sobre a qual elas se baseiam. Informações incorretas ou incompletas podem levar a uma conclusão incorreta – o lixo entra, o lixo sai. Assim, antes de poder decodificar efetivamente as pessoas, você precisa reunir informações confiáveis sobre elas. Você pode fazer isso usando os olhos, os ouvidos, e algumas vezes até seus sentidos de tato e de olfato. As conseqüências podem ser desastrosas quando as pessoas não conseguem ser atentas e concentradas. Um dos momentos mais notáveis no julgamento criminal de O. J. Simpson ilustra muito bem esse ponto.

O julgamento já estava bem adiantado quando Laura Hart McKinny foi chamada pela defesa ao banco das testemunhas para depor sobre as entrevistas que tinha gravado com Mark Fuhrman, que usava "a palavra N" com uma freqüência alarmante. Ela foi reinquirida por um obviamente agitado Christopher Darden, e o confronto entre eles ficou cada vez maior. Finalmente, a sra. McKinny perguntou: "Por que estamos falando como adversários?". Para mim foi claramente uma indireta. A sra. McKinny estava enviando uma mensagem para o sr. Darden. Seu tom e seu jeito estavam dizendo: "Afaste-se um pouco. Eu só estou lhe contando aquilo que sei. Você vai se arrepender se continuar a me perseguir!". Mas o sr. Darden continuou a incomodá-la, sem entender aquilo que a sra. McKinny estava tentando comunicar ou optando por ignorá-lo.

A sra. McKinny sempre foi fiel à verdade, mas seu testemunho inicial tinha sido calmo e quase abrandava os fatos. À medida que o sr. Darden atacava, a sra. McKinny – agora aparentemente frustrada e brava –, defendia-se dando mais detalhes, usando palavras mais descritivas e negativas, e adotando um tom de voz mais crítico. Seu testemunho rapidamente causou mais danos ao detetive Fuhrman – e à promotoria.

Não é difícil lembrar situações em que nós não demos atenção a pistas importantes. Podemos contratar uma babá sem reparar na tábua que falta na cerca do quintal dela, sem notar como ela ignorou as crianças de que cuidava enquanto falava conosco, ou sem dar atenção a seus erros de gramática. Entretanto, cada um desses fatores poderia ter um impacto crítico no desenvolvimento e no bem-estar de nosso filho. Podemos não notar o rosto vermelho e a fala levemente confusa de um empregado que volta de um almoço demorado, mas estas podem ser pistas de que ele bebeu – talvez demais. Esse tipo de informação crítica usualmente está disponível – se você se der tempo suficiente e prestar atenção.

A COMUNICAÇÃO É UMA VIA DE MÃO DUPLA

Durante a escolha do júri, os jurados em potencial sentam-se diante dos clientes e advogados reunidos, e são submetidos a um massacre de perguntas pessoais – que eles suam para responder de modo verdadeiro. Eles não podem fazer nenhuma pergunta a ninguém da equipe legal, e nós não temos nenhuma obrigação de revelar algo a nosso respeito. Em resumo, o procedimento é especificamente planejado para que um conjunto de pessoas, os advogados, percebam outro conjunto, os jurados.

Fora do tribunal, poucas pessoas ficariam sentadas educadamente e responderiam a uma bateria de perguntas, sem querer fazer algumas outras a você. Elas vão querer alguma oportunidade para decifrar você, se você as estiver decifrando. Se você deseja respostas espontâneas para as suas perguntas, normalmente terá de dar algo em troca. Ao contrário dos jurados, as pessoas com quem você estabelece conversas no cotidiano não são obrigadas a se abrir para você, e elas não foram advertidas para serem diretas ou honestas. É preciso encorajá-las a confiar em você para obter respostas não defensivas e honestas.

O melhor modo de estabelecer essa confiança é revelar algo de si mesmo. Deixe que as pessoas o percebam em algum grau, e elas se sentirão mais à vontade. Conforme seu nível de confiança aumentar, elas se abrirão para você. É simples – *se você quiser ter uma visão clara de outra pessoa, você deve oferecer um relance de si mesmo.*

Os bons advogados criminalistas usam a auto-exposição com muita competência para desenvolver uma relação com os jurados durante o processo de seleção do júri e durante todo o julgamento. Eles sabem que mesmo que essa exposição não seja exigida, podem levar o processo de seleção do júri a um nível muito mais significativo se expuserem algo de si mesmos durante o questionamento. Se isso normalmente funciona num ambiente tão intimidante como o tribunal, imagine como pode ser eficaz num almoço casual.

SAIBA O QUE VOCÊ ESTÁ PROCURANDO

Laurence J. Peter disse em *The Peter Principle :* "Se você não sabe para onde está indo, provavelmente vai acabar em outro lugar". Esta é uma boa regra de modo geral, e sem dúvida é importante quando se trata de enxergar as pessoas.

Muito antes de os jurados em potencial entrarem no tribunal, a equipe legal e eu preparamos um "perfil do júri", que relaciona os atributos pessoais dos jurados que verão nosso caso de modo mais favorável. Algumas vezes, realizamos julgamentos simulados ou pesquisas de atitudes na comunidade para nos ajudar a determinar o tipo de pessoa que tem mais probabilidade de ter a mente aberta em relação a nosso cliente. Eu classifico todos os candidatos quanto a sua empatia, habilidade analítica, liderança, sociabilidade e experiência de vida, e considero também minha reação visceral a eles. Depois considero as outras características que poderiam ser importantes em cada caso específico. Se for um julgamento que envolva pena de morte, também avalio a responsabilidade pessoal, a tendência a castigar e o autoritarismo. Numa disputa sobre um contrato, posso estar mais preocupada quanto aos detalhes e à experiência referente a acordos legais. Resumindo, sei exatamente o que estou procurando nos jurados de cada caso específico. Se não soubesse, como poderia escolher os certos?

Fora do tribunal, não somos tão metódicos. Em parte isso acontece por que parece frio e impessoal criar uma lista de atributos desejáveis. Quando se trata de romance, gostamos de pensar que o destino nos reunirá com nosso par perfeito. Raramente nos damos tempo para avaliar conscientemente até mesmo as características de um amigo casual. Quando chegam as más notícias – "Hum. Ela não cumpriu com a sua palavra"; "Ele está sempre atrasado"; "Ela ainda não levou o gato doente ao veterinário" – já estamos emocionalmente comprometidos e achamos difícil alterar o relacionamento. Devotamos ainda menos tempo às pessoas que têm menor importância em nossas vidas – médicos, fornecedores, encanadores e assim por diante. Em vez disso, confiamos na recomendação de um amigo – ou pior, num anúncio.

10

Se não estivermos conscientes de nossas próprias necessidades e não decidirmos o que queremos de um amigo, de um patrão ou de um profissional pago, não será justo culpá-los por nos desapontar. Recentemente assisti a um *talk-show* no qual um jovem estava reclamando que a moça com quem ele namorava havia dois anos se vestia como uma pessoa vulgar e flertava abertamente com estranhos. Quando questionado, o rapaz admitiu que ela tinha se vestido e agido exatamente assim quando se encontraram pela primeira vez. Naquela hora, ele havia adorado, pois estava interessado na perspectiva de algumas noites agradáveis na cidade; mas quando decidiu que queria um compromisso, o lado ousado de sua namorada passou a ser inaceitável. Ele não tinha conseguido avaliá-la à luz de suas necessidades de longo prazo.

Crie uma lista mental – ou ainda melhor, escrita – do que você considera verdadeiramente essencial para um bom relacionamento, antes de decidir se uma pessoa satisfaz as suas necessidades. E então, não hesite em comparar sistematicamente seu candidato da vida real com o ideal.

Quer você esteja procurando um marido, um sócio ou um jardineiro, reflita sobre a experiência e as características que gostaria que essa pessoa tivesse. Se você é uma mulher divorciada, com dois filhos, tem sentido ter encontros com homens que também tenham filhos: eles irão compreender melhor as exigências de uma família. Se você estiver procurando um sócio, pergunte a si mesmo que habilidades são necessárias para seu empreendimento e que você não tem – e procure exatamente alguém que as tenha. Se precisa de um jardineiro, decida se você quer um mestre da arte de topiária ou alguém confiável para molhar o gramado e varrer as folhas uma vez por semana.

Faça o que fizer, aborde a tarefa com honestidade absoluta. Você não estará fazendo um favor a ninguém, se fizer de conta que tem necessidades e prioridades diferentes das que realmente tem. Uma vez que saiba o que está procurando, você terá mais chances de reconhecer quando o encontrar.

OBJETIVIDADE: O INGREDIENTE ESSENCIAL

Tenho apenas um objetivo durante uma seleção de júri: reunir um grupo de pessoas que ouvirão, com a mente aberta, a versão da história apresentada por meu cliente. É fácil ser completamente objetiva em relação a isso, pois não tenho interesse pessoal algum em que qualquer um dos candidatos faça parte ou não do júri. Eles não são meus amigos, familiares, nem mesmo conhecidos. Provavelmente eu nunca mais os verei.

Quando tentei aplicar meus métodos de decifrar as pessoas na minha vida pessoal pela primeira vez, descobri rapidamente que a objetividade, tão fácil no tribunal, era a minha grande fraqueza. Na vida real, eu me preocupava muito com o que os outros pensavam de mim. Sofria para decidir se devia dizer "sim", "não", "você tem razão" ou "você não é suficientemente bom". Para transpor minhas habilidades do tribunal para o mundo pessoal, eu precisava também transferir minha objetividade. *Você só pode ver as pessoas acuradamente se enxergá-las objetivamente.*

Infelizmente, como regra geral, quanto mais importante for uma decisão em sua vida, mais difícil será permanecer objetivo. É fácil ser objetivo em relação a se uma conhecida casual seria um bom encontro para seu irmão. Se ela for uma colega de trabalho, você terá mais a perder; se ela for sua chefe, ainda mais; se for sua melhor amiga, as chances são ainda piores.

Temos uma tendência a tomar decisões baseados no que será doloroso ou agradável para nós naquele momento. Com demasiada freqüência, escolhemos a solução mais fácil, que envolve menos confrontos, porque nossas emoções nos cegam para o contexto geral ou para a realidade a longo prazo. Se o namorado de uma mulher flerta constantemente com outras mulheres, ela provavelmente o notará. Mas se estiver apaixonada e não quiser admitir para si mesma que os olhos de seu namorado vagueiam – e que o resto dele provavelmente também – ela pode optar por pensar que seu comportamento é inocente. Provavelmente ela não seria tão condescendente com o namorado de outra pessoa. Um empresário que esteja tendo problemas com uma nova funcionária pode preferir pensar que os enganos dela acontecem por ser nova no emprego, em vez de admitir que precisa substituí-la. E a filha de uma mulher idosa que está sofrendo da doença de Alzheimer pode explicar o comportamento bizarro de sua mãe em vez de encarar a dolorosa verdade. Sempre que a verdade se mostra ameaçadora, tendemos a colocar tapa-olhos. Há alguns anos, uma amiga confidenciou-me que sua filha adolescente devia estar apaixonada, embora ela soubesse que a garota não estava saindo com ninguém em especial.

Eu quis saber: "Como você pode dizer que ela está apaixonada?"

"Bem as notas dela começaram a piorar, de verdade. Ela parece ter perdido o interesse em tudo, dorme até tarde todos os dias, chega em casa de madrugada sem telefonar para dizer onde está. E parece muito distraída."

Para mim, esse comportamento gritava "drogas", não "amor juvenil". Meu coração ficou apertado enquanto eu sugeria sutilmente essa possibilidade para minha amiga. Ela pensou um pouco, e depois a rejeitou. Minha amiga precisou de mais seis meses para conseguir se confrontar com a filha, que naquele momento estava preparada para reconhecer o problema com as drogas e aceitar ajuda.

Fechar os olhos – e as mentes – para coisas que sejam desconfortáveis ou perturbadoras faz parte da natureza humana. Em 1957, Leon Festinger criou a expressão "dissonância cognitiva" para descrever esse fenômeno. Um sintoma de dissonância cognitiva é a recusa de uma pessoa em aceitar o óbvio, como minha amiga fez com sua filha. Essa é uma forma de pensamento ilusório. A palavra "ilusório" normalmente nos traz à mente a imagem de alguém que perdeu completamente o contato com a realidade e que balbucia coisas sem significado, ou mentiras sem nenhuma percepção da verdade. Mas a maior parte da atividade ilusória acontece nas mentes de pessoas comuns, como você e eu, enquanto tomamos as decisões cotidianas que podem ter um imenso impacto em nossas vidas. É difícil enxergar a verdade, principalmente quando não queremos vê-la.

A maior parte dos lapsos de objetividade acontecem por causa de algum grau de dissonância cognitiva ou de pensamento ilusório. Embora seja difícil, podemos superar nossa tendência a ignorar os fatos dos quais não gostamos. Primeiro, temos de entender o que nos perturba a ponto de estarmos dispostos a ignorar ou a distorcer a realidade em vez de agir sobre ela. Eu descobri que são quatro os estados mentais que mais freqüentemente nos fazem perder a objetividade:

1. Compromisso emocional
2. Carência
3. Medo
4. Defesa

Você terá uma probabilidade muito maior de permanecer objetivo se evitar tomar decisões sob influência desses quatro estados mentais.

Compromisso emocional: o vínculo que cega

Todos nós sentimos amor, amizade, desprezo e até ódio por algumas pessoas em nossas vidas. Esses sentimentos tendem a comprometer nossa objetividade. Não queremos pensar mal das pessoas que amamos, e não queremos ver nada de bom naquelas que odiamos. Para complicar ainda mais a questão, não gostamos de mudanças. Por segurança e conveniência, temos um compromisso emocional – conosco – de manter as coisas exatamente como estão. A mesma corrente subterrânea que nos leva na direção do *status quo* também deturpa nossa objetividade quando estamos decidindo se devemos mudar.

Pode ser muito difícil manter a objetividade quando se está emocionalmente comprometido com um resultado específico. Quanto maior o compromisso emocional, maior a tendência a se comportar irracionalmente. É por isso que os conselheiros normalmente são contra a intimidade sexual até que o respeito mútuo, a confiança e a amizade estejam bem estabelecidas. Uma vez que o ingrediente poderoso e prazeroso do sexo tenha sido acrescentado a um relacionamento, tenderemos a desconsiderar até mesmo os defeitos básicos até que a paixão diminua. E aí poderemos estar bem adiantados no caminho de um desastre emocional.

Nem sempre é possível evitar decisões quando se está emocionalmente vulnerável, mas, consciente das armadilhas, pode-se desviar de muitas delas. Para começar, tente evitar as situações em que se sinta pressionado na direção de uma resposta específica. Nessas circunstâncias, você perderá a objetividade. E como resultado, tomará uma decisão ruim, e depois relutará em reconhecer seu erro, mesmo que ele se torne óbvio. Se entrevistar a filha de um amigo para um emprego, você poderá deixar de lado as deficiências fundamentais dela, porque não quer dizer a seu amigo que a filha dele não está à altura. Se contratar o vizinho como seu contador, ou o companheiro de golfe como seu advogado, você tenderá a subestimar coisas que não aceitaria se não fosse a amizade. Sempre que os seus mundos colidem, você traz os compromissos emocionais de uma situação para a outra. Se misturar negócios com prazer, o resultado pode ser bom, mas o mais provável é que seu desejo de que todos sejam felizes e de evitar o confronto faça com que você enxergue as pessoas equivocadamente.

Outro modo comum pelo qual criamos compromisso emocional é reconhecido numa típica instrução de júri: ao iniciar suas deliberações, os jurados são instruídos a não expressar os sentimentos sobre o caso, até que o tenham discutido. Quando as pessoas se comprometem publicamente com um ponto de vista específico, elas relutam em mudá-lo. Orgulho, teimosia ou medo de admitir que nos enganamos entram no meio do caminho. Se a sua meta é ser objetivo ao avaliar as outras pessoas, não se precipite anunciando a seus amigos, familiares ou colegas de trabalho os sentimentos que tem em relação a alguém, antes de ter tido tempo para reunir a informação pertinente e pensar cuidadosamente sobre ela.

Se você precisar avaliar alguém com quem está emocionalmente comprometido, pelo menos esteja consciente de que sua objetividade provavelmente será menor. Tenha consciência de suas emoções e use cuidadosamente as técnicas de leitura de pessoas descritas nos capítulos a seguir. Dê a você mesmo um pouco mais de tempo e de esforço antes de chegar a alguma conclusão definitiva. Pense se um amigo respeitado e em quem você confia poderia lhe trazer uma nova perspectiva. Faça o papel de advogado do diabo, perguntando a si mesmo como você veria a pessoa se não estivesse tão envolvido na situação. Mesmo que não consiga eliminar a influência de seu compromisso emocional, você pode minimizá-la usando uma ou mais destas técnicas.

Não faça compras quando estiver faminto

Os negociadores têm um ditado: "A pessoa que deseja o acordo acaba conseguindo o pior acordo". Essa regra se aplica também aos relacionamentos: a pessoa com a necessidade maior provavelmente irá preenchê-la com o sr. ou a sra. Errado(a). Só depois de sentir a pontada de seu erro é que ela reconhecerá sua decisão pelo que realmente foi — uma concessão.

Começamos a aprender a conceder e somos crianças, quando somos vítimas da atração pela gratificação imediata. Ficamos com a bicicleta arranhada só para não ter de esperar pela troca por uma novinha em folha, porque temos medo de que papai mude de idéia se não agirmos rápido. Quando somos adolescentes, podemos aceitar o primeiro convite para um encontro com um veterano porque temos medo de que mais ninguém nos convide. Como adultos, continuamos a tomar decisões erradas sobre as pessoas por causa de carência. O exemplo mais comum disso é o inevitavelmente desastroso "relacionamento reatado". Mas a carência também impulsiona o empregador que está desesperado por preencher uma vaga e contrata o primeiro candidato aceitável, apenas para voltar novamente a examinar pilhas de currículos dois meses depois. A carência também leva um pai a aceitar para o filho uma escola maternal abaixo do padrão para não precisar faltar mais uma vez ao trabalho.

Minha mãe costumava dizer: "Não faça compras quando estiver faminto". Bom conselho. Tudo parece tentador quando você está faminto, e você acabará levando para casa coisas que de fato não precisa, e algumas coisas realmente ruins para você. O ponto chave é diminuir o ritmo o suficiente para escrever uma lista de compras e talvez comer um lanche saudável enquanto a escreve. Só não deixe que suas necessidades despercebidas governem o dia, quer você esteja escolhendo o jantar ou uma esposa.

Os cuidados com as crianças se transformaram numa crise nacional pois cada vez mais o pai e a mãe têm um trabalho remunerado. Não é fácil encontrar quem cuide bem de seus filhos, e mais difícil ainda manter essa pessoa. Os pais ficam frenéticos procurando por uma babá que possa substituir aquela que deixou sua casa praticamente sem aviso prévio. É difícil imaginar uma situação mais estressante: você precisa de uma pessoa muito especial para cuidar de seu filho, e até encontrar essa pessoa, não pode ir trabalhar, o que põe em risco o seu modo de ganhar a vida. É uma idéia terrível escolher alguém para cuidar a longo prazo de seu filho, sob essas circunstâncias. Não engane a si mesmo, acreditando que pode ser objetivo sob essas condições.

Sempre que perceber que está reagindo de modo diferente do que faria se tivesse um tempo ilimitado, está agindo sob a influência de carências e não estará enxergando as pessoas claramente. Pare e considere alternativas antes de seguir em frente. Com freqüência é melhor encontrar uma solução temporária e só depois decidir sobre uma solução permanente. Os pais que precisem urgentemente de alguém que cuide do filho poderiam fazer um esforço imediato para convencer um amigo ou membro da família a cuidar da criança por uma ou duas semanas, e assim conseguir um pouco mais de tempo para procurar uma ajuda permanente. Se puderem pagar, podem contratar uma babá profissional por algum tempo. As soluções temporárias são mais caras ou inconvenientes a curto prazo, mas lhe darão o tempo extra necessário para que você possa fazer uma escolha sábia a respeito de sua seleção a longo prazo.

Medo: o grande motivador

Muitos psicólogos acreditam que nosso motivador primário é o medo – medo enraizado em nosso desejo instintivo de evitar perda, dor e morte. Não é de admirar que nossa objetividade seja posta de lado quando essa emoção tão poderosa está funcionando.

É difícil superestimar a influência do medo em nossa habilidade de enxergar as pessoas. E é impossível remover totalmente o medo. Nós tememos o fim de um relacionamento porque temos medo de não encontrar ninguém melhor. Tememos recusar um emprego: e se aquela foi a melhor oferta que recebermos? Podemos até evitar disciplinar nossos filhos porque temos medo de afastá-los de nós.

Não existe uma pílula mágica para eliminar o medo e clarear nossa visão enquanto avaliamos as pessoas. Nosso ponto de vista sempre será de algum modo distorcido por nosso desejo de evitar a dor. Mas nós *podemos* diminuir nosso medo – e até usá-lo para nos ajudar a ver melhor as pessoas que estão a nossa volta. Se entendermos *por que* temos medo, e *como* as outras pessoas podem causar ou eliminar a dor que tememos, poderemos usar nosso medo em nosso benefício.

Para repetir um ponto já mencionado, quanto mais importante for a decisão, mais difícil é ser objetivo. O medo é uma das principais razões – medo que pode chegar a uma paralisia mental quando muitas coisas dependem de nossa decisão. Por exemplo, suponha que você perceba que está num emprego sem saída. Depois de vários anos, você começa a ter a sensação incômoda de que seus dias lá estão contados e passa a pensar em demissão. Talvez você sinta que seu chefe o está tratando de modo diferente do usual. Você está tentando avaliar o que ele pensa de você, e se ele está procurando um motivo para demiti-lo. Não importa quanto tente ser objetivo, você não pode evitar a influência de seu medo.

Para ajudar a neutralizar o medo e se tornar mais objetivo, você deveria fazer duas listas: uma com todas as experiências dolorosas que teria se ficasse no emprego; outra com as experiências dolorosas que poderia ter se optasse por sair. A primeira lista poderia incluir estresse contínuo, ser humilhado ou ridicularizado pelo chefe, ausência de promoções ou aumentos, e, o pior de tudo, a demissão. A segunda lista poderia incluir trabalho num outro emprego ainda pior, ficar vulnerável num emprego novo, não conseguir encontrar uma nova colocação ou ser um fracasso no novo cargo, e assim perdê-lo também.

[Ao fazer essas listas, você começa a segurar as rédeas de seus medos. Pelo menos, agora sabe do que tem medo. Na maioria dos casos, tenderá a escolher a opção menos dolorosa, se um dos conjuntos de medos for nitidamente pior. Mas se as duas opções apresentarem riscos comparáveis, você deverá conseguir pelo menos deixar de lado o medo generalizado e concentrar-se em reunir a informação específica necessária para avaliar objetivamente as suas preocupações reais.]

[*A melhor arma contra o medo é o conhecimento.* Você obtém conhecimento sobre si mesmo e suas motivações quando faz uma lista de medos.] Depois de ter conseguido esse *insight,* você pode ir adiante e reunir mais informações objetivas sobre as pessoas que irão, em última instância, influenciar sua decisão. Se observar cuidadosamente o modo como seu chefe se relaciona com você e com os outros, talvez você descubra que ele critica rispidamente *a todos.* Ou talvez descubra que é agradável com os outros e ríspido apenas com você. A partir dessas observações, você acabará conseguindo ler corretamente as intenções de seu chefe, prever o comportamento dele de modo confiável e escolher o melhor plano de ação.]

É exatamente esse processo que utilizo quando estou escolhendo um júri. Muitas vezes precisamos decidir se devemos manter o jurado número um, ou se devemos rejeitá-lo em favor do jurado número dois. Cada um deles pode ter combinações muito diferentes de benefícios e perigos em potencial. Pode ser mais provável que o jurado número um seja crítico em relação ao caso da promotoria, e portanto tenha mais probabilidades de considerar o réu inocente – mas é favorável à pena de morte, e assim provavelmente será duro com o réu se houver uma condenação. Por outro lado, o jurado número dois pode parecer mais inclinado a aceitar o caso da promotoria, mas tem menor probabilidade de propor uma pena de morte. As duas opções apresentam riscos e portanto evocam medo. Depois que um julgamento acaba, não quero ter de pensar se meu cliente estaria livre caso eu tivesse ficado com o jurado número um, ou ainda pior, se ele estaria vivo caso eu tivesse escolhido o jurado número dois. O único modo de poder dormir de noite é saber que tomei a decisão mais objetiva e racional possível.]

Ao listar mentalmente as conseqüências específicas que mais temo em relação a cada uma das escolhas, me obrigo a focalizá-las claramente. Isso me ajuda a formular perguntas que me ajudarão a obter *insights* sobre as atitudes dos jurados em potencial com relação àquelas questões que estão me perturbando. Então discuto, com o réu e com o advogado dele, as minhas observações e os riscos associados com a escolha de cada jurado. No fim das contas, o advogado e o réu é que precisam escolher se irão arriscar uma possível condenação à morte em troca de uma maior chance de absolvição – mas a minha tarefa é trazer o máximo possível de objetividade para o processo. Você pode usar o mesmo método para tomar melhores decisões em sua própria vida.

Defesa: o modo mais rápido de bloquear a mente

[Ninguém gosta de ser atacado ou criticado. Com freqüência respondemos reforçando nossas defesas como se fôssemos um forte sitiado. Vemos tudo vermelho e deixamos de ouvir. Perdemos a objetividade, e, junto com ela, a nossa capacidade de julgar.]

Já vi isso acontecer centenas de vezes no tribunal. Um advogado está interrogando uma testemunha e toca num ponto sensível. A testemunha fica tensa, range os dentes e se inclina para a frente, torna-se sarcástica, começa a confrontar ou discutir. [Tentando se defender, perde completamente de vista o modo como todos no tribunal a vêem, inclusive o júri. Não enxerga os jurados balançando as cabeças nem ouve os comentários que murmuram. Não sabe mais, nem se importa, se de fato respondeu a pergunta do advogado, e todos percebem isso.]

Lembro-me de um exemplo claro dessa situação, que aconteceu há alguns anos, num julgamento que envolvia uma disputa pela posse de uma propriedade. O réu, um incorporador bem-sucedido, gradativamente passou a odiar o advogado que representava o investidor que o processava. O advogado do investidor descobriu bem rápido como pressionar o réu, e este passou a responder de modo argumentativo e confrontador. Ele não fazia a menor concessão àquele homem a quem detestava. Por exemplo, o advogado fazia uma pergunta simples: "Não é verdade que você disse ao meu cliente que tinha a aprovação da prefeitura para construir um campo de golfe na propriedade?", e ele retrucava: "Eu não *disse* nada para ele, eu só escrevi cartas para ele". Quando o advogado do investidor continuava: "Bem, quando você *escreveu* a ele, não disse isso em suas cartas?", o réu respondia sarcasticamente: ["Diga você, você tem cópia de todas as minhas cartas". Depois de alguns momentos assim, o júri estava pronto para estrangular esse homem. E quando o julgamento terminou, eles fizeram isso – com o seu veredicto.]

don't get defensive... Ever!

Já é difícil manter os olhos e ouvidos abertos sob circunstâncias normais, imagine então quando se está sendo atacado – mas esse é exatamente o momento em que você precisa ter a mente mais clara e objetiva. Se o seu chefe ou melhor cliente estiver criticando o seu desempenho, você deve ouvir e aprender, se desejar manter o seu emprego ou sua conta principal. A última coisa que deveria fazer é enxergar erradamente quem o critica porque você está se concentrando apenas naquilo que vai dizer para se defender. Observe e ouça cuidadosamente se o seu marido estiver tentando lhe explicar por que ele está infeliz no casamento. Não se retraia, nem responda com uma tirada defensiva – pelo menos, não se o seu casamento for importante para você.

do care about others people opinion, even if they are stupid to you.

Lembre-se, quase sempre haverá um lugar e um momento para que você responda, e sua resposta será muito mais efetiva se você entender completamente aquilo a que vai responder. O único modo de conseguir tal entendimento é sufocar a sua defesa e abrir os ouvidos e a mente. Como dizemos às testemunhas antes que elas sejam interrogadas pelo advogado do outro lado: "Apenas ouça cuidadosamente as perguntas e faça o melhor que puder para respondê-las. Não discuta. Você terá a chance de explicar o seu lado da história mais tarde". É um bom conselho, no tribunal ou fora dele.

another great advice

Just listen and learn.

COMECE DO ZERO

No stereotypes

O próximo passo para ficar pronto para decifrar é limpar a sua mente dos estereótipos e de outras formas de preguiça mental que freqüentemente substituem uma reflexão cuidadosa. Você não pode tomar um banho quente se começar com meia banheira de água fria. E se quiser avaliar as pessoas de modo preciso, tem de começar do zero, sem noções preconcebidas a respeito do resultado. Pense em si mesmo como um cano entupido durante anos de preconceitos e desvios. Você precisa desentupi-lo e deixar que a informação flua livremente.

let it all fall down and begin from zero

see ?!?!

A maioria de nós tem alguma consciência de nossos preconceitos. Embora não gostemos de admitir, com freqüência julgamos as pessoas por sua raça, sexo, idade, país de origem, status econômico ou aparência. Como é enfatizado neste livro, centenas de características podem ter uma influência significativa sobre o modo de alguém pensar ou se comportar. Mas nenhum traço funciona isoladamente, e nenhum traço prevalece sobre os outros em todas as situações. É um erro basear o modo como você avalia alguém a partir de uma idéia preconcebida sobre as pessoas com uma característica específica. Esse tipo de estereotipia pode distorcer os seus esforços para prever o comportamento antes mesmo de você começar.

[Descobri que nos obrigarmos a reconhecer idéias preconcebidas é o primeiro passo para superá-las. Assim que estiver consciente de que está fazendo um julgamento apressado sobre uma pessoa, baseado em algum preconceito, você pode se impedir de continuar. Poderá identificar o preconceito e lembrar-se de que não há como avaliar uma pessoa quando se tem tão pouco em que se basear. Você precisa avaliar muita informação sobre as pessoas antes de encontrar os padrões que o tornarão capaz de entendê-las. Obrigue-se a procurar mais detalhes.]

Sempre ajo desse modo quando seleciono um júri. Depois de entrevistar milhares de pessoas, observei que as pessoas que compartilham algumas características pensam e agem de modo semelhante. Conseqüentemente, eu me tornei tendenciosa. Tendo a esperar que os ricos sejam mais rigorosos com o crime que os pobres; que os homens com barbas longas sejam menos conservadores do que aqueles bem barbeados; e que os jovens respeitem menos a autoridade do que os mais velhos. Sempre que estou avaliando alguém que cai em um ou mais grupos identificáveis – o que quer dizer, quase todo mundo –, faço um esforço consciente para deixar de lado os preconceitos enquanto reúno e avalio a informação sobre a pessoa. De outro modo, não posso dizer que estou pronta para decifrá-la.

[O pensamento por atalhos – tomar o caminho mais fácil para chegar a uma conclusão –, é menos óbvio que o estereótipo.] Essa tendência é tão comum que os publicitários tiram vantagem dela o tempo todo para nos vender coisas. O anúncio que rotula um carro como "o mais vendido de sua classe" nos atrai porque nós concluímos naturalmente que se "todos" estão comprando esse carro, ele deve mesmo ser o melhor. Chegar a essa conclusão é mais fácil do que examinar uma pilha de *Consumer Reports* e tomar uma decisão com base em informações recolhidas por nós mesmos. Na verdade, o carro pode ser o pior veículo de sua categoria, mas vende tão bem apenas porque é o mais anunciado. [Esse tipo de pensamento por atalhos também pode interferir na percepção de pessoas. Nós tendemos a assumir que uma pessoa que usa palavras difíceis é culta e confiável, ou que uma pessoa que usa óculos de sol dentro de casa deve ser uma pessoa suspeita. Mas nós podemos nos enganar, se não formos adiante e testarmos nossos julgamentos apressados.

Este ponto foi ilustrado durante a escolha do júri num caso de assassinato, na qual um homem afro-americano de meia-idade, vestido conservadoramente e que se expressava bem, usou óculos de sol dentro do tribunal por três dias seguidos. A equipe de advogados ficou imaginando por quê. O que estava acontecendo? Será que os olhos dele estavam avermelhados depois de uma noite de boemia? Será que era uma afirmação de moda, ou uma afirmação política? Será que ele estava escondendo cicatrizes de uma briga? Certamente, de algum modo os óculos de sol refletiam a sua personalidade – não é sempre assim? Havia tantas teorias quanto advogados no tribunal. Finalmente, o promotor fez a pergunta que estava em todas as cabeças. O jurado em potencial tirou os óculos e revelou um ferimento que deixava um de seus olhos hipersensível à luz.

Se uma decisão não for terrivelmente importante, você pode optar pelo caminho mais fácil ao julgar alguém, simplesmente para economizar tempo. Mas sempre que essa conclusão for crítica para seu sucesso pessoal ou profissional, o pensamento por atalhos simplesmente não é o suficiente. Nessas circunstâncias, você precisa se perguntar se começou do zero e validar independentemente as suas conclusões. Você não pode se dar ao luxo de pular impulsivamente de A para Z, sem parar em algum lugar intermediário.

TOME UMA DECISÃO, E ENTÃO AJA DE ACORDO COM ELA

Todos nós reclamamos de alguém: do dentista, do médico, da babá, do contador. Nós descobrimos o jeito deles. Eles são superficiais, preguiçosos, descuidados, incompetentes ou desonestos – no entanto continuamos recorrendo a eles como cordeiros indo ao matadouro. Por que nos damos ao trabalho de chegar à conclusão correta, se não vamos agir de acordo com ela? Por que simplesmente não fazemos a coisa certa?

Pode haver várias razões. Algumas vezes, hesitamos por causa de caridade equivocada ou por falta de confiança em nosso próprio julgamento. Temos ainda alguma dúvida sobre nossa impressão e sentimos que se formos um pouco mais fundo, encontraremos a informação que nos falta para explicar o comportamento da pessoa. Se você não estiver convencido de que sua evidência é consistente, é melhor voltar atrás e reunir mais informações. Mas lembre-se, não existe garantia de que você venha a entender completamente alguém, por mais informação que consiga reunir. E em algum ponto você terá de tomar uma decisão, ou cairá na armadilha da "paralisia de análise".

Algumas pessoas não conseguem agir simplesmente porque não conseguem suportar a dor emocional ou a incerteza de uma decisão difícil. *Se você tem este problema, lembre-se de que manter o* status quo *também é uma decisão.* Se um relacionamento não está funcionando, a decisão de não mudar é uma decisão de permanecer nele.

Experimente um truquezinho, quando você estiver entalado numa situação e não for capaz de agir de acordo com a informação que reuniu. Faça de conta que tem diversas escolhas, uma das quais é exatamente deixar as coisas do modo que estão. Por exemplo, se estiver questionando se o seu relacionamento romântico atual é certo para você, pergunte-se: se eu fosse solteiro e encontrasse alguém exatamente igual a esta pessoa com quem estou envolvido atualmente, iria desejar um relacionamento com a nova pessoa, ou preferiria continuar procurando? Avalie objetivamente toda a informação disponível. Se você descobrir que está evitando a perspectiva de entrar num novo relacionamento exatamente igual àquele em que está, então pode ser o momento certo para uma mudança.

Há alguns anos experimentei este exercício, pois estava insatisfeita com a minha secretária. Eu me perguntei se a contrataria se precisasse de uma secretária e ela se candidatasse. E tive de responder com um sonoro não. Por mais simples que pareça, precisei deste exercício para me ajudar a tomar a decisão correta.

Algumas vezes, adiamos decisões porque nos enganamos, acreditando que a pessoa que nos desapontou irá mudar. Isso não acontece só entre namorados, casais e amigos. Por exemplo, os advogados deveriam saber disso, mas tenho visto muitos deles aceitarem um jurado que lhes é abertamente hostil porque acreditam que tal jurado pode mudar de opinião por causa de sua eloqüência. Mas raramente vi isso acontecer. Depois de observar milhares de pessoas tomando decisões, aprendi que *é muito mais fácil mudar o modo como você pensa sobre uma pessoa do que mudar o modo como a pessoa pensa!*

Finalmente, sem dúvida existem momentos em que você reuniu e avaliou objetivamente toda a informação disponível, mas ainda assim a melhor escolha pode não estar clara. Nesses casos, você tem apenas de tomar a melhor decisão possível. Pode ser que faça uma má escolha e se arrependa mais tarde, mas encontrará algum alívio por saber que poucas decisões são irreversíveis. Se fizer um juízo errado sobre alguém, normalmente não precisará viver com essa escolha para sempre.

the process of learning

Uma palavra final a respeito de se preparar para decifrar pessoas: à medida que você continuar a adquirir as habilidades mais específicas descritas no resto deste livro, *continue praticando* as habilidades básicas apresentadas neste capítulo. Elas são a chave para extrair o máximo deste livro, porque o colocarão no estado mental mais adequado para entender melhor as pessoas. Elas o ajudarão a permanecer receptivo e alerta – as qualidades que você precisa para progredir rapidamente.

2

A Descoberta de Padrões:
Aprendendo a Ver a Floresta
e Não Só as Árvores

Em 1939, Sir Winston Churchill disse que a Rússia era "uma charada embrulhada num mistério dentro de um enigma". Ele poderia estar descrevendo qualquer um de nós. Até mesmo os santos têm um lado mais sombrio, e os demônios que encontramos podem revelar elementos de honestidade e charme. Ninguém é inteiramente consistente, e a maioria de nós é uma confusão de pensamentos, valores e comportamentos que, com freqüência, entram em conflito. Mas padrões de comportamento emergem dessas inconsistências aparentes, por mais complexa que uma pessoa seja. Uma vez que você aprenda a identificar esses padrões, conseguirá entender os outros e prever o comportamento deles.

Juntar uma montanha de informações variadas a respeito de alguém, observando sua aparência, a linguagem corporal, o ambiente, a voz e a conduta não lhe servirá de nada a menos que você saiba quais traços podem ser importantes indícios da personalidade e quais são relativamente menos importantes. Depois de ter identificado as características potencialmente importantes de alguém, então você terá de examiná-las e descobrir como as peças se encaixam. Você precisa aprender a ver o quadro geral – a floresta, não só as árvores.

TUDO TEM A VER COM O DESENVOLVIMENTO DE UM PERSONAGEM

Aprender a ver as pessoas de modo eficaz requer muitas das técnicas que os talentosos contadores de histórias usam para desenvolver um personagem e dar-lhe vida. Pense sobre o modo como os criadores de *A Bela e a Fera* de Walt Disney transformaram a Fera num herói simpático. Um enorme animal com presas e pele grossa é assustador, não simpático. Mas os realizadores do filme descobriram maneiras de fazer com que a platéia visse que havia mais na Fera do que parecia à primeira vista. Primeiro, eles o vestiram com roupas principescas, um sinal claro de que não era um monstro comum. Depois, usaram linguagem corporal para revelar outros aspectos de sua personalidade humana. Então, acrescentaram o diálogo e as ações que indicam que a Fera pode ser um carneiro em pele de lobo. Uma pista central da identidade real da criatura vem de uma fonte externa, o narrador, que explica que a Fera na verdade é um príncipe, transformado como punição por ações descuidadas cometidas no passado.

No clímax do filme, o padrão está completo. A platéia não vê uma Fera, mas o herói de coração gentil que vive dentro dela. A revelação gradual da verdadeira personalidade da Fera, camada por camada, é o que transforma o filme numa obra-prima. A platéia não precisa trabalhar para desenvolver o padrão que revela a natureza da Fera; os escritores e os animadores fazem com que ele se revele diante de nossos olhos. Mas, na vida, nós temos de procurar o padrão de traços que divulga a personalidade de cada pessoa.

Descobrir um padrão previsível é mais do que simplesmente reunir informação seguindo os passos A, B e C. Uma vez que tenha toda a informação disponível, você precisa examiná-la e pesá-la até que finalmente possa dar um passo para trás e olhar para a pessoa inteira. Não é diferente do processo utilizado por um médico quando tenta diagnosticar uma doença. Se você entrar no consultório com um pulso dolorido, ele vai perguntar quanto você consegue mexê-lo. Provavelmente irá examiná-lo; perguntar quais de suas atividades recentes poderiam tê-lo machucado; e depois fazer radiografias. Cada uma dessas técnicas de diagnóstico trazem uma informação diferente. Ele consegue fazer o melhor diagnóstico possível quando todas elas são consideradas como um todo.

Do mesmo modo, você deveria procurar o maior número possível de informações quando estiver avaliando alguém. A determinação de quais são os critérios mais importantes dependerá das circunstâncias e daquilo que você precisa no relacionamento. As minhas necessidades serão simples e claras se eu estiver contratando alguém para colocar piso no meu quintal: ele precisa ser habilidoso em seu trabalho, honesto e confiável. Não tenho de passar horas contemplando todos os critérios ensinados neste livro. Mas se eu estiver decidindo se devo ou não entrar num relacionamento íntimo com alguém, precisarei colocar muito mais energia para determinar quais são as minhas necessidades e considerar cuidadosamente toda a informação disponível sobre essa pessoa.

A seguir, descrevo o processo que geralmente sigo quando estou tentando conhecer e entender alguém. O processo é o mesmo quer eu esteja no tribunal ou fora dele: pessoas são pessoas, onde quer que estejam. Embora o material seja apresentado do modo que melhor funciona para mim, não fará diferença por qual área começar a refletir, desde que você tenha todas em mente quando estiver avaliando alguém. Com um pouco de prática, você irá desenvolver sua própria abordagem, até que, finalmente, grande parte desse processo se transforme numa segunda natureza para você, como aconteceu comigo.

Para descobrir padrões significativos e confiáveis:

1. Comece com os traços mais marcantes da pessoa, e conforme você reúne mais informação, veja se os outros traços são consistentes ou inconsistentes.
2. Considere cada característica em seu contexto, não isoladamente.
3. Procure os extremos; a importância de um traço ou de uma característica pode ser uma questão de grau.
4. Identifique os desvios do padrão.
5. Pergunte a si mesmo se aquilo que você vê reflete um estado mental temporário ou uma característica permanente.
6. Faça uma distinção entre traços opcionais e não-opcionais. Algumas coisas você controla; outras coisas o controlam.
7. Dê atenção especial a alguns traços altamente indicativos.

VOCÊ TEM DE COMEÇAR EM ALGUM LUGAR — COMECE COM OS TRAÇOS MAIS MARCANTES

A quantidade de informação que posso reunir sobre os jurados potenciais é pequena comparada com aquilo que está disponível na vida cotidiana. Com freqüência vemos as pessoas em muitos ambientes diferentes: informal, formal, de negócios, social. E muitas vezes chegamos a conhecê-las durante meses ou anos. Na verdade, temos acesso a tanta informação que é fácil sentir-se sobre-carregado, a menos que tenhamos um plano de ação que nos mantenha focados.

Qualquer pessoa que tenha montado um quebra-cabeça aprendeu que sem alguma abordagem lógica pode ficar infindavelmente atrapalhada com cente-nas de peças na mesa, antes de conseguir achar um único encaixe. Como ponto de partida, a maioria começa a montar as peças da borda – não porque elas mostram como será o quebra-cabeças terminado, mas porque são relativamen-te fáceis de identificar e de juntar. Uma vez que a borda do quebra-cabeças esteja completa, nós temos um quadro de referência que nos ajuda a determinar como as outras peças se encaixam.

Minutos, ou até segundos depois de ter encontrado alguém, normalmente já reuni uma enorme quantidade de informação facilmente observável sobre ida-de, sexo, raça, características físicas, maneirismos vocais e linguagem corpo-ral. Com algumas perguntas, posso saber rapidamente a respeito da educação e do estado civil da pessoa que acabei de conhecer. Posso descobrir o número, o sexo e a idade de seus filhos, sua profissão, a história de sua família, *hobbies*, a que clube e organizações pertence e seus programas de televisão favoritos. Isso representa apenas a primeira camada de informações disponível para aqueles que estão tentando ler pessoas.

Um segundo nível de informação, mais subjetivo, baseia-se nos traços fisi-camente observáveis, que requerem interpretação: o significado da linguagem corporal e dos maneirismos, a importância das características vocais e a rele-vância de ações específicas, apenas para citar algumas. Aqui, você precisa entender os significados possíveis dos traços observáveis da pessoa.

E existe um terceiro nível de informação, que reflete as conclusões sobre a personalidade da pessoa com base na análise da informação revelada nos dois primeiros níveis. A pessoa é gentil ou rude? Mesquinha ou generosa? Violenta ou passiva? Trabalhadora ou preguiçosa?

Depois de anos de tentativas, eu ainda não consigo ler e interpretar todas essas informações de uma vez, e nunca encontrei ninguém que pudesse. Entre-tanto, toda esta informação entra na receita para decifrar pessoas. Para dar ordem ao caos, quando conheço uma nova pessoa, normalmente noto as duas ou três características que aparecem mais claramente: seu tamanho, roupas, voz, os maneirismos, o modo de falar ou as ações. Ou eu posso até ter uma sensação a respeito de seu estado mental e emocional. Formo uma primeira impressão a partir dessas características mais marcantes. Mas nunca esqueço que as primeiras impressões são apenas isso – *primeiras* impressões.

As pessoas tentam muito dar uma boa primeira impressão; o desafio é continuar a examinar a sua primeira impressão de alguém com uma mente aberta à medida que você tem mais tempo, informação e oportunidade. De outro modo, você pode passar por cima de pistas essenciais que levariam a uma direção completamente diferente.

Comparo constantemente as informações adicionais com a minha primeira impressão, sempre observando o desenvolvimento de um padrão. Cada peça do quebra-cabeça – a aparência de uma pessoa, seu tom de voz, a higiene e assim por diante – pode validar minha primeira impressão, contradizê-la ou ter pouco impacto sobre ela. Se a maior parte das novas informações aponta numa direção diferente da primeira impressão, eu revejo essa impressão. Então, considero se minha impressão revista se mantém à medida que outras pistas aparecem – e a revejo de novo, se for necessário.

Fique especialmente alerta para a nova informação que não combina com sua primeira impressão. Como mencionei no capítulo anterior, as pessoas resistem a mudar de idéia depois de terem formado uma opinião sobre alguém. Se você cair nessa tentação, acabará tendo impressões erradas das pessoas. Todos os relacionamentos se aprofundam e se desenvolvem. Às vezes são necessários meses ou anos para ultrapassar uma primeira impressão e enxergar de modo mais preciso os complexos padrões do comportamento de uma pessoa.

TUDO PRECISA SER VISTO NO CONTEXTO – NÃO DE MODO ABSTRATO

Como William Shakespeare observou sabiamente "o mundo inteiro é um palco, e todos os homens e mulheres são apenas atores... Um homem representa muitos papéis em sua vida". Para identificar de modo preciso os padrões nos traços e no comportamento das pessoas, você precisa considerar o palco em que estes aparecem. Se me contar apenas que um jovem usa um grande brinco de argola, você não pode querer que eu lhe diga o que isso significa. Pode ser um ótimo jogo de salão, mas na vida real eu nunca me arriscaria a adivinhar algo com base em tão pouca informação. Se o homem for de uma cultura na qual a maioria dos jovens usa grandes brincos de argola, isso pode significar que ele é um *conformista*. Se, por outro lado, ele for o filho de um advogado da Filadélfia, ele pode ser *rebelde*. Se toca numa banda de rock, talvez siga a moda. Se for Halloween, talvez esteja indo a uma festa, vestido como pirata.

Pense novamente sobre o quebra-cabeça. Uma peça azul isolada poderia fazer parte do céu, de uma piscina, de um prédio, da lateral de um caminhão ou da camisa de um homem. Confiar num único traço para prever as crenças, a personalidade ou as prováveis ações de um ser humano complexo é como pegar essa única peça e afirmar que ela pertence ao lado esquerdo de uma picape Ford 1982 azul. Boa sorte!

Para ilustrar esse ponto, descreverei algumas características de um homem que conheci há quase dez anos. Quando o encontrei pela primeira vez, ele estava sentado à mesa. Era magro e um pouco curvado; parecia um pássaro com uma asa quebrada, assustado e isolado. Tinha um sorriso nervoso e um modo desajeitado de fazer as coisas. Logo depois, quando passou a me conhecer melhor, ele começou a fazer desenhos para mim, normalmente de pequenos animais. Os animais favoritos eram os coelhos. Ele era um artista muito bom.

Você provavelmente está imaginando um homem pequeno e tímido que não mataria uma mosca – mas eu vou acrescentar algumas outras peças do quebra-cabeça: a mesa sobre a qual ele estava debruçado era a mesa da defesa no tribunal onde ele estava sendo julgado. Estava algemado nos pulsos e tornozelos. Sentia-se assustado, isolado e nervoso porque estava encarando a pena de morte por ter matado treze mulheres, a maioria idosas. E por que ele desenhava pequenos animais para mim? Não sei. Suponho que era porque gostava de desenhar e isso afastava sua mente do julgamento. Ele era Richard Ramirez, o "Caçador Noturno", que continua até hoje no corredor da morte.

Sempre tenha em mente que existem muitas interpretações para quase todos os aspectos da aparência, da linguagem corporal, do ambiente, das entonações vocais, palavras e ações de uma pessoa. A menos que você as considere sob a luz de todas as informações disponíveis, o seu esforço de interpretá-las será pouco melhor do que um tiro no escuro.

PROCURE OS EXTREMOS

Recentemente ouvi uma conversa surpreendente entre duas mulheres na cafeteria que freqüento aos sábados de manhã.

"Minha filha chegou em casa na noite passada com uma tatuagem", disse a primeira mulher. Ela estava quase soluçando.

"Você está brincando!", disse a amiga dela em voz baixa, inclinando-se para a frente.

"Não, não estou. Mal posso acreditar. Não sei o que deveria dizer. Acho que agora já não há muito que eu possa fazer."

"Eu sinto muito. Mas tenho certeza de que tudo ficará bem", disse a amiga enquanto segurava a mão da primeira mulher para consolá-la.

Elas continuaram assim por pelo menos dez minutos. Era impossível não ouvir — estavam sentadas à mesa ao lado da minha. Eu estava sentindo dificuldade de me conter e não me virar para elas, dizendo: "O.K., eu desisto. Onde está essa coisa? Qual o tamanho dela? E, pelo amor de Deus, qual é a aparência dela?" Será que elas estavam imaginando que a garota estava usando drogas ou saindo com uma gangue de motociclistas, só porque tinha feito uma tatuagem?

As tatuagens são reveladoras, mas uma pequena borboleta no tornozelo é muito diferente de uma grande rosa no seio. A mulher na cafeteria podia estar sofrendo à toa. Na verdade, *a importância de quase todos os traços depende de ser grande, pequeno, intenso ou sutil.* Em outras palavras, é uma questão de grau.

Um exemplo excelente é a obsessão que um advogado amigo meu tem por sapatos engraxados. Estou acostumada com as roupas caras, bem cortadas e conservadoras que os advogados usam — eles querem dar um tipo específico de primeira impressão —, mas esse colega vai a extremos quando se trata de sapatos. Ele sai à procura de um engraxate por causa da menor manchinha. Será que é um maníaco por limpeza ou é extremamente vaidoso? Será que sofre de distúrbio obsessivo-compulsivo? Talvez venha de uma família que o ensinou desde muito jovem a manter suas roupas perfeitamente limpas. Ou talvez tenha um passado militar: os militares são treinados para manter os sapatos sem nenhuma mancha, e muitos nunca perdem esse hábito.

Sem saber mais a respeito dele, seria impossível atribuir um significado específico a essa mania singular. Mas qualquer que fosse a verdade, eu sabia que traria uma pista importante sobre a personalidade dele. E isso aconteceu. Conforme passei a conhecê-lo melhor, soube que ele tinha sido tão pobre quando criança que seus pais só podiam lhe comprar sapatos novos uma vez por ano, no início das aulas. Ele tinha consciência de sua pobreza e aprendeu a tomar um cuidado extraordinário com os sapatos, de modo que não revelassem a situação financeira de sua família. Foi um hábito que ele manteve até a idade adulta, e fez com que eu o entendesse muito melhor.

A importância de qualquer traço, por mais extremo que seja, não será clara até que você saiba bastante sobre alguém para ver um padrão se desenvolvendo. Ao procurar pelo padrão, dê atenção especial a qualquer outro traço que seja condizente com os mais extremos. Normalmente eles são como um farol na noite, que o leva na direção correta.

CONCENTRE-SE NOS DESVIOS DA NORMA

Qualquer coisa incomum é importante para compreender as pessoas. Isso certamente se aplica aos desvios daquilo que você pode ter chegado a reconhecer como o padrão normal de uma pessoa. Existem dois tipos de desvios que devem ser observados. O primeiro é um traço que vai contra as outras características da pessoa – chame-o de traço enganador. O segundo é uma conduta não-condizente com o hábito ou rotina normal dela, chame isso de uma ação enganadora.

A sua reação inicial pode ser deixar de lado os traços enganadores porque, por definição, eles estão "fora da personalidade". Mas o mais freqüente é que isto seja um erro. Normalmente, vale a pena examinar de perto o traço enganador. Em raros casos, ele revela a verdadeira natureza de uma pessoa que conseguiu disfarçar todas as outras pistas sobre sua personalidade. O mais comum é que o traço excepcional simplesmente lhe dê um *insight* valioso a respeito da complexidade da personalidade dela.

Se você visse meu cunhado, Amal, e seu advogado conservador, você entenderia exatamente o que estou querendo dizer. Amal é do Marrocos, e faz roupas de couro e jóias, muitas das quais vende para músicos de rock. O brinco de argola que ele usa combina bem com suas roupas de vanguarda, cabelo comprido e jeito informal. Mas e se o advogado dele usasse o mesmo brinco, com seu terno Brooks Brothers, sua envergadura e postura ereta? Você certamente desejaria procurar outras pistas para explicar esse aspecto incomum.

Até um pequeno desvio no padrão de alguém pode expor as prioridades dessa pessoa. Um pequeno traço enganador, mas nítido, me trouxe um grande *insight* quanto ao caráter do presidente do conselho da Forensic Technologies International, a empresa para a qual trabalho. Como presidente de uma empresa bem-sucedida com ações negociadas na bolsa, Dan se veste bem e de modo muito conservador. Ele é equilibrado, confiante e sempre profissional. Existe um padrão claro. O que chama atenção em Dan, e revela um outro lado de sua personalidade, é que ele sempre usa "pulseiras de amizade" feitas por seus filhos – quer esteja numa reunião informal ou presidindo uma reunião do conselho. Quando conheci Dan melhor, percebi que essa opção de usar as pulseiras dadas pelos filhos onde quer que estivesse é um sinal da importância que sua família tem para ele. Ele não só é um pai orgulhoso, mas também quer que seus filhos fiquem felizes e assim usa os presentes que eles lhe dão, mesmo que não combinem com seu guarda-roupa. Esse traço enganador mostrou ser altamente indicativo a respeito da natureza cuidadosa e compassiva de Dan.

A importância dos traços enganadores pode ser ilustrada de milhares de modos. A jovem mulher usando um vestido justo e saltos agulha revela que esta não é sua aparência normal quando se move pela sala como um bebê dando seus primeiros passos. A socialite vestida numa roupa de milhares de dólares que usa orgulhosamente o anel de noivado simples dado por seu marido há 30 anos, quando eram estudantes sem muito dinheiro, mostra seus valores tradicionais e sua autoconfiança. E o homem que parece calmo e equilibrado durante uma entrevista mas cujas unhas estão roídas até a raiz, provavelmente está menos tranqüilo do que parece.

As ações enganadoras podem ser ainda mais reveladoras que os traços. A maioria das pessoas cultiva hábitos, adora a rotina e a ela se agarra a menos que algo específico faça com que mude. Você sabe que algo está acontecendo se durante o jantar o seu filho, normalmente falante, ficar mudo como uma porta. Você ficará imaginando o que aconteceu se o seu empregado, normalmente amigável e otimista, chegar quieto e mal-humorado no trabalho. E vale a pena investigar o comportamento de seu namorado se ele costuma ligar todas as quintas à noite, para fazer planos para o fim de semana, e numa certa semana ele só ligar no sábado ao meio-dia.

Um lapso isolado dentro de uma rotina não deve automaticamente abalar sua crença na precisão do padrão que você viu se desenvolver. Mas deve chamar sua atenção. As ações enganadoras merecem ser exploradas, mesmo que você tenha certeza de que seu filho está feliz, seu empregado é amigável e seu namorado, fiel. Qualquer que seja a explicação, ela provavelmente a ajudará a entender melhor a pessoa.

VOCÊ ESTÁ VENDO UM ESTADO MENTAL OU UM ESTADO DE SER?

Uma explosão ocasional de raiva não faz com que alguém seja uma pessoa nervosa. Você não é introvertida porque às vezes não tem vontade de falar, nem fundamentalmente egoísta porque no último Dia de Ação de Graças pegou o último pedaço de torta de abóbora, nem insegura porque perguntou a seu chefe se ele estava satisfeito com o último projeto que você fez.

Os especialistas em educação infantil sempre aconselham os pais a não dizer a seus filhos que eles são maus quando se comportam mal, mas em vez disso aconselham que os repreendam por terem feito *coisas ruins*. Esse conceito também se aplica aos adultos. Pessoas boas ocasionalmente fazem coisas más, e pessoas más às vezes se comportam como anjos. Ao procurar os padrões, é essencial não confundir comportamento ou sentimentos ocasionais com um traço ou aspecto mais permanente da personalidade.

Se estiver pensando em recontratar alguém que trabalhou para você há alguns anos, seria sábio relembrar suas experiências passadas com essa pessoa. Mas você não deveria basear sua decisão numa única ocasião em que ela discordou de você, a menos que você veja outros comportamentos que indiquem uma natureza contestadora. Episódios isolados não costumam revelar um estado mental permanente. Ao procurar os padrões, pergunte a si mesmo se a pista que está avaliando é um acontecimento isolado. Se for, não lhe dê muita importância, a menos que possa ser caracterizada como realmente extrema.

VOCÊ CONTROLA ALGUMAS COISAS, ALGUMAS COISAS CONTROLAM VOCÊ: TRAÇOS OPCIONAIS E NÃO-OPCIONAIS

As perspectivas que a maioria das pessoas têm na vida são formadas em algum grau pelo modo como seus corpos funcionam e se parecem. Um homem com 1,90 metros de altura provavelmente terá uma postura muito diferente no mundo do que seu irmão de 1,70 metros. Esses centímetros fazem uma diferença incalculável que nenhum dos homens pode controlar totalmente, e essa diferença não se refere apenas a alcançar a prateleira mais alta do armário.

As características físicas se dividem em dois grupos principais: opcionais e não-opcionais. Traços opcionais incluem coisas que podem ser controladas: por exemplo, roupas, tatuagens, maquiagem, acessórios. Eles tendem a revelar quem gostaríamos de ser, ou pelo menos o que desejamos projetar para os outros. Os traços não-opcionais, que afetam significativamente as experiências de vida de uma pessoa, tendem também a revelar mais a respeito de sua personalidade, o modo de pensar e o comportamento. Isto é especialmente verdadeiro quanto aos traços que temos desde o nascimento.

Traços não-opcionais

Os traços com que as pessoas nascem, especialmente aqueles que representam desafios físicos, dificulta sua inclusão no ambiente social normal, usualmente têm um efeito profundo e permanente na personalidade e no comportamento. Por esse motivo, eu me baseio bastante nesses traços para obter pistas referentes ao cerne da personalidade de alguém.

Uma pessoa confinada a uma cadeira de rodas desde o nascimento passou uma vida inteira compensando aquilo que as pessoas com corpos normais nem percebem. Ele foi discriminado, apontaram para ele, riram dele, e falaram com ele como se sua mente não funcionasse melhor que suas pernas. Na maioria dos casos, essas experiências fazem com que a deficiência seja central em sua vida. O mesmo pode ser dito em relação a muitas minorias, os obesos, as pessoas com deficiências físicas ou mentais, pessoas com problemas emocionais, e aqueles que sofrem de doenças debilitantes.

Quando estou procurando padrões entre os traços daquelas pessoas cujas experiências de vida foram drasticamente afetadas pelos traços não-opcionais, eu me concentro primeiro nos efeitos desses traços, e naquilo que essas pessoas fizeram para tentar superar os obstáculos que encontraram. Elas são lutadoras que batalham com um andador em vez de desejar uma cadeira de rodas? São independentes? Elas optam por ler Braille, em vez de recorrer a um ajudante? São suficientemente confiantes para se aventurar em público sem ocultar sua deficiência? São autoconfiantes quando expostas ao público, ou desviam os olhos para evitar o olhar fixo das crianças e dos adultos insensíveis?

Algumas pessoas enfrentam com entusiasmo, resolução e espírito esportivo os desafios que o destino jogou em seu caminho. Outras se retraem, derrotadas e amargas. A maioria encontra um caminho intermediário. O caminho que elas escolhem pode revelar muito a respeito de suas personalidades.

A maioria dos traços não-opcionais são menos importantes do que estes que acabamos de discutir. Traços faciais, altura, proporção corporal e outros traços físicos geralmente não merecem uma consideração especial a não ser que sejam extremamente incomuns, ou que a pessoa decida alterar o que seria um traço não-opcional permanente por meio dos milagres da medicina moderna. Sempre que encontro alguém que investiu o tempo, a energia e o dinheiro necessários para alterar permanentemente algum aspecto de sua aparência física, examino de modo especialmente cuidadoso o que isso diz sobre seus desejos e prioridades. A importância que um traço normalmente teria é duplicada se a pessoa lhe deu importância suficiente para investir nele.

Nem todos os traços não-opcionais são físicos. Status financeiro, por exemplo: a pessoa comum não pode acordar de manhã e decidir: "Hoje acho que vou me mudar para uma casa de um milhão de dólares e ir de Porsche para o trabalho". Uma pessoa com uma renda limitada irá aprender a lidar com isto de alguma forma, de modo semelhante ao que acontece com uma pessoa com deficiência física. O modo como as pessoas optam por gastar o dinheiro que têm diz muito sobre suas crenças e valores. Se uma pessoa com uma renda fixa se veste com roupas caras, isso pode sugerir que ela é pouco prática e insegura e anseia por ser aceita socialmente. Se sobra pouco dinheiro para as roupas das crianças, ela também é egoísta e centrada em si mesma. Se uma mulher rica compra as mesmas roupas quando poderia gastar mais, isso *poderia* refletir exatamente o oposto: confiança, simplicidade, segurança e ausência de preocupações específicas com as opiniões dos outros. Entretanto, eu também procuraria outras pistas; talvez ela se vista mal porque *se importa* com a opinião dos outros e quer ser vista como uma pessoa prática. Só depois de completar o processo de construção do padrão é que me sentiria à vontade para decidir qual é o caso dessa pessoa.

36

Traços opcionais

Encaro os traços opcionais de um modo muito diferente, pois as pessoas podem mudá-los de um dia para o outro ou até de um minuto para o outro. As roupas, jóias e acessórios de uma pessoa, e até seus maneirismos, podem ser alterados de acordo com seu desejo. Eles mudam conforme mudamos de ambiente e de circunstâncias. A maioria de nós não se veste para o trabalho do mesmo modo que em casa ou para uma festa. Nós falamos de modo diferente quando conversamos com antigos colegas de escola e quando nos dirigimos a nosso chefe ou a um cliente.

Quando você está identificando os padrões, é especialmente importante ter em mente que os traços opcionais flutuam. Se você recorrer apenas a eles, poderá não enxergar a imagem verdadeira da personalidade de alguém. Se você me visse, vestida esportivamente no mercado numa tarde de sábado, chegaria a conclusões muito diferentes a meu respeito do que se me encontrasse em roupas de trabalho, entrando no tribunal. Nenhum desses dois conjuntos de conclusões seria totalmente verdadeiro. Não dê importância demasiada aos traços opcionais de alguém, a menos que você os tenha visto vezes suficientes, e em circunstâncias suficientemente diferentes para formar uma imagem completa.

Lembre-se também de que alteramos nossas características não-opcionais conforme amadurecemos. A mulher que usa uma argola no nariz como uma afirmação de moda ou como uma forma de rebelião quando tem 19 anos, pode ter deixado isso totalmente de lado ao completar 35 anos. A argola no nariz era mais um reflexo da experimentação juvenil do que da essência de sua personalidade. É claro, se ela tiver 55 anos e ainda usar uma argola dessas, eu consideraria que isso é um traço extremo e prestaria muita atenção.

OS TRAÇOS NÃO TÊM TODOS O MESMO PESO

Ele é baixo, de cabelos escuros, um pouco acima do peso, bem vestido, sorri bastante, tem educação superior, é casado e tem dois filhos pequenos, ensina história no segundo grau, pertence ao Rotary Club, gosta de jardinagem e de filmes antigos, fala com leve sotaque sulista e vem de uma família grande e unida. E ele tem outras milhares de características. Tenho cinco minutos para decidir se ele pode julgar o meu cliente de modo justo. Tantas pistas, tão pouco tempo!

Muitas vezes sofro esse tipo de pressão no tribunal. Uma decisão errada poderia ser literalmente fatal para o meu cliente. Costumo ter mais tempo na vida fora do tribunal. Mas também acumulo mais informações nas quais procurar um padrão. Com tanta coisa para olhar, o único modo de chegar a uma conclusão significativa sobre a personalidade ou as crenças de alguém é me concentrar naqueles traços e características que teriam maior probabilidade de indicar o modo como uma pessoa pensa e se comporta.

Depois de 15 anos, nos quais avaliei milhares de indivíduos em centenas de julgamentos, aprendi que embora quase todos os casos e todas as pessoas sejam diferentes, existem algumas características que, com segurança, nos dizem mais do que as outras. Tenha em mente, entretanto, que são generalizações e algumas vezes podem estar totalmente erradas. Mas na maioria dos casos você verá que elas são guias precisos.

Antes que a equipe legal escolha um júri num caso importante, nós realizamos uma pesquisa planejada para identificar os "traços indicativos", características que têm maior probabilidade de influenciar as crenças de um jurado sobre a questão em julgamento. Realizamos pesquisas de atitudes comunitárias por telefone, e julgamentos simulados com pessoas que tenham o perfil de jurados típicos para o julgamento que se aproxima. Perguntamos a essas pessoas tudo que conseguimos imaginar para nos dar pistas sobre o modo como elas poderiam se sentir a respeito de nosso caso. Nós registramos a idade, o sexo e a raça delas, e pedimos que reúnam informações a respeito de sua história profissional, dos *hobbies*, educação, estado civil, o que costumam ler, a que programas de TV e filmes assistem, a que organizações políticas, sociais e estudantis pertencem, e assim por diante. Nós também fazemos perguntas a respeito de suas experiências de vida: onde nasceram e cresceram, qual a profissão dos pais, quantas crianças havia na família, se estiveram envolvidos em algum processo legal, e muitas outras coisas. Então reunimos ainda mais informações sobre suas atitudes. Como se sentem em relação à pena de morte? Acham que as pessoas abrem processos demais e recebem indenizações vultosas demais? Os contratos verbais deveriam ser tratados de modo diferente dos contratos escritos? Se alguém mente uma vez, provavelmente irá mentir o tempo todo?

A seguir, nós lhes contamos os principais fatos sobre o nosso caso e perguntamos qual é sua primeira reação às questões principais. A partir das respostas deles, nós determinamos quais os traços mais freqüentes nas pessoas que enxergam o caso de um modo específico. Em um caso, nós podemos descobrir que as mulheres jovens, solteiras, com educação universitária e renda alta tendem a favorecer o réu, enquanto que homens casados, mais velhos e operários favorecem a promotoria. Em outro caso, com fatos diferentes, pode acontecer justamente o contrário.

Depois de estudar a informação obtida com os jurados simulados, nós preparamos questionários para os jurados potenciais reais. Esses questionários nos ajudarão a determinar quais traços cada jurado potencial real tem. Não podemos perguntar-lhes antecipadamente como decidirão o caso, mas se soubermos como outras pessoas com traços semelhantes o teriam decidido, podemos fazer uma previsão bem fundamentada.

A seguir, quando os advogados estão questionando os jurados cara-a-cara, nós nos concentramos nos traços que descobrimos serem os melhores indicadores do modo como alguém decidiria o caso. Também concentramos nossas perguntas nas características individuais únicas de cada jurado; normalmente este é o aspecto mais crítico do processo. O fato de que a maioria dos homens casados, operários, favorece a promotoria não significa que aquele no banco do júri fará o mesmo. Nós podemos descobrir durante o questionamento verbal, por exemplo, que ele já foi acusado injustamente de um crime e provavelmente suspeitará muito da polícia e da promotoria.

Passei centenas de vezes por esse processo em todos os tipos imagináveis de caso – não só casos criminais, mas também processos civis envolvendo danos pessoais, quebra de contrato, disputas trabalhistas, brigas sobre direitos autorais de um filme, disputas familiares e outros. Examinei quase todos os assuntos imagináveis, desde atitudes ante a polícia e outras figuras de autoridade, até opiniões sobre responsabilidades individuais, idéias preconcebidas contra grandes empresas e responsabilidades de empregadores para com seus empregados e vice-versa.

Os traços e crenças que avalio no trabalho não são diferentes daqueles que você verá em todas as empresas, nos lares, nas ruas e nos bairros. E as lições que aprendi se mostraram igualmente aplicáveis em qualquer lugar que eu esteja. A primeira dessas lições é uma que nós já enfatizamos e continuaremos a enfatizar neste livro: nenhum traço ou característica tem um único significado em todas as pessoas ou em todas as circunstâncias. Entretanto, identifiquei três características-chave que permitem um *insight* confiável sobre quase todas as pessoas, quase o tempo todo:

1. compaixão
2. *histórico socioeconomico*
3. satisfação com a vida

Quando tento identificar padrões nas características de uma pessoa, sempre me concentro intencionalmente nesses traços, porque eles independem da raça, gênero, idade, orientação sexual e outras características pelas quais nós estereotipamos as pessoas que pertencem a um grupo identificável. Ao me concentrar nesses três traços, me obrigo a superar qualquer estereótipo e a enxergar as características e as experiências ocultas da pessoa. Nós ilustraremos como esse processo pode ser usado para superar os estereótipos de gênero, idade e raça, mas a mesma análise pode ser aplicada a qualquer aspecto.

Descobri que as mulheres têm uma probabilidade muito menor de votar pela pena de morte em casos de assassinato do que os homens. Mas eu estaria cometendo um grave erro se dissesse a meu cliente para escolher uma mulher em vez de um homem como jurado, num desses casos, baseando-me apenas em seu sexo. O sexo não é o ponto real – é o nível de compaixão que o jurado tem pelos outros. As mulheres, como um grupo, tendem a ser mais compassivas do que os homens, porque as mulheres freqüentemente são educadas para cuidar dos outros. Um homem que tenha crescido num lar amoroso e compassivo e tenha adquirido esses traços seria uma escolha muito melhor como jurado, num caso de pena de morte, do que uma mulher endurecida e amarga. A pergunta relevante não é "qual é o sexo do jurado?" mas "ele *ou* ela tem compaixão?" ou "como ele *ou* ela foi criado?"

Por exemplo, você deveria considerar apenas as enfermeiras quando estiver contratando alguém para cuidar de um idoso? É claro que não. Mesmo que pudesse provar que duas entre três mulheres são mais atenciosas e cuidadosas que o homem médio, uma decisão baseada somente no sexo estaria errada em um terço das vezes. Isto certamente não é suficientemente bom para o tribunal, e deveria não ser suficientemente bom para nenhuma pessoa fora dele.

As pessoas idosas com freqüência tendem a ser mais conservadoras que os jovens. Mas isso não acontece porque são velhas; acontece porque a *maioria* das pessoas idosas foi educada numa época mais conservadora, e normalmente em lares mais conservadores do que a *maioria* dos jovens. Muitas pessoas idosas se lembram claramente da luta na época da Grande Depressão, e suas crenças e valores foram afetados por esse aspecto de seu *passado* socioeconomico. Mas se eu quisesse selecionar um júri conservador, não escolheria simplesmente os doze jurados potenciais mais velhos. Um deles pode ter sido educado numa família de espírito livre e ser o mais liberal de todos. Preciso conhecer o passado deles para identificar aqueles que irão pensar e agir de modo conservador. Apenas a idade não é suficiente.

Os estereótipos raciais são de longe os mais dominantes. E mais uma vez, é tolo agir baseado nesse aspecto, em vez de reunir informação para tomar uma decisão fundamentada. A experiência de uma pessoa, não a cor de sua pele, dita o modo como ela vê o mundo. Até que nos tornemos uma sociedade verdadeiramente cega à cor, sem dúvida o histórico racial terá um impacto sobre nossa experiência. Mesmo assim, o filho de um médico afro-americano de Beverly Hills normalmente terá mais crenças em comum com seu vizinho branco do que com um homem afro-americano criado nos bairros em que moram somente negros.

É claro que existem exceções, mas elas tipicamente se baseiam, ao menos em parte, na experiência em comum, não apenas na cor da pele em comum. Por exemplo, quase que sem exceção, os homens afro-americanos jovens a quem se pergunta sobre suas atitudes ante a polícia expressam hostilidade. Mas a origem de sua atitude quase sempre pode ser traçada até uma experiência em que eles ou alguém próximo foi insultado ou amedrontado por um policial. Se nosso hipotético filho de um médico afro-americano de Beverly Hills tivesse sido abordado e preso apenas por ser negro e estar dirigindo uma BMW em Beverly Hills, provavelmente ele também teria uma opinião hostil sobre a polícia. Mas é importante entender por que ele teria essa opinião em especial. O incidente aconteceu por causa de sua raça, mas sua atitude ante a polícia foi formada por causa do incidente: é um resultado do incidente, não da cor de sua pele. Assim, quando estou ajudando a escolher um júri num caso de brutalidade policial, a questão relevante não é a cor da pele de um jurado potencial, mas se as experiências que ele teve com policiais foram boas ou ruins. Qualquer pessoa, independente de raça, que tenha sido tratado desnecessariamente de modo rude por um policial provavelmente terá uma atitude negativa.

Quase sempre é fácil saber a raça, o sexo e a idade de alguém, mas não extraia nenhuma conclusão baseada apenas nesses fatos isolados. Em vez disso, conforme você explorar as inúmeras facetas da personalidade de alguém, fique atento a alguma coisa que responda essas perguntas: Ele é compassivo? Como foi criado? Acredita que tem um quinhão justo na vida? Em todo este livro, mesmo quando discutirmos aparência, linguagem corporal, ambiente, voz ou ações, estaremos enfatizando essas perguntas essenciais. As respostas darão uma base sólida para entender quase todas as pessoas.

Compaixão

Depois de um encontro, mesmo que breve, a maioria de nós se afasta da pessoa pensando: "Ele parece ser um cara legal" ou "Que cretino" ou algo intermediário. Normalmente temos alguma impressão inicial, baseada na suavidade do rosto dela, no calor dos olhos, nas linhas do sorriso, em sua abertura ou em suas palavras amigáveis, ou no sincero aperto de mão. Os cientistas desenvolveram uma "escala de dureza" para classificar os minerais. Tenho a minha própria escala pessoal de dureza para as pessoas. Num dos extremos está a pessoa fria, sem emoções, que não se compadece; no outro está a alma calorosa e compassiva. Quando estou avaliando alguém, uma das primeiras coisas que faço é tentar colocar essa pessoa em algum lugar da escala. O lugar em que a pessoa fica me diz mais sobre o modo como ela irá pensar e se comportar do que qualquer outro fato considerado isoladamente.

Não estou sozinha em minha crença de que o nível de compaixão de uma pessoa é um indicador muito bom do modo como ela irá pensar e agir. Repetidamente, quando pergunto a advogados que tipo de jurados estão procurando, eles respondem: "Precisamos de boas pessoas, do tipo que irá compreender que ninguém é perfeito e que todos cometemos erros". Ou então me dizem: "Queremos pessoas muito exigentes. Pessoas que farão julgamentos duros e que não acreditarão nas testemunhas do outro lado e que farão com que eles paguem caro por qualquer erro".

Quanto mais perto as pessoas estiverem do extremo compassivo de minha escala de dureza pessoal, mais elas tenderão a ser generosas, justas, sinceras, afetivas, gentis, orientadas para a família, saberão perdoar e entender a fragilidade humana. Estarão inclinadas a dar o benefício da dúvida às outras pessoas, e são mais inquisitivas e pacientes que aqueles que não têm compaixão. Podem ter mais dificuldade de chegar a uma decisão do que os que são menos compassivos, mas isto acontece por causa de seu desejo de agir do modo correto. Não querem ferir ninguém, e assim têm pouca probabilidade de ser desonestas. Tendem a acreditar que o que vai, volta.

As pessoas que caem no outro extremo da escala tendem a ser mais críticas, intolerantes, não perdoam, são ríspidas, punitivas e centradas em si mesmas. Com freqüência também são mais analíticas, têm maior probabilidade de examinar os fatos e tomar uma decisão rápida. Pelas mesmas razões, tendem a julgar mais, são mais impetuosas e inclinadas a agir antes de ter toda a informação. O lema delas parece ser "o que eu ganho com isso?"

Se eu descobrir que alguém é muito compassivo ou então extremamente frio e duro, já saberei mais sobre ele e como ele provavelmente irá agir do que sua idade, *background* educacional, emprego, aparência física e sexo poderiam me revelar. Por causa disso, preste uma atenção especial quando os capítulos seguintes estiverem descrevendo traços que refletem se alguém é compassivo. Você estará bem encaminhado para obter uma compreensão excelente a respeito de alguém sempre que acrescentar esta peça à imagem que está formando.

Histórico sócio-econômico

Uma pessoa que tenha nascido em berço de ouro quase sempre verá a vida de modo diferente do que alguém nascido e criado na pobreza, independente das outras características que elas possam ter em comum. Mas o histórico sócio-econômico não é medido apenas pela renda familiar. Ele consiste numa combinação de fatores sociais e econômicos. O amor e o apoio que recebemos quando crianças, nossa exposição à aprendizagem e a outras experiências do mundo, o ambiente no qual fomos criados e milhares de outros fatores entram em jogo. Nossa atitude em relação à vida é muito influenciada pelo fato de nossas necessidades emocionais e físicas terem sido ou não satisfeitas. Muitas vezes, pais financeiramente seguros conseguem satisfazer mais as necessidades de seus filhos do que os pais que estão lutando para atingir suas metas, mas existem muitas exceções.

Conheço um homem que foi criado numa fazenda em Idaho com 13 irmãos e irmãs. Tudo que seus pais podiam fazer era calçá-los e alimentá-los, mas a família era muito unida e suas ações eram baseadas em fortes convicções religiosas. Todas as necessidades emocionais e físicas de meu amigo foram satisfeitas. Como resultado, ele não vê o mundo da perspectiva de alguém que tenha vivido uma vida de negação, embora sua família tivesse muito pouco dinheiro. O dinheiro não é a única medida da satisfação das necessidades.

Geralmente, o histórico sócio-econômico de uma pessoa terá um impacto significativo em sua aparência e em seu comportamento. As pessoas que tiveram de lutar duro por tudo que têm, seja financeiro ou emocional, podem desenvolver uma mentalidade defensiva e mantê-la por toda a vida, independente de quanto dinheiro ou sucesso acabem por alcançar. Podem ser rígidas e desconfiadas; podem ser inseguras, pouco gentis, sem consideração, mesquinhas, intolerantes, defensivas, e não estar dispostas a revelar muito sobre si mesmas. Como tiveram de lutar tanto para sobreviver, tendem a ser mais observadoras e a acreditar que os fins justificam os meios. Por outor lado, as pessoas que aprenderam a se sustentar sozinhas tendem também a ser concentradas, trabalhadoras e dedicadas a atingir seus objetivos.

Por outro lado, as pessoas que sempre tiveram suas necessidades satisfeitas tendem a ser mais confiantes, seguras, gentis, generosas, tolerantes, abertas e sabem perdoar. Mas se tudo lhes foi dado de mão beijada, elas podem também não ter motivação e intensidade, e serem materialistas e egocêntricas.

Se nós fomos vítimas de preconceitos quando crianças, podemos nos tornar desconfiadas e defensivas. Se vivemos sob crítica constante, provavelmente nos tornaremos intolerantes e julgaremos tudo e todos. Se fomos tratados com gentileza e compaixão, provavelmente nos importaremos com os outros. Se tivemos de lutar para conseguir o que queríamos, podemos nos tornar menos generosos. E não importa se somos altos ou baixos, negros ou brancos, homens ou mulheres, jovens ou velhos. É por isso que o histórico econômico é sempre um traço altamente indicador.

Satisfação com a vida

Pode parecer lógico que o grau de compaixão de uma pessoa e seu histórico econômico estejam entre os três principais traços indicativos. A importância da terceira característica-chave – satisfação com a vida – pode não ser tão óbvia. Mas quase sempre ela tem um amplo efeito no modo como as pessoas pensam e como tratam os outros.

O sucesso pessoal ou profissional não pode ser medido numa escala absoluta. Uma pessoa sempre sonhou ser médica, mas nunca conseguiu cursar medicina; em vez disso, ela se tornou enfermeira. Outra lutou para superar grandes obstáculos e alcançou seu objetivo de ser enfermeira. A segunda verá a vida pelos olhos de uma pessoa bem-sucedida, enquanto sua colega se sentirá uma perdedora.

O sucesso financeiro também precisa ser medido à luz das expectativas individuais. Alguém que sonhe com a riqueza e deseje ganhar um milhão de dólares por ano ficará terrivelmente desapontado com um salário de 50 mil dólares por ano. Outra pessoa, que nunca sonhou em ter metade disso, pode considerar o mesmo emprego de 50 mil dólares como um feito além de sua imaginação. Ele pensará "a vida é ótima", e agirá de acordo com isso.

No decorrer dos anos, depois de dar uma atenção especial a essa característica, descobri que as pessoas que atingiram seus objetivos tendem a acreditar na responsabilidade pessoal. Tendem a ser mais compassivas, solidárias, em paz consigo e com os outros e otimistas. Tendem também a perdoar mais, a ser trabalhadoras e esforçadas.

Aqueles que não atingiram seus objetivos freqüentemente têm uma mentalidade de vítima. Podem jogar a culpa rapidamente sobre os outros, e ser amargos, raivosos, negativos, pessimistas e vingativos. Normalmente, são menos esforçados e mais críticos e cínicos que os bem-sucedidos.

Como acontece com os outros principais traços indicativos – compaixão e histórico sócio-econômico – o grau de satisfação que uma pessoa tem com a vida diz mais sobre ela do que quaisquer outros traços juntos. E normalmente não é difícil descobrir quanto alguém está satisfeito. Algumas perguntas simples, como "o que você queria ser quando estava no segundo grau?" ou "você gosta de seu trabalho?" ou "o que você faria se pudesse mudar sua vida?" normalmente evocarão respostas que deixam claro se a pessoa alcançou o sucesso pessoal. Essa informação será outra peça-chave no quebra-cabeça que você está montando.

JUNTANDO TUDO

O capítulo 1, "Prontos para Decifrar", descreveu como qualquer pessoa pode se preparar para o desafio de ler os outros. Este capítulo enfatizou a importância de descobrir os padrões dentro das centenas de pistas que você irá descobrir, com paciência, atenção e prática. Os capítulos a seguir descreverão o que muitas das pistas individuais poderão – e eu enfatizo a palavra "poderão" –, sugerir sobre as crenças, atitudes e o comportamento provável de uma pessoa. Mas tenha sempre em mente que cada pessoa é um mosaico único e complexo. Nada do que você irá ler se aplicará a todas as pessoas ou a todas as situações.

Sem dúvida, você irá discordar de algumas de minhas observações. Certamente você conhece homens com longas barbas desgrenhadas que são muito conservadores; mulheres com vozes altas e estridentes que são suaves e gentis; e homens com tiques nervosos que são confiantes e seguros. Eu também conheço. Sempre existem exceções, e por isso é que enfatizei a importância de desenvolver os padrões. O homem conservador com uma longa barba desgrenhada irá revelar seu conservadorismo por muitos modos; a mulher suave e compassiva com a voz estridente irá mostrar sua sensibilidade se você estiver alerta; e o homem confiante com o tique nervoso irá demonstrar sua confiança se você observá-lo por um tempo suficientemente longo.

Se este livro só pudesse transmitir uma mensagem, ela seria: para ver as pessoas de modo eficaz você tem de reunir informação suficiente sobre elas para estabelecer um padrão consistente. Sem esse padrão, as suas conclusões serão tão confiáveis quanto uma leitura de tarô. É o padrão que revela a pessoa, não as peças individuais.

3

Primeiras Impressões:
A Aparência Física
e a Linguagem Corporal

A primeira coisa que a maioria de nós nota numa pessoa é a aparência física e a linguagem corporal. É tentador observar um penteado ousado, ou sentir um aperto de mão fraco e supor que se descobriu a personalidade de alguém. Isso raramente acontece. Se decifrar pessoas fosse simplesmente uma questão de combinar alguns traços com significados padronizados, você poderia andar com este livro embaixo do braço, como se fosse um dicionário de idioma estrangeiro e "interpretar" imediatamente qualquer pessoa que encontrasse. A aparência e a linguagem corporal podem revelar muita coisa, mas raramente são indicadores confiáveis do comportamento humano, a menos que sejam consideradas junto com os outros traços discutidos neste livro. Mas elas são um bom início.

Seria impossível fazer uma lista de todos os traços físicos e de todos os movimentos corporais que as pessoas podem ter. Até mesmo relacionar os mais comuns, muitos dos quais estão incluídos nos Apêndices A e B, é uma tarefa exaustiva. Eles funcionarão melhor depois que você tiver lido todo o livro, e então puder revisar calmamente os apêndices, já tendo obtido uma compreensão mais ampla do processo de decifrar pessoas. Então, a informação que está contida neles será mais valiosa. Quase todos os aspectos da aparência física e da linguagem corporal podem ter significados muito diferentes. Neste estágio inicial, o importante é reconhecer que a maioria das características da aparência e da linguagem corporal pode ter uma grande amplitude de significados, e aprender o que observar a fim de reunir mais pistas sobre a personalidade ou as emoções de uma pessoa.

A LINHA TÊNUE ENTRE APARÊNCIA E LINGUAGEM CORPORAL

Nem sempre existe uma distinção clara entre aparência e linguagem corporal. Você pode olhar para uma mulher e notar a forma e a cor de seus olhos, o tipo de maquiagem que ela está usando, os pés-de-galinha, e se a expressão dos olhos é gentil, ou se eles fixam os seus. A maquiagem pode ser claramente colocada na coluna da "aparência", mas o que dizer de olhos gentis ou inconstantes? A expressão dos olhos poderia ser classificada como linguagem corporal. O contato dos olhos certamente pertence à categoria de "linguagem corporal".

Embora as categorias de aparência e linguagem corporal possam se sobrepor, elas muitas vezes revelam aspectos muito diferentes do caráter de uma pessoa. Podemos escolher conscientemente nossas roupas, e podemos até certo grau determinar a aparência de nossos corpos. Entretanto, a maior parte da linguagem corporal está fora de nosso controle.

Todos os traços físicos opcionais, como a maneira de alguém pentear o cabelo, refletem escolhas conscientes, e assim tendem a revelar como a pessoa quer ser vista pelo mundo externo. Até os traços físicos não-opcionais podem ser alterados. Um homem baixo pode usar botas de plataforma e um chapéu; uma mulher especialmente alta pode se inclinar um pouco; uma mulher que precisa usar uma bengala pode escolher uma num estilo trabalhado ou uma versão hospitalar.

As jóias e os acessórios de uma pessoa dão pistas sobre a religião dela, sua *alma mater*, seus *hobbies*, o grau de sucesso econômico, o gosto e muitas coisas mais. As roupas podem indicar um determinado sistema de valores ou um estilo de vida – por exemplo, tal pessoa prefere coisas práticas ou extravagantes? E os hábitos pessoais ao se arrumar podem refletir muitos aspectos de sua personalidade. Mas mesmo quando lidos em conjunto, roupas e acessórios às vezes refletem apenas as crenças, os valores e a imagem que uma pessoa *conscientemente deseja projetar* numa situação específica.

Por outro lado, a linguagem corporal nos dá uma informação mais básica. Poucas pessoas têm consciência de suas reações físicas ao mundo que as rodeia, e ainda menos pessoas podem controlar sempre essas ações, mesmo que desejem. Boas maneiras podem ser aprendidas conscientemente, mas expressões faciais, piscar de olhos, cruzar de pernas e tamborilar nervoso de dedos são difíceis de reprimir. Já observei um número suficiente de pessoas no banco das testemunhas para saber que é quase impossível controlar a linguagem corporal, mesmo quando o seu destino depende disso.

Então, a linguagem corporal tende a revelar a personalidade interior e as emoções – medo, honestidade, nervosismo, alegria, indecisão, frustração e muitas outras coisas –, que não aparecem por meio das roupas. Embora a aparência e a linguagem corporal normalmente tragam tipos diferentes de informação, ambas são igualmente importantes. Algumas vezes a aparência e a linguagem corporal indicam a mesma direção, algumas vezes indicam direções opostas. O importante é manter seus olhos e sua mente abertos.

ADEQUAÇÃO À OCASIÃO

Como discutido no capítulo anterior, qualquer traço que seja extremo ou que se desvie da norma merece uma atenção especial. O mesmo é verdadeiro para qualquer traço – seja de aparência ou de ação – que seja inadequado para uma ocasião específica.

Um top pode ficar ótimo num piquenique, mas não na festa de Natal da empresa ou no escritório. Um terno conservador diz algo sobre um homem quando usado para ir à igreja, e outra coisa muito diferente se for usado num jogo de futebol infantil numa manhã de sábado. E um grande sorriso e um tapinha nas costas podem ser perfeitos para uma festa de aposentadoria, mas provocariam perguntas num funeral.

Tome cuidado para ser objetivo. Uma saia muito curta usada numa entrevista para emprego numa empresa conservadora provocaria um franzir de sobrancelhas. O bom senso da mulher, seu entendimento do comportamento naquele escritório, e os motivos pelos quais ela teria escolhido essa roupa que poderia sensualizar a entrevista, merecem atenção. Mas a mesma saia usada para jantar com o namorado não mereceria a mesma atenção, a menos que fosse tão indecente que destoasse até nessa situação. A diferença não está em sua aprovação pessoal quanto à saia curta, mas no fato de ela ser ou não adequada para uma determinada situação. Se você avaliar a roupa daquela mulher apenas com base em seus gostos pessoais ou em seus padrões morais, não aprenderá muito a respeito da personalidade dela, exceto que vocês não têm a mesma atitude em relação a roupas curtas.

O mesmo pode ser dito a respeito do comportamento. Você pode ser muito reservado pessoalmente e não gostar de tipos extrovertidos e barulhentos; e certamente existem momentos em que um comportamento familiar ou uma conduta turbulenta seriam inapropriadas pelos padrões da maioria das pessoas. Mas se você medir o comportamento dos outros apenas pelo seu, não aprenderá muito sobre quem eles são, apenas que eles não são parecidos com você. Assim, meça o comportamento das pessoas por aquilo que normalmente é considerado como adequado. Se, por esse padrão, o comportamento de uma pessoa ainda for incomum, você deveria tentar descobrir o motivo.

Roupas, maquiagem e penteados inapropriados, além de gestos ou outros movimentos corporais inadequados, podem refletir muitas coisas. O mais comum é que a pessoa:

- queira chamar a atenção;
- não tenha bom senso;
- dê valor ao conforto e à conveniência acima de tudo (no caso da roupa);
- esteja tentando mostrar que é espontânea, rebelde, ou não-conformista, e que não se importa com o que os outros pensam;
- não tenha sido ensinada sobre como se vestir e agir adequadamente;
- seja centrada em si mesma e insensível aos outros;
- esteja tentando imitar alguém que admira;
- não tenha roupa adequada para a ocasião.

Eu posso ilustrar o último ponto com uma experiência própria. No ano passado, viajei para a costa leste para uma reunião muito importante com o conselho geral e os executivos de uma grande empresa cliente. Infelizmente, minha bagagem se perdeu durante a viagem, e eu não tinha tempo para comprar roupas novas antes da reunião. Não tive escolha a não ser ir à reunião usando os jeans e as botas com que estava no avião. É claro, expliquei imediatamente as circunstâncias.

Se a aparência ou o comportamento de uma pessoa parecem inadequados para uma ocasião, observe isso, mas não tire conclusões. Tente identificar as prováveis razões, perguntando à pessoa (diplomaticamente, claro), perguntando a uma outra pessoa, ou esperando para ver se aparece um padrão no modo como a pessoa se veste e age em outras ocasiões.

QUAL A IMPORTÂNCIA DA APARÊNCIA?

A aparência física é apenas uma das muitas peças que você usará para montar o quebra-cabeça da personalidade de alguém. Mas é uma peça importante, e como a maioria das peças, deveria vir com um aviso: as coisas nem sempre são o que parecem. Por exemplo, poderia ser natural supor que uma mulher obesa que use um vestido de cores brilhantes e um grande chapéu adornado com penas de avestruz tenha uma personalidade extravagante. Por que outra razão ela usaria roupas tão chamativas?

Na verdade, pode haver várias razões. Talvez simplesmente goste de cores brilhantes. Ou a motivação dela é mais complicada. As pessoas cuja aparência está fora da norma tendem a deixar os outros desconfortáveis, e, assim, é freqüente que sejam ignoradas. Essa mulher pode ter escolhido esses trajes por insegurança e para atrair atenção e comentários, transpondo assim seu mal-estar. Por outro lado, algumas pessoas com aparência incomum sentem-se acanhadas e desejam ser ignoradas; talvez essa mulher pense que as cores fortes irão desviar a atenção de seu corpo. Para ela, as roupas são uma camuflagem. Ou pode ser que ela nem mesmo goste dessas roupas, mas use-as porque foram presente do marido. Ou, então, talvez ela realmente seja extravagante.

Os traços físicos podem não só ter mais que um significado possível, mas as pessoas também podem mudar sua aparência a cada dia e de uma situação para a outra. Para complicar as coisas ainda mais, quase todos os traços físicos podem ter significados virtualmente opostos, como no exemplo acima.

É claro que existem momentos em que você pode tirar uma conclusão muito precisa de um conjunto forte e consistente de características físicas. Lembro-me de um caso no qual dois homens foram acusados de atirar um terceiro para fora de um avião. Quando encontrei os réus, reparei imediatamente que um deles tinha tatuagens praticamente em todas as partes visíveis de seu corpo. Presumi que ele tivesse outras nas partes não visíveis. Seu companheiro usava botas de caubói, pulseiras de ouro e ostentava um anel de ouro e diamante cor-de-rosa. Sua camisa estava aberta e ele carregava uma exótica bolsa masculina de couro. Supus que o júri teria pouca dificuldade para decifrar esta dupla.

51

A mensagem enviada pela aparência exterior de uma pessoa normalmente é um pouco mais sutil. Quase sempre, os diversos aspectos da aparência de uma pessoa irão indicar direções diferentes – e então você precisa acrescentar a linguagem corporal, o ambiente, a voz e o comportamento à mistura. O ponto-chave é identificar traços suficientes que apontem na mesma direção para que você possa concluir de modo seguro que está no caminho certo. Se estiver tão seguro sobre a confiabilidade de um traço isolado que pense não precisar de procurar um padrão, normalmente você errará o alvo. Já ouvi todas as conclusões apressadas que você possa imaginar:

"As unhas dela com cinco centímetros de comprimento me alertaram: uma mulher à procura de um homem rico, certo?"

"Qualquer homem que use uma sunguinha na praia certamente é gay, não é?"

"Se ele está usando óculos de sol dentro de casa, isso significa que é desonesto, não?"

"Qualquer pessoa que tenha sujeira sob as unhas certamente será um relaxado em casa. Sujeira é sempre sinônimo de preguiça, não é?"

Errado!

As unhas com cinco centímetros de comprimento também podem revelar rebeldia, não-conformismo ou moda (dependendo do grupo a que a pessoa pertence), inclinações artísticas ou necessidade de atenção. Ou talvez essa pessoa apenas esteja se divertindo. Uma sunga muito pequena pode significar que ele é estrangeiro (normalmente seria minha primeira hipótese), é um nadador ou *bodybuilder*, tem um grande ego, é um exibicionista, ou está usando a sunga para agradar a namorada mesmo que isso o deixe pouco à vontade. Uma pessoa pode usar óculos de sol dentro de casa não por estar escondendo olhos inchados, mas porque acha que demonstra um estilo. Poderia estar encobrindo um olho roxo ou outra evidência de violência. Poderia ter sensibilidade à luz por causa de um trauma físico, de um recente exame de visão, ou de alergias. Poderia estar escondendo olhos avermelhados ou pupilas dilatadas que iriam revelar abuso de drogas ou álcool. Poderia ser rebelde ou simplesmente ter esquecido de tirar os óculos. E o que há de mais em um pouquinho de sujeira sob as unhas de vez em quando? Isso significa apenas que a pessoa é humana. Você não saberá se isso pode ter algum outro significado a não ser que procure outras pistas.

Você pode se enganar mesmo quando várias pistas físicas parecem indicar a mesma direção, se não reunir mais informações. Um amigo meu conta uma história a respeito de seu pai que trabalhava para *RKO Theaters* há muitos anos. Os escritórios da empresa ficavam num conjunto elegante no alto do Rockfeller Center, na cidade de Nova York. Uma manhã, quando o pai do meu amigo cruzou a entrada do escritório, notou um homem de aparência rude, com o cabelo sujo e despenteado. O homem estava usando roupas amarrotadas e calçava tênis. O pai do meu amigo ficou imaginando por que o homem estava ali, e como tinha conseguido passar pela segurança do edifício e entrar nos escritórios da RKO.

Alguns minutos depois, ele estava sentado em sua escrivaninha, examinando o trabalho do dia, quando seu chefe interfonou e pediu que ele fosse imediatamente a sua sala. Quando ele chegou, o chefe se virou e fez um gesto na direção do mesmo homem que ele tinha visto na entrada: "Sr. Wexo, gostaria de lhe apresentar o novo proprietário de nossa empresa, Howard Hughes".

Todos os aspectos da aparência de uma pessoa podem dar pistas sobre suas emoções, crenças e valores. Se você parasse e tentasse catalogar todos eles, a lista seria interminável. No Apêndice A, relacionamos mais de cem aspectos diferentes relativos à aparência física. Eles estão classificados de modo geral sob as seguintes chamadas:

- Características físicas (corpo, rosto, extremidades, pele, irregularidades e incapacidades físicas).
- Ornamentos e jóias.
- Maquiagem.
- Acessórios.
- Roupas.
- "Corporificações" (alterações intencionais do corpo).
- Higiene.

E estes são apenas os aspectos mais comuns.

No Apêndice A você encontrará também uma discussão, relativamente detalhada, do que podem significar as 12 características ou traços físicos mais comuns, sob diversas circunstâncias. São elas:

- Aparência da pele do rosto.
- Higiene.
- Preocupação excessiva com detalhes.

- Frases, logotipos e imagens nas roupas.
- Tatuagens e outras "corporificações".
- Gosto.
- Estilo regional.
- Imagens cultivadas.
- Exuberância *versus* conservadorismo.
- Praticidade *versus* extravagância.
- Sugestividade sexual.
- Desalinho.

Como foi mencionado no início deste capítulo, não recomendamos que você leia os apêndices antes de ter terminado a leitura do livro. As características físicas isoladas, mais que quaisquer outros traços, não podem ser interpretadas acuradamente sem que também sejam levados em conta outros traços físicos, a linguagem corporal, o ambiente, a voz e as ações. Nesse livro, ao discutirmos pistas que podem ser obtidas por meio de outras fontes, faremos também constantes referências aos traços físicos que tendem a reforçar essa informação. Você precisa colocar tudo na mistura e levar ao fogo para que a receita dê certo. Para ilustrar este ponto, considere algumas das possíveis pistas trazidas pelo cabelo de uma pessoa. Escolhi cabelo por duas razões. Primeira, as pessoas que você encontrar nem sempre estarão usando chapéus, cintos ou sapatos. Mas todos têm algo no alto da cabeça, mesmo que seja apenas pele. Segunda, uma pessoa pode optar por mudar quase todas as características naturais de seu cabelo — cor, ondulação e até quantidade. Assim, ele representa um meio comum de expressão pessoal.

Embora o cabelo seja uma característica importante, não pense que é mais relevante do que qualquer outro traço só porque está enfatizado aqui. O que o cabelo diz a respeito de uma pessoa também é dito por muitos outros traços. Por exemplo, uma pessoa geralmente faz a mesma afirmação com um cabelo sem um fio fora do lugar, ou com roupas imaculadas, ou com unhas bem-cuidadas. Um estilo ou cor de cabelo espalhafatoso ou radical normalmente significa a mesma coisa que roupas ou jóias chamativas e exuberantes. Quando você perceber o que pode ser aprendido por meio do cabelo de uma pessoa, e por que, você pode facilmente aplicar esse conhecimento a outros aspectos físicos.

OS SEGREDOS REVELADOS PELO CABELO

O cabelo muitas vezes é um excelente indicador da auto-imagem e do estilo de vida de alguém. O seu estilo de cabelo pode revelar como você se sente com o envelhecimento, se você é prático ou extravagante, quanta importância dá à impressão que causa nos outros, seu histórico socioeconomico, sua maturidade emocional geral, e às vezes até em que parte do país você foi criado ou vive.

Mantenha-se atento à moda atual quando estiver observando o cabelo de alguém para prever crenças e comportamentos. Por exemplo, nos anos 60 e 70, um homem de cabelo comprido estava demonstrando rebeldia. Nos anos 90, um caminhoneiro pode usar o cabelo tão comprido quanto um roqueiro adolescente. Além disso, considere a idade da pessoa. O cabelo comprido até a cintura de uma garota de 15 anos representa algo muito diferente do que o de uma mulher de 50. Do mesmo modo, um rabo-de-cavalo num adolescente de 18 anos revela muito menos sobre sua personalidade do que se ele tivesse 55 anos. E, como acontece com todos os outros traços, considere como o cabelo combina com o todo.

Cabelos masculinos

Longo ou curto A sabedoria convencional diz que o cabelo curto indica uma inclinação conservadora, enquanto que o cabelo comprido indica uma natureza radical ou artística. Isso às vezes é verdade, mas nem sempre. Um cabelo muito curto num homem pode indicar que ele:

- Pratica esportes.
- É ou foi militar.
- Trabalha para uma organização que exige cabelo curto, como a polícia ou o corpo de bombeiros.
- Segue a moda de vanguarda, é artístico ou rebelde (se seu cabelo for tingido, tiver uma cor incomum ou for muito curto).
- É conservador.
- Está passando por um tratamento médico ou se recuperando dele.
- Acredita que fica melhor com cabelo curto.
- Mantém seu cabelo curto por razões práticas.

A última categoria é deixada de lado pela maioria das pessoas: muitos homens têm um cabelo bem curto simplesmente porque é conveniente. Além disso, o comprimento do cabelo não é mais uma indicação confiável da orientação política de um homem; tenha cuidado para não tirar conclusões apressadas sobre a tendência política de alguém. O cabelo curto pode indicar apenas um temperamento prático.

Cabelo arrumado Quando um homem usa um cabelo muito arrumado – corte preciso, seco com escova e fixado com spray –, isso normalmente faz parte de uma imagem de "poder" que inclui roupas, sapatos e acessórios caros. O todo, planejado para refletir sucesso financeiro, indica vaidade e uma preocupação com a impressão causada nos outros. Relativamente poucos homens têm tempo, dinheiro ou inclinação para ir regularmente ao cabeleireiro para arrumar o cabelo. Em nossa cultura, é incomum que um homem dê tanta atenção aos cuidados pessoais. Se todo o resto for igual – o terno, os sapatos –, o homem com o cabelo arrumado é quase certamente mais preocupado com status, poder e imagem do que o homem cujo cabelo é bem cortado mas não seco com escova nem fixado com spray. O mesmo pode ser dito a respeito de qualquer hábito pessoal incomum, como unhas manicuradas.

Perda de cabelo Muita informação pode ser obtida a partir da maneira como os homens lidam com a perda de cabelo:

- *Penteados de um lado ao outro ou perucas óbvias* sempre sugerem vaidade, mas para mim um fato mais importante é que eles normalmente revelam falta de crítica e de consciência da percepção dos outros. Quando vejo um homem com os poucos fios de cabelo remanescentes penteados cuidadosamente desde a orelha esquerda, atravessando toda a cabeça até a orelha direita, a primeira coisa que me vem à mente é "será que ele realmente acha que nós não percebemos?"
- *Transplante de cabelos ou outras cirurgias de substituição capilar* também podem indicar vaidade ou falta de auto-aceitação. Os homens fazem transplantes de cabelos num esforço para parecer mais jovens e atraentes. Se para eles isso vale o tempo, a energia e o dinheiro que gastam, podemos supor com segurança que se sentem inseguros e incomodados com a perda do cabelo e da juventude que isso representa. Esses recursos também podem indicar uma boa renda, embora algumas pessoas economizem cada centavo para pagar a cirurgia. Isso também indica uma obsessão com a aparência.

- *Bonés de beisebol, chapéus e rabos-de-cavalo* num homem careca também podem indicar resistência a envelhecer (ou a crescer). Mas não esqueça que muitos homens calvos precisam usar um chapéu ao ar livre para evitar queimaduras de sol, no verão, ou para esquentar a cabeça, num dia frio. A história muda se ele continuar usando o chapéu dentro de casa. Ele pode ser acanhado e inseguro por causa da perda de cabelo.

Cabelo tingido Atualmente é mais comum que um homem tinja o cabelo quando ele começar a ficar grisalho. Se o trabalho for bem feito, você pode nem perceber, e assim não poderá usar isso como um meio de avaliar a pessoa. A tintura indica uma certa vaidade, mas nem tanta quanto um cabelo seco com escova. O aspecto mais revelador ocorre quando a tintura não é bem feita, ou é inadequada para a idade do homem. Um cabelo negro fica muito estranho num homem meio calvo de 75 anos. Eu duvidaria da autocrítica dele e de sua capacidade de imaginar corretamente o modo como os outros o vêem. A adoção de um estilo tão obviamente não-natural requer um certo nível de egocentrismo além de um desligamento da realidade.

Pêlos faciais

Barba e bigode Algumas pessoas acreditam que qualquer pêlo facial indica uma natureza secreta reservada. Isso raramente é verdade – esconder um queixo pequeno com uma barba não indica reserva. O mais freqüente é que seja apenas uma escolha estética.

Barbas e bigodes podem indicar que o homem que os usa:

- Acredita que fica melhor assim.
- É jovem e tenta parecer mais velho.
- Está tentando esconder sua idade, deixando crescer uma barba que cubra as rugas.
- Está tentando ocultar um defeito no rosto.
- Tem uma natureza rebelde ou artística.
- Tem um emprego que permite isto.

Considere cuidadosamente o comprimento, o estilo e a manutenção de barbas e bigodes. Barbas e bigodes longos podem revelar inclinações políticas liberais. Barbas e bigodes sujos ou não aparados, do mesmo modo que cabelo sujo ou sem corte, podem ser um sinal de preguiça, falta de preocupação com a aparência, doença física ou mental, autocrítica falha e outros traços geralmente refletidos por uma higiene precária.

Outros pêlos faciais Sobrancelhas grandes, muito cheias e não aparadas, ou excesso de pêlos no nariz e nas orelhas freqüentemente indicam que os cuidados pessoais com a aparência não são prioritários para esse homem, ou que ele não tem consciência de como essas características podem parecer estranhas. Muitos homens com essas características também acreditam que arrancar ou cortar os pêlos não é masculino.

Cortes, cores ou estilos radicais Vale a pena observar um corte de cabelo, uma cor ou um estilo radical, único ou chocante, num homem ou numa mulher. Ninguém simplesmente acorda desse jeito. E eles não foram até o salão para fazer um corte normal, nem foram ameaçados com um revólver enquanto o cabeleireiro fazia um topete roxo!

Um corte de cabelo, uma cor ou estilo radicais podem sugerir:

- Não-conformismo.
- Rebeldia.
- Uma natureza aventureira.
- Uma natureza artística e expressiva.
- Um trabalho e um estilo de vida não-convencionais.
- Um desejo de ser atraente num grupo específico de pessoas.
- Gosto pela moda de vanguarda.
- Negligência com a aparência pessoal.
- Uma necessidade de ser diferente e notado.
- Influência cultural (idade, raça, grupo social).

Cabelo feminino

Muitos estilos de cabelo são aceitáveis para as mulheres, e assim a maioria de suas variações pouco indicam sobre uma personalidade feminina. Os extremos de comprimento, volume, estilo e cor são os aspectos mais significativos do cabelo de uma mulher.

Longo ou curto Em nossa cultura, a juventude e a sensualidade de uma mulher freqüentemente estão associadas com o cabelo comprido. Por essa razão, a decisão de usar cabelos compridos ou curtos tem implicações diferentes para mulheres e para homens.

Se uma mulher tiver um cabelo muito curto, considere as seguintes possibilidades:

- *Cabelo curto, cuidadosamente cortado e chique* pode indicar uma natureza artística. Como qualquer cabelo que exige manutenção constante, também pode revelar boa posição financeira. Mas lembre-se de que muitas mulheres com salários medianos gastam uma pequena fortuna com o cabelo. Gastar uma porcentagem significativa da renda com o cabelo – ou com qualquer outro aspecto da aparência pessoal –, sugere vaidade, uma necessidade de aceitação, preocupação com a percepção dos outros e possivelmente insegurança.
- *Cabelo curto de estilo mais simples* pode indicar uma natureza prática. Um cabelo crespo é especialmente difícil de ser mantido se for longo. Se outras pistas físicas também indicarem praticidade, o cabelo curto provavelmente não terá outro significado.
- *Cabelo extremamente curto atrai atenção.* Se a roupa de uma mulher for exuberante, este estilo de cabelo combina com este padrão.
- *Ela pode estar se recuperando de um tratamento médico,* ou passando por um, por exemplo, quimioterapia.

Se uma mulher tiver um cabelo muito longo, considere as seguintes possibilidades:

- Como em nossa sociedade o cabelo longo está associado à juventude, uma mulher que tem mais de 40 anos e um cabelo na cintura pode estar resistindo ao envelhecimento. Algumas vezes as mulheres com esse traço estão presas na armadilha do tempo e ainda pensam em si mesmas como adolescentes ou estudantes universitárias em vez de adultas. Essas mulheres podem ser bem sonhadoras em sua visão da vida e no modo como percebem a si mesmas.
- Uma mulher pode usar cabelo comprido, mesmo que não fique especialmente atraente desse modo, porque acredita que ele a deixa mais sexy.
- O cabelo comprido às vezes indica um espírito boêmio. Para muitas mulheres, o cabelo comprido representa liberdade ante o estilo conven-

59

cional. Se este for o caso, a roupa da mulher normalmente também refletirá essa atitude.

- Cabelo longo e malcuidado pode indicar falta de autocrítica, uma natureza rebelde, doença, preguiça ou falta de disposição ou incapacidade de investir tempo e energia para cuidar da aparência. Uma mulher com cabelo longo e malcuidado ou não percebe a aparência dele, ou não se importa. Se o cabelo estiver claramente sujo, você deve investigar se algum dos outros traços de "higiene precária", discutidos no Apêndice A, também são aplicáveis.

Cabelo armado Um cabelo com muito volume normalmente é uma indicação de idade ou de regionalidade. As mulheres do sul e de outras áreas com uma forte influência *country* freqüentemente gostam de cabelo mais armado do que as de outros lugares. Esta preferência é comum a todas as camadas sócioeconômicas, desde a mais rica mulher da sociedade de Dallas até a filha do lavrador.

Mulheres mais velhas muitas vezes preferem cabelos armados e fixados com spray, normalmente porque esses estilos são mais fáceis de manter entre as idas ao salão. As mulheres mais velhas podem também ter alguma perda de cabelo; algumas vezes é necessário desfiar o cabelo para conseguir algum volume. Finalmente, elas foram criadas numa época em que o cabelo desfiado era moda, e elas podem simplesmente ter mantido essa influência cultural.

Cor Muitas mulheres pintam o cabelo. A cor não é importante, a não ser que seja extraordinária. Mas uma mulher que opta por deixar o cabelo grisalho pode estar fazendo uma forte afirmação. Provavelmente ela se sente bem consigo mesma e com sua idade. Não se apóia na opinião dos outros, mas decide por si mesma o que lhe fica bem. As mulheres grisalhas podem fazer isso também por razões práticas, e nesse caso suas roupas também serão práticas. Algumas mulheres são alérgicas às tinturas e não têm escolha. Desse modo, o cabelo grisalho não indica nada sobre suas personalidades.

Pêlos faciais e corporais Nos Estados Unidos, a norma cultural é que uma mulher depile as pernas e axilas, tire sobrancelhas muito grossas e remova todos os outros pêlos faciais. Muitas outras culturas não têm tanta fobia aos pêlos. Uma mulher que não depile as axilas ou pernas pode ser de outro país. A ausência de depilação numa mulher que foi criada nos Estados Unidos normalmente significa rebeldia, vínculos feministas ou uma natureza boêmia. Se uma mulher tem pêlos compridos nas pernas ou axilas, indicando que faz tempo que não se depila, ela pode estar doente, deprimida ou ser preguiçosa. Ou ela pode não se interessar por sua aparência e pelo modo como os outros a vêem.

Descobri que pêlos faciais extremamente visíveis, como um bigode leve ou sobrancelhas não tiradas, normalmente são uma escolha consciente, e não um descuido. A mulher que opta por não mudar o aspecto de suas características faciais muitas vezes está dizendo: "Estou aqui, você goste ou não. Esta sou eu". Isso pode indicar uma vontade muito forte e uma atitude desafiadora diante das expectativas da sociedade. Pode indicar também que ela não tem consciência de sua aparência, ou porque se sente bem consigo mesma e não busca a aprovação dos outros, ou porque cresceu numa família ou cultura em que os pêlos faciais não eram um problema. Ela também pode optar por deixar as coisas como são, em vez de suportar a dor, o incômodo ou os gastos da depilação.

INTERPRETANDO OUTRAS CARACTERÍSTICAS FÍSICAS

Como você pode ver, diversos aspectos do cabelo das pessoas podem ter muitos significados, às vezes opostos. O mesmo vale para todos os traços físicos. Normalmente, você só conseguirá decodificar o significado depois de ter reunido e interpretado outras pistas. Para ilustrar este ponto, vou falar mais sobre a mulher que mencionei no início deste capítulo.

Encontrei Clara num evento beneficente em que nós duas estávamos envolvidas há alguns anos. Ela não só gostava de roupas muito caras, de cores brilhantes e de chapéus com plumas, mas também preferia saltos altíssimos (ela tinha apenas 1,5 metro de altura) e usava maquiagem muito carregada. Apenas por seu modo de se vestir, adivinhei que era insegura e tentava chamar a atenção, mas eu não podia ter certeza.

À medida que passei a conhecê-la melhor, soube que ela era casada com um médico rico que trabalhava muito. Ela passava a maior parte de seu tempo livre como voluntária de inúmeros eventos beneficentes e recebia "as meninas" em sua bela casa, que adorava exibir. Precisava ser o centro das atenções nos eventos sociais. Ia de grupo em grupo, falando depressa num tom levemente agudo e sempre animado – isto é, até que chegasse o momento de ser voluntária num projeto que envolvesse algo mais do que entreter os outros. A simples menção de formar um comitê para escrever uma proposta para a prefeitura, ou de uma reunião para discutir planos de construção com o arquiteto que estava trabalhando no novo edifício do centro fazia com que fosse correndo retocar a maquiagem.

Considerados juntos, a aparência de Clara, a linguagem corporal, o ambiente, a voz e as ações não deixaram dúvidas em minha mente sobre qual era o caso. Ela estava muito acima do peso, o marido trabalhava o tempo todo. Ela não tinha confiança suficiente nas próprias habilidades para se envolver num projeto que exigisse que se aventurasse por caminhos novos. Considerando tudo isso, suas roupas de cores brilhantes e chapéus extravagantes tinham sentido. Como suspeitara, ela era insegura e sua roupa era o único meio que encontrara para fazer com que as pessoas a notassem. Mas eu não podia ter certeza desse "diagnóstico" sem muitas outras pistas além daquelas trazidas pela aparência física dela, por mais marcante que fosse.

UMA ATITUDE RUIM OU UM DIA RUIM?

O estudo da linguagem corporal é de longe uma das "ciências" menos compreendidas que já entraram na onda da cultura popular. Com a publicação do livro de Julius Fast, *Body language*, em 1970, as pessoas começaram a estudar as pernas cruzadas, os tiques faciais e o hábito de puxar as calças ao sentar que seus amigos e conhecidos tinham. Pareciam crianças com decodificadores secretos, esperando que alguns poucos truques comportamentais revelassem os sentimentos e as motivações mais profundas de uma pessoa.

Nem sempre funciona assim. O próprio Fast alertou que dominar a linguagem corporal é uma empreitada e tanto: "Um estudo da linguagem corporal é um estudo do conjunto de todos os movimentos do corpo, desde os muito voluntários até os completamente inconscientes, dos que se aplicam apenas a uma cultura ou àqueles que atravessam todas as barreiras culturais". Um sistema tão complexo não é para qualquer um usar. Mas apesar dos avisos do próprio Fast, decodificar a linguagem corporal se transformou numa moda. Uma geração depois, muitas pessoas ainda pensam duas vezes antes de cruzar os braços numa reunião.

No final de *Body language*, Fast discute a intrigante postura, das pernas cruzadas: "As pernas cruzadas podem... expressar a personalidade? Podemos dar uma pista de nossa natureza interior pelo modo como mantemos nossas pernas ao sentar? Como acontece com todos os sinais de linguagem corporal, não existe uma resposta simples, sim ou não. Pernas cruzadas ou pernas paralelas podem ser uma pista do que a pessoa está sentindo, de seu estado emocional *no momento*, mas elas também podem não ter nenhum significado".

A linguagem corporal muitas vezes reflete apenas uma condição física (como costas doloridas) ou um estado mental temporário (como frustração), e não um traço mais permanente da personalidade. A linguagem corporal de uma pessoa pode mudar de um momento para outro, de um ambiente para outro, e, assim, se você só encontrou uma pessoa uma vez, é arriscado julgar sua personalidade com base na linguagem corporal. Todo mundo fica tenso às vezes; isso não significa que somos uma pilha de nervos. Mas se alguém parece estar muito tenso todas as vezes que você o encontra, provavelmente você percebeu um traço da personalidade – ou, pelo menos, um tema recorrente na vida dele – não só um dia ruim.

Assim, a consistência é a chave para interpretar a linguagem corporal. Se você não conhece a pessoa, e nunca a observou de perto em diversas situações, não tem como saber qual é o seu comportamento normal, e assim não terá nenhum ponto de referência. Você obtém *insights* com a linguagem corporal à medida que começa a enxergar mais da personalidade de uma pessoa. E para conhecer a personalidade de alguém – vale a pena repetir este ponto –, é preciso identificar o padrão, não só em sua linguagem corporal, mas em todas as outras áreas descritas neste livro.

LINGUAGEM CORPORAL DE FÁCIL COMPREENSÃO

Em algum lugar entre o estudo sério da linguagem corporal e a análise como jogo de salão existe um método funcional para a interpretação cotidiana dos movimentos das pessoas. O Apêndice B contém listas dos movimentos corporais que podem ajudá-lo a interpretar o estado emocional ou a personalidade de alguém. Mas, como as características físicas, a maioria dos movimentos corporais pode ter muitos significados ou nenhum, dependendo das circunstâncias.

O melhor modo de separar a informação significativa dos detalhes sem importância é aprender como as diversas emoções normalmente são reveladas num conjunto de movimentos que acontecem simultaneamente, em vez de memorizar movimentos corporais isolados e seus possíveis significados. Por exemplo, a ausência de contato ocular pode ser um "sintoma" de desonestidade, raiva, nervosismo, defesa, vergonha, medo, arrogância, tédio e de outras emoções. Você só pode saber qual se observar outras pistas que indiquem uma direção específica. Assim, não é muito útil simplesmente relacionar todas as emoções que um determinado traço ou comportamento – ausência de contato ocular, por exemplo –, pode refletir. Em vez disso, este livro descreve as combinações de movimentos que refletem tipicamente vários estados mentais. No fim deste capítulo são discutidos nove destes estados emocionais básicos. Outros 13 são discutidos no Apêndice B. Os nove incluídos aqui irão demonstrar como emoções aparentemente semelhantes podem ser reveladas por meio de uma linguagem corporal muito diferente, e como emoções muito diferentes podem ser expressas com os mesmos movimentos corporais.

Embora você não deva se basear demais apenas na linguagem corporal, não há como negar que ela pode trazer informações valiosas. Por exemplo, se tiver a impressão de que alguém está mentindo, você pode tentar forçar a pessoa a lhe contar a verdade, procurar alguma evidência material ou talvez confirmar sua suspeita com informações de uma outra pessoa. Mas a menos que saiba as dicas físicas da desonestidade, você pode nem pensar em questionar a veracidade de alguém. A maioria das pessoas fica muito incomodada por mentir, e assim não é muito difícil pegar uma mentira se você souber em que prestar atenção. Você pode não ser capaz de provar as suas conclusões num tribunal – mas provavelmente não precisará fazer isto. Uma vez que a linguagem corporal de uma pessoa tenha lhe dado um sinal de que ela estaria mentindo, você pode confirmar sua suspeita por intermédio dessas outras fontes, se a situação permitir.

ESCONDE-ESCONDE EMOCIONAL

Muitas de nossas características mentais básicas, como desonestidade ou raiva, são geralmente consideradas negativas. Outras, como surpresa e atenção, não são sempre positivas nem sempre negativas; pode-se gostar delas numa situação e evitá-las em outra. Alguns sentimentos, como felicidade, quase sempre são percebidos positivamente.

É seguro fazer uma generalização: as emoções negativas são mais difíceis de ler do que as positivas. Com exceção da pessoa que secretamente fica feliz com a desgraça de outra, da que se faz de durona com um namorado em potencial, ou daquela que está fazendo uma negociação, a maioria dos indivíduos expressam alegremente os sentimentos positivos. Não é difícil perceber uma emoção quando não existe uma tentativa de ocultá-la.

Mas os lados menos desejáveis da psique humana não são tão bem acolhidos. Ficamos incomodados com pessoas que reclamam muito, que são indecisas ou ansiosas. Esperamos que nossos amigos mais íntimos e familiares guardem para si mesmos a depressão, a raiva e a frustração, ou que lidem com esses sentimentos em algum outro lugar. Assim, as pessoas muitas vezes escondem essas emoções dos outros. Se você precisa de alguma prova de que esses sentimentos não são bem recebidos, da próxima vez que um conhecido lhe perguntar "como vai?" e você estiver num dia péssimo, responda a verdade. E depois observe a reação dele!

As pessoas também escondem as emoções negativas porque temem uma confrontação. Sem dúvida, um dos diálogos mais freqüentes é: "O que há de errado?". "Nada." Se você desconfiar que uma pessoa está perturbada ou ansiosa, a partir da linguagem corporal, não ignore sua conclusão. Pense um pouco se seria melhor resolver a questão naquele momento, esperar um momento melhor ou observar mais para ver se aparece alguma outra solução. Mesmo que decida não lidar com a questão no momento, uma vez que tenha reconhecido que há um problema, estará mais bem preparado para lidar com ele quando for impossível adiá-lo.

Não há nada de errado com essas regras não-expressas de esconde-esconde emocional – elas ajudam a manter a civilidade na vida. Mas só porque as pessoas não se sentem à vontade mostrando as emoções negativas isto não quer dizer que não as sintam. E se você não souber como identificá-las, não poderá responder adequadamente. Mas se puder aprender a reconhecer, por exemplo, quando alguém se sente frustrado com você, pode tentar encarar o problema em vez de deixar que ele fique fermentando e se transforme de frustração em desgosto, de desgosto em hostilidade.

A beleza de como ler a linguagem corporal é que, por mais que as pessoas tentem encobrir os sentimentos "inaceitáveis", é quase impossível fazê-lo se você souber o que procura. Mencionamos anteriormente que mesmo aqueles cujas vidas dependem de uma aparência tranqüila, calma e honesta no banco das testemunhas com freqüência fracassam nessa tarefa. A verdade aparece em sua linguagem corporal, e normalmente em outros traços. A menos que a pessoa seja um ótimo ator, ela simplesmente não conseguirá mascarar o estado emocional.

Você poderá fazer muito mais do que simplesmente desconfiar que alguém está descontente, se aprender quais pistas indicam a emoção básica. Se estudar as páginas que se seguem, você conseguirá discernir se seu cliente está ouvindo atentamente ou se você o está entediando; se seu empregado está nervoso ou é indeciso; se seu amigo está frustrado ou com raiva. Do mesmo modo, você se tornará mais consciente da própria linguagem corporal e do que ela pode sinalizar para as outras pessoas, mesmo que elas só estejam recebendo as pistas subconscientemente. Se você tiver consciência da linguagem corporal, poderá ajustar melhor o modo como se apresenta ao mundo. Uma vez que perceba o poder da linguagem corporal e o que ela revela sobre você, é possível até decidir evitar situações especialmente delicadas nas quais não deseja mostrar seus sentimentos. Numa dessas situações você pode decidir dar um telefonema em vez de ter uma reunião pessoal na qual provavelmente revelaria demais. Este conhecimento é uma ferramenta muito valiosa, de qualquer modo que você o use.

LENDO A LINGUAGEM CORPORAL

Nas próximas páginas, são discutidos nove tipos de linguagem corporal. Cada um é precedido por uma imagem visual para ajudá-lo a lembrar quais movimentos indicam qual emoção ou traço. Os nove estados mentais discutidos são:

- Honestidade e desonestidade.
- Atenção / ar ensimesmado.
- Tédio.
- Raiva / hostilidade.
- Frustração.
- Depressão.
- Pesar / tristeza.
- Indecisão.
- Nervosismo.

Os estados discutidos no Apêndice B são:

- Arrogância / humildade.
- Confiança / liderança.
- Confusão.

- Defesa.
- Uso de drogas e álcool.
- Vergonha.
- Medo.
- Ressentimento.
- Reserva / abertura.
- Interesse sexual ou romântico.
- Surpresa.
- Suspeita / desconfiança.
- Preocupação.

Essas listas não são completas; os seres humanos possuem um imenso repertório de emoções. Mas as outras não serão muito difíceis de interpretar se você aprender a identificar essas. Como mencionamos anteriormente, será melhor se você ler a discussão adicional detalhada no Apêndice B depois de ter aprendido mais sobre ambiente, voz e comportamento. Isto o ajudará a integrar melhor os movimentos corporais específicos aos padrões gerais.

Honestidade e desonestidade

Imagine um menino insistindo com a mãe que não foi ele quem tirou os biscoitos da caixa. Ele não consegue olhar nos olhos dela por mais de um instante. Fica mudando o peso de um pé para o outro, e gagueja muito.

As pessoas honestas geralmente são descontraídas e abertas. As pessoas desonestas não. Qualquer traço que mostre tensão, nervosismo ou reserva indica uma possível desonestidade. No capítulo 9, "Exceções às Regras", discutiremos as características de quatro diferentes tipos de mentirosos: ocasional, freqüente, habitual e profissional. Dois desses tipos, mentirosos habituais e profissionais, são difíceis de serem percebidos apenas pela linguagem corporal. O mentiroso habitual está tão acostumado a mentir que pode não se importar ou nem se dar totalmente conta de que está mentindo, e assim ele normalmente não o demonstra. O mentiroso profissional ensaia suas mentiras tão bem que seu comportamento demonstra pouca coisa.

Do mesmo modo que dependentes de drogas e de álcool, as pessoas que mentem não costumam admiti-lo. Mas a mentira é fácil de ser detectada quando você sabe o que procura. Os sintomas listados aqui são sinais confiáveis no caso dos mentirosos ocasionais e freqüentes. Essas pistas físicas geralmente só aparecem quando a pessoa sabe que está mentindo e está pelo menos um pouco perturbada por fazê-lo. Felizmente, em sua maioria, as pessoas são no máximo mentirosas ocasionais e revelam o desconforto de muitas formas.

Os sintomas de desonestidade são:

- Olhos que se movem muito e não se fixam.
- Qualquer tipo de inquietação.
- Fala rápida.
- Mudança na voz.
- Balançar-se para frente e para trás sobre os próprios pés ou na cadeira.
- Qualquer sinal de nervosismo.
- Uma versão exagerada do "estilo sincero, de sobrancelhas franzidas".
- Suor.
- Tremor.
- Qualquer movimento que esconda os olhos, o rosto ou a boca, como colocar a mão sobre os lábios enquanto fala, esfregar o nariz ou piscar os olhos.
- Passar a língua sobre os lábios.
- Passar a língua sobre os dentes.
- Inclinar-se para a frente.
- Familiaridade inadequada, como bater nas costas, tocar outras partes do corpo, e ficar perto demais (invadir o espaço pessoal).

Os sinais de honestidade são exatamente o contrário dos citados acima. As pessoas honestas são descontraídas e calmas; elas normalmente olham nos seus olhos. Um sorriso sincero e olhos gentis e calorosos, que a maioria de nós reconhece quando vê, também indicam honestidade.

Quando a situação é estressante, pode ser difícil discernir entre o nervosismo honesto e a defesa ou desonestidade. Se o seu empregado comete um erro terrível e você lhe pede para explicar o que aconteceu, ele provavelmente parecerá nervoso e defensivo por mais verdadeiro que esteja sendo. Observei centenas de testemunhas nervosas e descobri que o modo mais seguro de detectar uma mentira numa situação estressante é observar os padrões de comportamento, procurando consistências e desvios.

Há vários anos, eu trabalhava num caso no qual o proprietário de uma empresa de incorporação imobiliária estava sendo processado por fraude por seu sócio. Uma das testemunhas-chave era uma empregada que tinha trabalhado com os dois homens. Ela era uma mulher muito nervosa mesmo na melhor das circunstâncias, e tremia como uma vara verde desde o momento em que foi chamada até o momento em que saiu do banco das testemunhas. Ela demonstrava todos os sinais clássicos de desonestidade: ausência de contato ocular, tremor, inquietação, e mexia com os copinhos de papel no banco das testemunhas. Mas eu não podia concluir que ela estava mentindo, porque se estivesse sendo desonesta, provavelmente teria se sentido mais confortável durante alguma parte de seu depoimento – quando descrevia sua história profissional, por exemplo. O fato de o desconforto dessa mulher ter sido constante revelava que ela era nervosa, não necessariamente desonesta.

Você tem de prestar bastante atenção ao padrão normal da pessoa para poder notar um desvio quando ela mente. Às vezes a variação é tão sutil quanto uma pausa. Outras vezes é óbvia e abrupta. Recentemente vi uma conhecida sendo entrevistada na televisão, e eu estava certa de que ela iria mentir sobre algumas questões especialmente delicadas, e isso aconteceu. Durante a maior parte da entrevista, ela estava calma e direta, mas quando começou a mentir, mudou drasticamente: jogou a cabeça para trás, riu "ironicamente" e balançou a cabeça. É verdade que as perguntas se referiam a assuntos muito pessoais, mas descobri que, em geral, não importa quanto a questão seja delicada, se a pessoa estiver dizendo a verdade, seu modo de agir não mudará muito nem de forma abrupta. Mas você só poderá ver essas mudanças se estiver observando cuidadosamente.

Atenção / ar ensimesmado

Pense numa leoa olhando para a presa: corpo parado, olhos fixos, ela está imóvel a não ser por um leve balançar da cauda.

Atenção e ar ensimesmado em geral se caracterizam por uma ausência de movimento. A imobilidade, como a da leoa, indica concentração naquilo que a outra pessoa está dizendo (atenção) ou em algum pensamento pessoal.

A representação clássica de alguém imerso em pensamentos profundos é o *Pensador* de Rodin, que se senta com o cotovelo sobre a perna e com o queixo apoiado na mão, o olhar fixo. Imobilidade, um olhar fixo e o queixo na mão são sinais de estar imerso nos próprios pensamentos ou de atenção. Algumas vezes a pessoa faz um movimento simples e repetitivo, do mesmo modo que a cauda da leoa pode balançar conforme ela se prepara para atacar. Mas existe uma diferença clara entre esses pequenos movimentos e a linguagem corporal de tédio (discutida a seguir). Os movimentos do pensador normalmente são inconscientes, e permanecem constantes por longos períodos de tempo. Por exemplo, se a pessoa está virando uma caneta, ela não vai parar repentinamente e começar a bater o pé, e depois parar de bater o pé e começar a balançar-se na cadeira.

Outros sintomas de atenção ou ar ensimesmado são:

- Manter forte contato ocular.
- Olhar fixamente para um objeto.
- Imobilidade geral.
- Inclinar ou balançar a cabeça.
- Morder o lápis ou a caneta.
- Franzir a sobrancelha.
- Cruzar os braços e olhar no vazio.
- Inclinar-se para trás na cadeira.
- Olhar para cima.
- Coçar a cabeça.
- Segurar a cabeça com as mãos.
- Apoiar o queixo nas mãos ou nos dedos.

Pode ser tentador supor que alguém que não mostra os sinais de atenção deve estar entediado, mas uma pessoa pode não estar atenta por muitas razões: pode estar preocupada, deprimida, doente, bêbada, sonolenta ou confusa, para citar apenas algumas possibilidades.

Tédio

É a última aula de um dia quente, e faltam 20 minutos para o sinal. A maioria dos alunos está olhando para longe. Alguns estão murmurando, outros bocejam, outros passam bilhetes, e todos estão agitados como minhocas num chão quente.

As pessoas entediadas querem estar em outro lugar, fazendo outra coisa. Quanto menos você se importa com o que está acontecendo a seu redor, mais você deseja se levantar e ir embora. É como se o corpo da pessoa desejasse se mover para esse lugar de fantasia. Essa tensão entre corpo e mente é desconfortável, e assim as pessoas entediadas normalmente tentam se distrair com atividades físicas; elas podem literalmente se retorcer em seus assentos.

Os sintomas de tédio são:

- Deixar que os olhos vagueiem.
- Olhar para longe.
- Ficar olhando para o relógio ou para outros objetos.
- Suspirar alto.
- Bocejar.
- Cruzar e descruzar pernas e braços.
- Tamborilar os dedos, girar os polegares.
- Bater o pé.
- Brincar com canetas, óculos, papel...
- Rabiscar.
- Afastar seu corpo de outra pessoa.
- Mudar o apoio do peso.
- Balançar-se para frente e para trás na cadeira.
- Mexer a cabeça de um lado para outro.
- Virar os olhos.
- Espreguiçar.
- Apoiar o queixo na mão, enquanto olha pela sala.
- Examinar as unhas ou as roupas.
- Tentar fazer outra tarefa.

O tédio é um dos estados mais difíceis de esconder. Muitos dos sinais da lista acima na verdade representam um esforço para ficar acordado ou alerta – a pessoa entediada simplesmente tem de bocejar ou espreguiçar, ou irá cochilar. É necessário um talento considerável para parecer atento e interessado quando você está entediado. Fique atento a um ou mais desses sinais quando achar que pode estar deixando alguém entediado. E se estiver entediado, e não quiser demonstrar, tente ficar quieto.

Raiva / hostilidade

Imagine um técnico de beisebol encolerizado e um juiz defensivo, com peitos para a frente, mandíbulas cerradas e rostos vermelhos. Os braços do técnico estão agitados e os braços do juiz estão cruzados resolutamente na frente dele.

A raiva normalmente se manifesta de um destes três modos: agressão, defensividade ou retraimento. A raiva agressiva como a demonstrada pelo técnico de beisebol normalmente é fácil de perceber. Mas a maioria das pessoas não se sentem bem expressando raiva, e assim é crucial que você observe com cuidado para perceber a defesa e o retraimento.

Os sinais seguintes aparecem em todos os tipos de raiva:

- Vermelhidão no rosto.
- Braços, pernas ou tornozelos cruzados.
- Mãos nos quadris.
- Respiração curta ou rápida.
- Repetição freqüente de algumas frases.
- Apontar com os dedos.
- Fala rápida.
- Movimentos corporais rápidos.
- Tensão.
- Mandíbula cerrada.
- Lábios apertados.
- Expressão congelada ou zangada.
- Postura rígida ou tensa.
- Tremor.
- Punhos fechados.
- Movimentos de braços frenéticos e quase incontroláveis.
- Riso falso ou sarcástico.

Alguém que esteja com muita raiva pode expressar esse sentimento invadindo o espaço físico da outra pessoa, literalmente "esfregando a raiva no rosto dela"; projetando para a frente o rosto, a mandíbula ou o peito como o técnico com raiva do exemplo; ou olhando de modo fixo e intencional, como se tentasse atingir a outra pessoa com o olhar.

Uma pessoa que fica na defensiva pode travar a mandíbula, cruzar os braços, franzir a testa ou apertar os lábios. Mas provavelmente você não verá movimentos corporais rápidos, vermelhidão no rosto e mudanças em seus padrões respiratórios. Ela também não exibirá os comportamentos mais agressivos citados no parágrafo anterior. Em vez disso, você verá um enrijecimento, como se ela se endurecesse para se proteger. Os membros ficarão mais próximos do corpo e serão posicionados entre ela e você. O rosto irá se fechar. Muitas vezes ela desviará o olhar para evitar um contato ocular direto.

Você verá versões mais exageradas desses mesmos sintomas, se a raiva da pessoa for expressa por meio do retraimento. Ela pode tentar evitar o contato virando o corpo e os olhos para o outro lado. Ficará quieta, e até pode fechar o rosto. Em casos extremos, pode se levantar e sair da sala, se os comportamentos anteriores não tiverem aliviado seu estresse.

Esteja atento para todos os sinais possíveis de raiva; você pode se enganar se basear-se apenas num sinal. Por exemplo, a vermelhidão no rosto pode ser causada por um exercício recente, uma condição médica, vergonha, queimadura de sol, maquiagem mal feita, ou mesmo uma limpeza de pele. Caso você se apoie apenas nessa pista para decidir se uma pessoa está ou não com raiva, provavelmente cometerá enganos.

Frustração

Pense num adolescente dizendo agressivamente a seu pai que ele deveria ter um carro só dele. Seus braços estão agitados; ele olha fixa e intencionalmente e aponta a todo momento. Frustrado, agita as mãos no ar, dá de ombros, suspira, vira as costas e sai da sala, balançando a cabeça enquanto anda.

A frustração vem em duas versões: confrontação e rendição. Se alguém acredita que ela pode alterar aquilo que o está frustrando, pode mostrar sinais de frustração confrontacional, atacando o problema diretamente. Muitos dos sinais de frustração confrontacional se parecem com os sinais de raiva. Mas assim que uma pessoa pensa que uma situação se transformou numa causa perdida, ela exibirá sinais de frustração de rendição, uma passividade irritada, não sinais de raiva.

Os sintomas da frustração confrontacional podem incluir:

- Contato ocular direto e freqüente.
- Dizer frases repetitivas.
- Aproximação da outra pessoa, entrando freqüentemente em seu espaço pessoal.
- Fazer gestos com as mãos, apontar.
- Dar de ombros.

A frustração de rendição pode começar com:

- Suspiros.
- Expiração rápida.
- Caretas, mãos nos quadris.
- Mãos na cabeça (em exasperação).
- Movimentos exagerados ou melodramáticos.

Assim que o ponto de rendição total é alcançado, os sinais passam a ser:

- Virar os olhos ou fechá-los.
- Balançar a cabeça.
- Jogar as mãos para o alto.
- Dar de ombros.
- Virar-se e sair.

É importante não confundir a frustração confrontacional com a raiva, embora às vezes ela se transforme em raiva, como parece ter acontecido no diálogo tenso entre Laura Hart McKinny e o promotor Christopher Darden no julgamento de O. J. Simpson (conforme descrito no capítulo "Prontos para Decifrar"). A sra. McKinny começou seu depoimento sobre o detetive Fuhrman com um tom bastante neutro. Contudo, depois de ser agressivamente questionada pelo sr. Darden, ela ficou frustrada e perguntou: "Por que estamos falando como adversários?". A sra. McKinny claramente não pretendia se render à pressão do sr. Darden, e assim ela o confrontou. Como ele não voltou atrás, ela pareceu ficar com raiva, e seu depoimento tornou-se mais crítico e causou mais danos à promotoria.

Do mesmo modo, tenha cuidado para não interpretar erradamente o tédio como frustração de rendição. Muitos sinais de tédio se parecem com os da frustração de rendição, mas as pessoas entediadas não estão necessariamente frustradas.

Depressão

Visualize uma estátua de gelo no sol do meio-dia, derretendo lentamente num lamaçal informe.

A depressão grave ou "clínica" é uma doença muito séria. As pessoas que sofrem de depressão clínica podem se tornar praticamente não-funcionais. Podem sofrer de graves distúrbios alimentares, negligenciar completamente a higiene pessoal, não conseguir se concentrar em nada, nem mesmo no trabalho, e acabar necessitando de intervenção médica para se recuperar. Esta discussão não está preocupada com a depressão clínica, mas sim com o tipo de melancolia que cada um de nós já experimentou por curtos períodos de tempo enquanto lidava com as pressões e os desapontamentos da vida cotidiana.

Esse tipo de depressão normalmente é revelada não só pela aparência física e pela linguagem corporal, mas também pela voz e pelas ações. Entretanto, é possível identificar a depressão simplesmente observando alguém. As pessoas que estão deprimidas se movimentam de modo diferente. Não há impulso em seus passos, nem brilho em seus olhos. Elas parecem cansadas e indiferentes. A depressão tirou o vento de suas velas.

Os sintomas da depressão cotidiana incluem:

- Isolamento e fuga do contato social.
- Dificuldade de concentração.
- Dificuldade de se interessar por algo ou de fazer planos.
- Fala baixa e lenta.
- Corpo relaxado e frouxo.
- Olhos baixos.
- Movimentos lentos e deliberados.
- Mudanças no apetite (algumas pessoas param de comer, outras comem demais).
- Falta de atenção à higiene e às roupas.
- Esquecimentos.

Pesar / tristeza

Um menininho está segurando um pássaro pequeno e sem vida que caiu do ninho. A cabeça do menino está abaixada. Os olhos estão cheios de lágrimas e seus ombros estão caídos.

Você poderia esperar que a depressão e o pesar fossem "parecidos", mas às vezes não são. Nem sempre estão associados; algumas vezes a depressão não é resultado de pesar, e ocasionalmente alguém que está pesaroso não age de modo deprimido. Você pode interpretar erroneamente o estado emocional de uma pessoa se atentar apenas para a linguagem corporal comum a esses dois estados.

O pesar pode levar a tipos de comportamento um pouco contraditórios. O mais freqüente é que as pessoas pesarosas percam sua energia positiva, e sua aparência e linguagem corporal refletem isso. A perda que sofreram tende a dominar suas mentes e a apagar a maioria das outras emoções. Nesses casos, o pesar e a tristeza são acompanhados por algum grau de depressão, e assim você pode ver também sinais disto.

É fácil perceber quando alguém está sentindo um pesar que é acompanhado por depressão. Entretanto, nos primeiros estágios do pesar, as pessoas muitas vezes experimentam negação, raiva e necessidade de busca. Os movimentos do corpo podem parecer exagerados e animados. Elas podem parecer "hiperativas", falar rapidamente, ou pular de um assunto a outro apenas para fazer a conversa continuar e não pensar em sua tristeza. Se você observar cuidadosamente alguém que suspeite que esteja fazendo esse tipo de compensação, irá notar alguns momentos curtos em que ela pára. É quando permite que seu pesar atravesse as defesas que ergueu. O rosto ficará caído, ela olhará para longe, e depois rapidamente se desligará de novo do sentimento de pesar.

Os sinais típicos de pesar ou tristeza são:

- Lágrimas.
- Indiferença.
- Incapacidade de realizar as tarefas cotidianas normais.
- Isolamento.
- Apatia.
- Olhos baixos.
- Sinais de depressão e de confusão.

- Músculos faciais relaxados.
- Corpo caído ou largado.
- Imobilidade, ou movimentos lentos e deliberados.

Indecisão

Um jogador de beisebol está paralisado entre a primeira e a segunda bases. O arremessador está com a bola. Para que lado ir? O corredor da base olha para a direita, olha para a esquerda; ele se vira para um lado e depois para outro.

As pessoas que estão tentando decidir entre duas opções – aceitar o acordo ou rejeitá-lo, dizer sim ou não, ficar ou sair –, revelam essa indecisão em sua linguagem corporal. Elas literalmente "vão para frente e para trás".

Os sintomas de indecisão incluem:

- Ir para frente e para trás na cadeira.
- Ficar olhando de um objeto fixo para outro, alternadamente.
- Balançar a cabeça de um lado para outro.
- Abrir e fechar as mãos, ou mexer uma das mãos e depois a outra.
- Abrir e fechar a boca, sem dizer nada.

Meu amigo David é um jogador de pôquer que leva o jogo a sério, e me contou uma história que descreve esse ir-e-vir. No pôquer, a linguagem corporal é que entrega o jogo de uma pessoa. David estava jogando com uma mulher e desconfiava que ela tivesse um *full house*. A mulher tinha duas damas e dois setes virados para cima na mesa a sua frente. Ele observou que ela olhou rapidamente para as três cartas que segurava e para as quatro que estavam na mesa. David sabia que se ela não estivesse segurando um sete ou uma dama na mão, ela o teria percebido imediatamente, e não precisaria confirmar. Mas se ela *estivesse* segurando uma dama ou um sete, ela poderia olhar várias vezes para a mão e a mesa, para confirmar suas cartas, antes de aumentar a aposta. Ele já tinha visto isso acontecer muitas vezes. Por causa dessa entrega, David desistiu, embora seu jogo pudesse bater o dela se ela não tivesse um *full house*. Ele estava certo.

David me contou uma outra coisa muito interessante: muitos jogadores de pôquer que fazem altas apostas usam óculos de sol mesmo em salas pouco iluminadas, de modo que seus oponentes não possam ver nem mesmo o menor brilho involuntário em seus olhos. Eles até pedem as cartas com gestos silenciosos, para que sua voz não os traia. O correspondente no mundo dos negócios é alguém que prefere se comunicar por telefone ou por escrito para evitar revelações emocionais.

Nervosismo

Olhe fixamente para um cão. Observe seus olhos movendo-se para evitar os seus. A cabeça dele começará a se virar para a esquerda e para a direita conforme ele olha de novo para você. Ele vai passar o peso de um pé para o outro. Pode ser que sua cauda estremeça ou ele pode virar o corpo para se afastar.

Como o tédio, o nervosismo é desconfortável. Para amenizar o desconforto, a pessoa nervosa precisa de distrações, e ela as cria com o movimento corporal. Embora seja bem fácil perceber um nervosismo *grave*, às vezes os sinais não são tão óbvios. Eu me lembro, por exemplo, de uma testemunha que à primeira vista parecia estar totalmente calma. Ela não tremia, nem tamborilava com os dedos, nem se mexia na cadeira. Mas durante o depoimento, pegou várias vezes a jarra de água, encheu o copo cuidadosamente e bebeu tudo. Acho que ela bebeu uns quatro litros de água. Talvez só estivesse com sede, mas duvido. Concluí que ela estava nervosa, e canalizou o nervosismo para o ritual de encher o copo e beber água de modo que a emoção não fosse revelada de maneiras mais óbvias.

Alguém que esteja nervoso precisará de uma válvula de escape para a energia nervosa. No mundo do pôquer de apostas elevadas, onde ver e disfarçar emoções é um pré-requisito para o sucesso, é comum os jogadores fumarem: isto lhes dá um alívio físico para o nervosismo, e evita que outros sinais mais óbvios apareçam. Como cada vez mais cassinos e salas de jogo estão proibindo o fumo, muitos jogadores estão revelando o que costumavam conseguir esconder. A energia nervosa que era liberada pelo fumo está escapando de outras formas.

Os sintomas comuns de nervosismo incluem:

- Olhos indo de um lado a outro.
- Tensão no corpo, contração do corpo (curvar-se).
- Passar o peso do corpo de um lado para outro.
- Balançar na cadeira.
- Cruzar e descruzar braços e pernas.
- Tamborilar com as mãos, dedos e pés.

- Arrumar ou brincar com canetas, copos, óculos, jóias, roupas, unhas, cabelo, mãos, etc.
- Retorcer as mãos.
- Limpar a garganta.
- Tossir de modo nervoso.
- Sorrir de modo nervoso (as pessoas nervosas freqüentemente sorriem, depois retomam a expressão normal, repetidamente, muito depressa).
- Morder os lábios.
- Olhar para baixo.
- Tagarelar nervosamente.
- Estremecer ou tremer (em situações extremas).
- Suar (em situações extremas).
- Roer as unhas ou morder as cutículas.
- Colocar as mãos nos bolsos.
- Virar a parte superior do corpo de um lado para o outro.
- Ficar silencioso.

Existem muitos sintomas de nervosismo, e muitos deles podem indicar outros estados mentais. Assim, você não deve se basear em pistas isoladas. Por exemplo, embora suar possa significar nervosismo, também pode significar que alguém está com calor, acabou de fazer exercício, está doente, ou até que está tendo um fogacho causado pela menopausa. A maioria das pessoas nervosas mostram mais que um sintoma.

UMA ÚLTIMA PALAVRA DE CAUTELA

Se a vida fosse um filme mudo nós teríamos de nos basear na aparência e na linguagem corporal para entender as pessoas. E teríamos muito sucesso se as pessoas exagerassem suas emoções na vida real como os atores de cinema mudo faziam. Mas a vida não é silenciosa, e a maioria de nós raramente exagera nas roupas ou nos gestos o suficiente para transmitir claramente nossas emoções. Entre nós, os vilões não têm bigodes longos e curvos que eles enrolam alegremente enquanto cometem seus atos covardes. E os heróis nem sempre usam chapéus brancos. Na vida real, as diferenças na aparência física e na linguagem corporal muitas vezes são muito sutis e podem transmitir muitos significados diferentes e freqüentemente contraditórios. Uma mulher pode cruzar os braços porque está com raiva, na defensiva ou nervosa. Pode também só estar sentindo frio.

As características físicas e a linguagem corporal são aquilo que você irá notar primeiro, mas arquive essas observações por algum tempo. A menos que não tenha escolha, nunca avalie outra pessoa apenas com base na roupa dela, ou no modo como ela atravessa a sala. Você precisa de muito mais informações para fazer um julgamento seguro. Esses são apenas os primeiros passos no caminho de compreender os outros. Não pare aqui – continue a jornada.

4

Examinando o Ambiente:
Vendo as Pessoas no Contexto

Imagine que você é um dos participantes do *The Sherlock Holmes Show*. Você e os outros concorrentes são deixados sozinhos no escritório de alguém e têm dez minutos para descobrir tudo que puderem sobre essa pessoa. O objetivo do jogo é testar seus poderes de observação e de raciocínio dedutivo. Quando terminar o tempo, vocês deverão dizer à audiência tudo que for possível sobre o homem que trabalha ali.

Você vê as fotos na mesa, e descobre que ele é casado com uma mulher jovem e tem dois filhos, um menino de uns dez anos e uma garota de uns seis. Você também observa que algumas das fotos foram tiradas por profissionais num estúdio caro; isso sugere que o homem é um pouco extravagante e tem muito orgulho de sua família. Em uma das outras fotos você vê a família esquiando. Em outra, eles estão na praia. Ele deve ser ativo e atlético.

Você também vê um diploma de psicologia de uma universidade local. Há um pequeno peso de papel com o logotipo da câmara de comércio local – o que sugere que ele tem preocupações cívicas –, sobre uma pilha de papéis bem arrumados. O resto do ambiente está igualmente arrumado. Ele é organizado e caprichoso. Num canto da sala há diversos livros de ciências sociais usados no segundo grau. Talvez ele seja um professor. Trabalhos artísticos contemporâneos, de cores brilhantes, enfeitam a parede e complementam com bom gosto os móveis dinamarqueses modernos. Ele tem estilo, gosta de coisas de vanguarda, e se importa com a impressão que causa nos outros. Depois de ter examinado estas e outras pistas adicionais disponíveis na sala – desde a cor das paredes até o tipo de caneta que ele usa –, você sente que quase conhece o homem.

Quando chega a hora de voltar para o estúdio, você reuniu tantas informações que está certo de que a audiência irá ficar assombrada por seus incríveis poderes de observação e dedução. Para sua surpresa, cada um dos outros concorrentes teve um desempenho tão bom quanto o seu. O que é ainda mais surpreendente, todos vocês chegaram a conclusões muito semelhantes sobre o homem. Nessa situação artificial, motivados pela competição, todos vocês prestaram muita atenção. Os resultados falam por si mesmos.

Agora, voltemos à realidade. Quanta informação você extraiu do ambiente da última vez que visitou a casa ou o escritório de alguém pela primeira vez? Reparou nas fotografias, no assunto delas e em sua qualidade, nas molduras? Observou qualquer característica distintiva dos móveis ou dos objetos de decoração? Pensou no modo como a decoração, a colocação dos móveis e outros aspectos do ambiente refletiam a personalidade, os valores ou as experiências de vida daquela pessoa? Se você for como a maioria das pessoas, provavelmente prestou pouca atenção. É igualmente provável que não tenha pensado muito na imagem que sua casa e escritório projetam naqueles que entram por suas portas. Mas o seu ambiente é uma rica fonte de informação sobre a sua personalidade, valores e estilo de vida para as pessoas que sabem o que procurar.

O ambiente de uma pessoa pode revelar pistas sobre seu trabalho, educação, *hobbies*, religião, cultura, estado civil e familiar, filiação política, amigos, prioridades e riqueza. Talvez o ambiente possa confirmar, lançar dúvidas ou aprofundar aquilo que você já descobriu sobre alguém a partir da aparência pessoal e linguagem corporal – se ela é exuberante ou conservadora, prática ou extravagante, egoísta ou humilde, organizada ou confusa, de vanguarda ou tradicional, e muito mais.

As pistas ambientais são fáceis de ver – são palpáveis. E, de qualquer modo, a maioria de nós gosta de explorar o habitat dos outros. Nós fomos ensinados a não sermos intrometidos quando éramos crianças, mas a curiosidade faz parte da natureza humana. Além disso, você não tem que espionar na gaveta de meias de alguém para descobrir algo sobre ele.

Muita coisa pode ser descoberta a partir do ambiente de uma pessoa, por isso fique atento quando entrar num novo ambiente, especialmente se você acabou de conhecer a pessoa. Acima de tudo, você está procurando os padrões que irão revelar sua verdadeira natureza. Como sempre, dê especial atenção aos desvios, extremos e adequação.

Passamos a maior parte de nosso tempo em casa ou no trabalho. Não é surpreendente que esses dois ambientes sejam extremamente reveladores. Você só conseguirá ter uma imagem completa da pessoa se puder examinar os dois ambientes e compará-los. Nosso local de trabalho, o escritório, o carro da empresa ou a gaveta contam uma história. Mas nossa casa pode dizer algo muito diferente, pois a maioria de nós tem mais controle sobre ela do que sobre nosso local de trabalho. Um livro de arte moderna provavelmente seria uma pista menos reveladora na sala de espera de seu agente de seguros do que se estivesse no escritório da casa dele.

Qualquer discrepância entre a imagem que uma pessoa projeta em público e aquilo que é revelado num ambiente mais particular pode abrir seus olhos. Por exemplo, você pode saber bastante sobre um homem se o carro e as roupas que ele usa para trabalhar forem caros, de estilo e imaculados. Mas você teria uma imagem muito diferente se também soubesse que a casa dele é simples, bagunçada e sem nenhum estilo. Se você descobrisse que ele raramente convida as pessoas para visitá-lo, poderia supor que ele dá uma grande importância para a impressão que causa nos outros: optou por investir o dinheiro e atenção em aspectos de si mesmos que são sistematicamente vistos pelas outras pessoas. O fato de ele ficar perfeitamente à vontade numa casa simples e desorganizada sublinha a possibilidade de ele se preocupar com as aparências, e não apenas gostar das boas coisas da vida.

Você saberia ainda mais sobre esse homem se encontrasse a esposa e seus dois filhos, e descobrisse que os guarda-roupas destes não estão tão na moda quanto o dele. Isso sugeriria que ele prefere gastar o dinheiro consigo mesmo, não com a família. Você poderia concluir que ele é egocêntrico ou até mesmo egoísta.

Este capítulo irá descrever como saber mais a respeito de alguém a partir do local de trabalho, casa e até do carro; revelaremos quais os aspectos mais significativos desses ambientes. Você também saberá sobre o significado potencial do local que alguém escolhe para encontrar-se com você. E descobrirá por que o ambiente humano – a companhia que temos – é tão revelador.

INTERPRETANDO O AMBIENTE DE TRABALHO

Se você souber como interpretar os espaços de trabalho de seus colegas, isto poderá claramente ajudá-lo a nutrir seus relacionamentos profissionais. A partir das pistas ambientais, você pode descobrir quem tem gostos e valores parecidos com os seus, determinar quais colegas são mais organizados e confiáveis, e talvez até concluir quem está comprometido com o trabalho e quem está simplesmente matando o tempo. Mas também é útil interpretar o ambiente de trabalho daqueles com quem você *não* trabalha. Muitos de nossos primeiros encontros com pessoas – o farmacêutico, o mecânico, o diretor da escola de seu filho –, acontecem no lugar de trabalho deles. A profissão de uma pessoa e seu ambiente dão muitas pistas sobre a personalidade dela, e você pode avaliar essas pistas junto com a aparência e o comportamento.

O bairro do local de trabalho

Normalmente você não tem escolha sobre o local onde ficam os escritórios da empresa, se for um empregado, mas tem opção quanto ao lugar onde mora. Alguém que compra um apartamento no centro da cidade para ficar perto do trabalho pode revelar muito sobre si mesmo, especialmente se tem filhos e uma opção fosse morar num bairro mais distante. Nos bairros mais distantes, as crianças poderiam ter mais oportunidades de brincar ao ar livre e de participar de outras atividades. Mas se morar perto, o pai pode passar mais tempo no trabalho. Se eu não souber nada a respeito de uma pessoa a não ser que ele se mudou com a família para um bairro central da cidade para ficar mais perto do trabalho, eu pensaria se ele é viciado no trabalho; se tem mais satisfação no trabalho do que com a família; e se é egocêntrico e ambicioso. Este é um julgamento muito duro, e eu não agiria com base nele até conseguir informações suficientes, vindas de outras fontes, que o validassem . Afinal de contas, pode ser que ele e sua esposa tenham concordado que as oportunidades culturais da cidade são mais importantes para seus filhos e que uma distância menor entre a casa e o trabalho pode permitir que o pai passe mais tempo com a família.

Se alguém trabalha por conta própria, o local em que seu trabalho está instalado pode dizer muito mais. Por exemplo, nas grandes cidades, a maioria dos advogados bem-sucedidos tem escritórios nos andares mais altos dos edifícios dos bairros centrais. Quando encontro alguém que escolheu uma alternativa, por exemplo uma antiga casa vitoriana num bairro perto de casa, minha antena de leitura de pessoas começa a vibrar. Não posso desconsiderar todas as possíveis razões que levaram-no a escolher essa localização:

- O local fica mais perto de casa e da família: a família é importante para ele.
- Ele gosta de restaurar prédios antigos: é ativo e criativo.
- Ele gosta da atmosfera descontraída de um edifício menor, numa área menos congestionada: é informal e despretensioso.
- Ele gosta de ter um escritório não-convencional: é um livre-pensador e deseja que os outros saibam disso.
- É mais barato possuir esse pequeno prédio do que alugar um espaço num arranha-céu: é simples e prático.
- Ele está procurando um investimento, não só um espaço para alugar: planeja com antecedência.

Entretanto, antes de passar muito tempo especulando, eu simplesmente perguntaria. Digamos que ele respondeu assim:

> Estou mudando de interesse. Decidi diminuir minha prática geral e devotar boa parte do meu tempo para representar pais e filhos em casos de divórcio e de custódia. Esta casa é muito mais atraente para esse tipo de cliente. Existe um quintal onde as crianças podem brincar e uma sala extra com brinquedos e vídeos. Além disso, é muito fácil estacionar nas ruas próximas, e assim os pais não precisam se preocupar com estacionamento enquanto estão com os filhos na cidade. É mais informal; meus clientes sentem-se à vontade aqui.

Isso me diria muito sobre essa pessoa. Revelaria compaixão e sensibilidade para com os clientes. Ainda mais, indicaria uma grande mudança em seus objetivos de vida. O que inspirou essa mudança? Ela, ou alguém próximo, esteve envolvido numa luta por uma custódia? Ou ela chegou a um ponto da vida em que reavaliou as prioridades? Essas perguntas são extremamente importantes quando estamos avaliando alguém.

O bairro que uma pessoa escolhe para seu trabalho pode estar na moda, ser prático, barato, funcional ou vistoso. Muitas vezes, o bairro reflete o ramo de negócios ou a clientela: um designer de roupas iniciante provavelmente iria estabelecer sua loja perto do bairro de comércio de roupas, e um carpinteiro de barcos perto de uma marina. Nesses exemplos, a escolha que a pessoa faz do local é primariamente prática, mas você ainda pode observar se o estabelecimento é estritamente sem afetação, ou segue a última moda, ou está num ponto intermediário. A pessoa que escolheu o caminho mais luxuoso, especialmente quando não precisa de artifícios de moda para atrair negócios, está fazendo uma afirmação. Vistas panorâmicas, espaço amplo ou conforto podem ser importantes para ela, mas é mais provável que seja motivada pela imagem que a localização mais famosa projeta. A escolha indica um certo nível de sucesso, mas também revela necessidade de aprovação, arrogância, egocentrismo, extravagância ou falta de praticidade. Por outro lado, a pessoa que escolhe um local modesto, em especial se pode pagar outro mais luxuoso, pode estar revelando confiança, praticidade, simplicidade e auto-estima, e que não depende das aparências exteriores.

Objetos no escritório

Os cenógrafos de filmes acrescentam objetos ao fundo de todas as cenas para dar contexto e ênfase às palavras e aos gestos dos atores. Na vida real, a maioria de nós escolhe os objetos que nos rodeiam, e esses objetos são mais fáceis de identificar do que as nuances da linguagem corporal ou o corte e a cor do cabelo de alguém.

Os objetos do local de trabalho oferecem um folhear maravilhoso para o atento leitor de pessoas. Normalmente, o espaço é limitado, e assim é menos provável que você seja soterrado pela informação visual do que na casa da pessoa. E é mais provável que aquilo que você vê esteja ali por alguma razão. O lugar de trabalho algumas vezes é uma réplica em miniatura da casa, com muitos dos mesmos elementos resumidos em alguns poucos itens reveladores. Mas a loja ou escritório de alguém também pode dar muitas pistas que não estão na casa dele: algumas pessoas se expressam de modo mais livre quando estão longe da influência do cônjuge ou da família. Isto é especialmente verdadeiro se a esposa é quem toma as decisões sobre decoração em casa.

A lista a seguir inclui os itens mais freqüentes no local de trabalho das pessoas. (Ela não é tão longa quanto pode parecer – você precisará apenas de alguns minutos para registrar visualmente esses itens.) Você de fato já pensou sobre o que esses objetos podem lhe dizer sobre alguém? Ficará surpreso com quanta informação irá obter se reparar neles da próxima vez em que visitar um escritório.

Objetos do local de trabalho

- Calendários
- Canecas (especialmente com logoti pos ou citações impressas)
- Chapeleira
- Coleções
- Computador
- Conjuntos de canetas
- Quadros de cortiça e os itens que eles expõem
- Diplomas
- Equipamentos esportivos
- Espelhos
- Estantes e seus conteúdos
- Fax
- Ferramentas
- Troféus
- Flores
- Fotografias
- Garrafas ou frascos de bebida
- Geladeira

- Guarda-chuvas
- Instrumentos musicais
- Jogo de chá / café
- Livros, revistas e outros materiais de leitura
- Mata-borrão / conjunto de mesa
- Móveis
- Objetos de arte
- Objetos de decoração
- Pastas
- Pesos de papel
- Plantas
- Placas ornamentais
- Porta-cartões de visita
- Pôsteres
- Rádio
- Relógios
- Sacola de ginástica
- Televisão

Os itens mais reveladores no local de trabalho

Embora todos os itens dessa lista possam trazer informações importantes, alguns objetos seguramente revelam mais que outros. Os descritos a seguir são encontrados na maioria dos locais de trabalho. Você irá notar que todos eles são facilmente substituíveis e relativamente baratos. Por esta razão, normalmente se constituem numa melhor indicação do atual estado mental da pessoa do que os objetos mais permanentes como escrivaninha, computador, cadeiras e tape-tes. De qualquer modo, muitas pessoas não têm escolha em relação a esses itens mais caros e permanentes, e aqueles que podem escolher muitas vezes optam pelo estilo associado a seu trabalho. Por exemplo, um advogado pode preferir móveis tradicionais no escritório, e um cabeleireiro pode escolher uma decoração *clean*, funcional e confortável para seu salão – mesmo que ambos prefiram móveis dinamarqueses modernos em suas casas. Assim, os móveis dos escritórios normalmente não refletirão o gosto pessoal do indivíduo ou suas prioridades, bem como fotos, calendários e os outros itens listados abaixo.

Estes itens têm uma outra coisa em comum: todos estão disponíveis numa infinidade de estilos. Conseqüentemente, a escolha de uma pessoa é uma afirmação bem específica. Sempre existe a possibilidade de um item específico ter sido um presente, mas, mesmo assim, as pessoas geralmente não expõem aquilo que ganham, a não ser que gostem.

Calendários Um local de trabalho ostenta um calendário do Sierra Club, ou um que exibe carros, belas modelos, pinturas de Norman Rockwell ou cartuns *Far Side*? Os calendários não mostram apenas o *hobby* ou aquilo de que o indivíduo gosta, eles são ótimos assuntos de conversa. Comece perguntando sobre o calendário, e você estará bem encaminhado.

Fotografias e molduras As pessoas ou os lugares nas fotos, o número de fotos, o tipo de moldura (cara ou barata, artesanal ou laqueada de preto), e o tipo da fotografia (instantâneos, fotos amadoras, retratos profissionais ou fotos de arte) dizem muito. Por exemplo, fotos da pessoa com celebridades, líderes comunitários ou outras pessoas famosas são uma forma (que não causa danos) de vangloriar-se. Qualquer fotografia é um ótimo modo de iniciar uma conversa.

Livros e outros materiais de leitura O assunto naturalmente é importante – uma pessoa com pilhas de ficção científica provavelmente será uma fã –, mas outros fatores também devem ser considerados. Alguém cujas estantes estejam cheias de volumes não lidos, dos grandes mestres, encadernados em couro, pode ser apenas pretensioso. As estantes estão cheias de periódicos profissionais bem manuseados, ou com revistas não relacionadas ao trabalho? Há uma Bíblia ou outro livro religioso? Que volumes de referência a pessoa tem? Existem muitos manuais de computador, mas poucos livros de outro tipo?

A variedade de material de leitura no local de trabalho pode refletir mais que o tipo de livros de que a pessoa gosta. Isso também pode revelar sua atitude ante ao trabalho. Uma pilha de romances ou de revistas para pais sobre uma escrivaninha sugere que a atenção desta pessoa pode freqüentemente estar em outro lugar. O excesso também sugere falta de autocrítica: o chefe certamente irá notar essas publicações não relativas ao trabalho, e ficar imaginando se a pessoa está mesmo trabalhando.

Objetos de arte A arte – pinturas, pôsteres e estatuetas –, no local de trabalho, como a arte em casa, revela os gostos da pessoa e freqüentemente seu senso de humor, os *hobbies* e interesses, e tudo isto indica sua personalidade. Mas tenha em mente que grande parte da arte exibida no local de trabalho pode ter sido escolhida tendo em vista a natureza do negócio e não a preferência pessoal do indivíduo. O seu mecânico pode gostar de pinturas com cenas marítimas, mas pendura pôsteres de carros na oficina onde trabalha. Uma pintura a óleo vai ficar suja ou ser roubada, e ele pode querer mostrar a seus clientes que não só trabalha com carros, mas que realmente gosta deles.

Itens sobre a mesa Pelo menos parte do espaço limitado da mesa de uma pessoa tem de ser reservada para fazer o trabalho. O que a pessoa escolhe para ocupar o resto da área lhe dirá o que é mais importante para ela. É uma fotografia da esposa e dos filhos? É um troféu de golfe? É um porta-lápis e canetas que o filho dele fez de madeira, ou um em mármore que ele ganhou quando saiu da Marinha? Tudo é funcional – computador, telefone –, ou existe espaço em sua mesa (e em seu dia de trabalho) para a família e os *hobbies*? Ele escolheu uma caneta cara e com estilo ou usa a Bic da empresa? E a mesa está arrumada ou atulhada?

A mesa pode ser uma pequena colagem da personalidade de uma pessoa. Uma mesa confusa e desorganizada normalmente indica uma pessoa confusa e desorganizada, e não acredite na opinião comum que diz o contrário. A casa e o carro da pessoa provavelmente serão parecidos. E alguém que tenta impressionar os visitantes do escritório com canetas caras e pesos de papel de cristal provavelmente terá a necessidade de fazer isso em todas as áreas de sua vida.

Plantas e flores A pessoa que se dá ao trabalho de manter flores frescas ou plantas vivas no trabalho em geral se importa bastante com beleza e com a natureza em seu ambiente. Ela provavelmente também será um pouco artista e consciente em relação à saúde. Além disso, as flores e o verde são convidativos, de modo que também indicam uma natureza hospitaleira e cuidadosa.

Recentemente visitei um tribunal antes do início do julgamento de um de meus casos, como costumo fazer. Descobri que o juiz sempre mantinha rotineiramente flores frescas no tribunal. Ele também tinha mandado fazer almofadas para todas as cadeiras dos espectadores. Esses toques especiais eram muito significativos, especialmente porque tinham sido iniciativa de um juiz. Sem dúvida, a personalidade do juiz emergiu durante o julgamento: ele era cuidadoso, tinha consideração pelas pessoas, era aberto, despretensioso e humano.

A arrumação conta uma história

O modo como uma pessoa arruma as coisas em seu local de trabalho, e também em sua casa, traz um útil *insight* sobre a personalidade dela. Entretanto, antes de começar a avaliar sofás e cadeiras você precisa descobrir se a pessoa teve escolha. Se ela escolheu, considere os seguintes pontos:

- A mesa está de frente para a porta, para uma janela ou para uma parede?
- Existem cadeiras para os convidados sentarem, e se houver, elas são confortáveis? (Lembre-se de que o ocupante do escritório pode não ter tido escolha quanto às cadeiras)
- O espaço está arrumado de tal forma que os convidados e os colegas de trabalho possam conversar de modo confortável?
- Há uma mesa com uma garrafa de café ou com xícaras de café?

Tanto no trabalho quanto em casa, é importante considerar que *qualquer* arrumação *que remova barreiras é significativa*. Se eu entro num escritório e vejo que seu ocupante colocou um espaço para conversas num dos cantos da sala, posso inferir que provavelmente ele gosta de conversar com os convidados de modo mais informal e confortável do que se ficasse sentado atrás de sua mesa. Provavelmente deseja deixar as pessoas à vontade; é informal, provavelmente confiante e não-egoísta. Por outro lado, a pessoa que opta por sentar atrás de uma grande mesa com os convidados em cadeiras menores (e quase sempre menos confortáveis) a sua frente está assumindo uma posição de controle e de superioridade.

É claro, a maioria das áreas de trabalho simplesmente não têm espaço para uma arrumação dessas. Então, procure por itens como uma garrafa de café e xícaras, água mineral, ou outros toques pessoais, que indiquem até que ponto uma pessoa cuida de seus convidados. Posso elaborar algumas hipóteses a partir desses detalhes e encaixar o ocupante do escritório em minha escala pessoal de rigidez.

A CASA DE UMA PESSOA

Nossa casa é nosso castelo. Normalmente ela é o ambiente mais particular, pessoal e permanente que temos. No trabalho, os outros quase sempre controlam as aparências, pelo menos em algum grau; mesmo quando isso não acontece, podemos não revelar muito de nós num lugar tão público. Mas em casa é diferente.

Quando você entra no espaço que alguém criou para o próprio conforto, você está em posição de descobrir informações muito pertinentes sobre ele. Se a pessoa mora com mais alguém, pode ser mais difícil identificar quem é responsável por quais aspectos, mas uma observação cuidadosa, um pouco de tempo e algumas perguntas feitas com jeito quase sempre podem ajudá-lo a descobrir.

Interpretar a casa de alguém significa olhar as áreas "públicas", não mexer no armário de remédios. Menciono isso apenas porque algumas pessoas são muito bisbilhoteiras, e eu traço o limite aqui. A privacidade é sagrada; além disso, se você for um bom observador, não precisa invadir o território íntimo dos outros. Considero como território "público" o bairro, as áreas externas, a sala de visitas, a sala íntima, a cozinha e o banheiro dos convidados. Quando você visita a casa pela primeira vez e é levado num *tour*, pode até dar uma olhadinha nos quartos de dormir, mas geralmente eu os considero fora dos limites.

Vidas secretas

Em algumas ocasiões, eu me surpreendi com o fato de a casa de alguém ser muito diferente da imagem que essa pessoa mostra ao mundo exterior. Às vezes, a discrepância é bastante chocante, embora seja incomum haver um conflito dramático entre a aparência exterior de alguém e sua casa. Ainda assim, todos nós levamos vidas duplas, em algum grau. Uma pilha de revistas *People* na ponta da mesa da sala de visitas de uma mulher de negócios aparentemente muito sensata, ou uma coleção de CDs de música clássica no lar de um cara durão não significam que essas pessoas tenham personalidades fragmentadas – apenas que elas podem ser mais complexas do que você supunha.

O objetivo desse tipo de observação não é identificar "enganadores" mas obter uma impressão sobre a pessoa real e comparar isso com sua *persona* mais pública. Se existirem diferenças óbvias e surpreendentes, há algo dissonante e você deve agir com cautela. O mais freqüente é que ao comparar a *persona* pública com a casa da pessoa, você possa descobrir o quanto ela está contente, se ela se sente insegura ou confiante, o que faz com o tempo livre, e em geral o que é mais importante para ela.

A casa reflete a pessoa

Sempre que você entrar na casa de alguém, esteja atento para discrepâncias entre o público e o privado como as descritas acima. Se a casa é inteiramente coerente com a *persona* pública, normalmente você pode supor que a pessoa está bem à vontade consigo mesma e onde está. Ela aceita a si mesma e não gostaria de ser diferente.

Um sinal de alerta deveria ser disparado se a casa de uma pessoa for dramaticamente diferente do modo como ela se mostra publicamente. A primeira pergunta que você deveria fazer é: "Qual é a aparência mais autêntica?" Repetidamente eu tenho descoberto que a casa traz as pistas mais confiáveis quando existe uma disparidade entre a aparência pública e a casa de uma pessoa. A casa é onde literal e figurativamente nós soltamos o cabelo.

Entretanto, antes de fixar uma opinião, assegure-se de que você não está enxergando uma inconsistência inexistente. Por exemplo, considere a questão do sucesso financeiro. Nossas casas, como nossos guarda-roupas, podem refletir não só o nosso gosto mas nossa situação financeira. Mas o que à primeira vista, parece uma discrepância entre como a casa de um homem e a aparência dele refletem sua situação financeira, pode ter um sentido perfeito se você o conhecer melhor. Tenho um cliente rico que usa jeans e camisas informais para trabalhar todos os dias (ele é o dono da empresa). Se você o encontrar na rua, nunca pensará que ele é rico. Mas se entrar na casa dele – uma jóia da arquitetura, no alto de uma colina com vista para o oceano –, na mesma hora perceberá o sucesso financeiro dele. Ele não gosta de se preocupar com o que veste, nem precisa. Não se importa com o que as pessoas pensam de seu nível social; é feliz e seguro. Sua casa claramente apresenta uma imagem mais precisa de sua posição sócio-econômica do que sua aparência, mas as duas imagens realmente não são discordantes. A verdade é que gosta muito da bela casa, e pode pagar por ela. Ele também gosta de roupas informais e confortáveis, embora possa pagar por qualquer tipo de roupa que queira.

Entretanto, o mais freqüente é que uma grande diferença entre o modo como uma pessoa se veste e a casa em que vive seja uma indicação da escolha sobre em que gastar o dinheiro. Quando alguém se veste com elegância, mas vive num apartamento modesto com poucos ornamentos caros, o mais provável é que o apartamento represente onde ele está financeiramente, enquanto que as roupas refletem onde ele gostaria de estar. Quanto maior a diferença, mais intenso é o desejo de demonstrar sucesso financeiro. A ênfase na aparência em vez de no conforto pode indicar que ele é ambicioso, motivado, tem visão a longo prazo e está disposto a adiar gratificações para alcançar um objetivo mais distante. Mas esteja atento para outras possibilidades: materialismo, insegurança e vaidade.

Por outro lado, a pessoa que gasta a maior parte de sua renda com sua casa e pouco com roupas e aparência física, provavelmente está satisfeita consigo mesma e menos preocupada com a opinião dos outros. É provavelmente mais orientada para a família e os amigos que para a carreira.

Algumas vezes as pessoas até fingem ter interesses, *hobbies* ou talentos que não são confirmados quando você visita a casa delas. Essa informação conflitante sempre deve ser considerada com cuidado. Por exemplo, por que uma mulher diria que adora cozinhar se sua cozinha parece vazia, como se raramente fosse usada? Provavelmente ela anunciou suas habilidades de cozinheira no escritório porque pensa que os outros admiram essa habilidade. A cozinha vazia deve fazê-lo imaginar o quanto ela é insegura e questionar a veracidade dela.

É raro a casa de uma pessoa revelar isoladamente "a chave" para a personalidade dela. Mas, às vezes, um padrão consistente e forte irá surgir das pistas que você encontrar ali e isso lhe dará a possibilidade de tirar algumas conclusões bastante confiáveis. Recentemente, uma amiga minha descreveu sua experiência ao procurar um lugar onde o filho mais novo pudesse ficar depois da escola. Em última instância, ela acabou escolhendo o lugar por causa do ambiente.

Na casa da primeira pessoa onde ele poderia ficar, ela observou imediatamente que quase todas as crianças eram bebês. O filho dela estava no primeiro grau, e ela queria alguém que oferecesse atividades que fossem desafiadoras para ele. Apesar do que a pessoa dizia, o ambiente lhe mostrou que isso não poderia acontecer ali. Passava do meio da tarde, e as crianças estavam sentadas na frente da televisão, na sala íntima. Era bem ruim elas estarem diante da TV como zumbis, mas ainda pior era o fato de elas estarem assistindo a um *talk-show*. A sensação da minha amiga poderia ter sido diferente se a TV estivesse ligada num filme de Disney ou num programa sobre a natureza, mas bebês assistindo a um *talk-show*! Ela nem precisou ver mais.

Pouco tempo depois ela encontrou uma mulher que parecia perfeita para a tarefa. De novo, o ambiente trouxe muitas pistas cruciais. Uma lona estava estendida embaixo de uma árvore no quintal. Em cima da lona havia uma mesa de piquenique, de tamanho apropriado para crianças, e crianças da idade de seu filho estavam pintando. A pessoa que cuidava das crianças mostrava-se ativamente envolvida com elas, que por sua vez se relacionavam bastante umas com as outras.

Havia vários itens na casa que indicavam uma forte influência cristã. Isso poderia ser um sinal ruim para alguém com uma religião diferente (ou sem religião), mas por causa das crenças cristãs da minha amiga e de seu interesse em que os filhos crescessem num ambiente assim, para ela isso foi ainda mais positivo. A casa estava imaculada. Havia tampas de segurança em todas as tomadas, protetores de borracha nos cantos da mesa de café, e fechaduras duplas em todas as portas, numa altura que as crianças não poderiam alcançar. Tudo indicava uma mulher muito dedicada, cuidadosa e amorosa — exatamente a pessoa que minha amiga estava procurando.

Normalmente é necessário esse tipo de construção do padrão e atenção aos detalhes para extrair conclusões confiáveis do ambiente de uma pessoa. Portanto, não pare de procurar assim que achar uma descoberta que considere notável. Continue buscando.

O bairro

O bairro que uma pessoa escolhe para morar diz a seu respeito o mesmo que sua escolha de ambiente de trabalho — mas de modo mais forte, porque existem muitas opções. Nossas escolhas podem revelar nosso status financeiro, a situação familiar e conjugal, a preocupação com imagem, e em alguns casos, traços inesperados. Por exemplo, as famílias negras que optaram por mudar-se para bairros totalmente brancos, nos anos 60 e 70, mostraram coragem, motivação e força de caráter. E, como a maioria das pessoas que escolhem bairros improváveis, elas tinham força de vontade e pensavam por si mesmas. Nossas escolhas de bairros nem sempre refletem tanta resolução ou compromisso com nossos ideais, mas são um indicador importante de nosso estilo de vida e prioridades.

O casal que opta por um apartamento minúsculo numa área cara, porque as escolas públicas são excelentes, está fazendo uma afirmação sobre o valor que dá à educação dos filhos. O casal que desiste de viagens de férias, lições de piano e da maioria dos pequenos luxos cotidianos para mudar-se para um bairro de maior prestígio está mostrando quanto dá valor ao status e à impressão que causa nos outros. Sempre que alguém escolhe onde morar, tem de fazer concessões. Se não for óbvio, pergunte por que ele decidiu morar ali. A resposta pode lhe dizer muito sobre ele.

Interior e exterior

Muitas vezes o exterior de uma casa é muito diferente do interior. Essa disparidade freqüentemente indica o que é mais importante para os moradores: a aparência exterior ou seu próprio conforto e prazer estético. A mudança para uma casa nova é um momento especialmente bom para procurar os sinais de prioridades. A maioria das pessoas tem um orçamento limitado para reformas e decoração interior, e assim elas fazem uma escolha: arrumar o interior ou dar um jeito no exterior. A decisão pode lhe dar algum *insight* sobre o que é mais importante para elas.

A diferença entre o interior e o exterior também sublinha o quanto é crucial esperar até ver o quadro todo antes de tirar qualquer conclusão. Uma casa que tem uma aparência muito simples quando vista da rua pode parecer atordoante quando vista de dentro. Justamente por isso, uma pessoa que gastou seu último centavo comprando a casa mais cara com que poderia arcar, pode estar "pobre" na hora de decorar, e ter apenas os móveis básicos. Essas duas pessoas fizeram escolhas que indicam seus valores. Uma pode estar mais preocupada com o próprio conforto e a outra com a aparência exterior. Mas nunca se esqueça, existem inúmeras motivações possíveis para a maioria das decisões. Talvez a pessoa que gastou todo o seu tempo e energia com o paisagismo apenas goste de jardinagem e não se importe nem um pouco com o que os vizinhos estão pensando.

Normalmente, a primeira coisa que você irá notar ao entrar na casa de alguém é a decoração. O estilo muitas vezes dá pistas sobre a personalidade, embora sempre existam exceções; de modo geral, móveis tradicionais refletem uma visão tradicional da vida, enquanto que uma decoração mais moderna ou incomum reflete visões mais abertas e experimentais. A escolha dos móveis também pode refletir o *histórico* de uma pessoa. Se você foi criado no campo, pode ser que prefira móveis em estilo *colonial*. A maioria de nós associa nosso lar da infância com sentimentos de segurança e amor; é raro que uma pessoa se separe completamente desses sentimentos.

A decoração é muito menos útil na previsão do caráter de alguém, se essa pessoa delegou a decoração para outrem, quer seja a esposa ou um decorador profissional. Embora seja verdade que o cliente de um decorador normalmente precisa aprovar os planos, muitas vezes o cliente está ocupado demais para tomar essas decisões ou está disposto a deixar que outras pessoas o façam por ele.

Usando seus sentidos

Quando você entra na casa de alguém, sua primeira tendência é olhar ao redor. Depois de ter tido alguns minutos para absorver parte da informação visual, concentre-se em três outros sentidos: audição, olfato e tato.

Escute a sala Há uma música calma e tranqüila, que pode indicar que a pessoa que vive ali é calma e serena – ou deseja sê-lo? Ou a TV está com volume alto? Qual é o canal sintonizado? Fique atento para o som de sinos de vento, latido de cachorros, crianças brincando. Se você ouvir *rock and roll* vindo de outra sala, investigue se há adolescentes na casa, ou se o ocupante de 55 anos ainda está parado nos anos 60. Se você não prestar atenção ao que ouve, não perceberá muitas pistas que poderiam lhe trazer informações valiosas – e indicar direções onde você encontrará ainda mais.

Sinta o cheiro da sala Observe qualquer odor agradável ou desagradável, e tente identificá-lo. Cheiros bons podem vir da cozinha ou de uma janela aberta que deixe o ar fresco entrar, ou alguém pode ter se dado ao trabalho de perfumar a casa, ou de esconder o cheiro de remédios, ou sujeira. Cheire o ar e tente identificar aromas associados com:

- Flores.
- Comida.
- Lareira / fumaça de madeira.
- Animais.
- Crianças / bebês.
- Remédios.
- Álcool.
- Cigarros, cachimbos, charutos.
- Produtos de limpeza.

Os cheiros podem dar pistas sobre os interesses da pessoa (como culinária ou jardinagem), sobre uso de tabaco ou álcool, se há animais ou crianças pequenas na casa, e até sobre a saúde dos moradores.

Os odores que alguém colocar no ambiente, ou os que não consegue remover, podem lhe dizer mais do que você imaginaria. As pessoas com casas sujas tendem a ter os mesmos traços que aquelas cuja higiene pessoal deixa a desejar. E aquelas que criam casas perfumadas e convidativas tendem a ser mais sociáveis, ter mais consideração pelo próximo, e ser sensíveis aos outros e ao modo como estes as percebem.

Toque a sala Não coloque luvas brancas e comece a procurar poeira sobre a lareira, mas dê atenção aos itens que estão a seu alcance. Observe se os móveis são confortáveis ou duros e pouco hospitaleiros. Sofás estofados com algodão macio podem indicar alguém sensual, enquanto um Naugahyde liso indicaria uma natureza mais prática. O piso é escorregadio e muito brilhante, ou é acarpetado e quente? O lugar é confortável ou frio? É limpo? Toda esta informação irá acrescentar detalhes ao padrão que você está começando a enxergar.

Objetos da casa

Uma casa contém uma grande variedade de itens. Quando você fizer uma visita, concentre-se naqueles que podem ser mais reveladores. A lista a seguir inclui muitos itens que valem a pena observar, mas não é completa. Você ficará surpreso com a quantidade de informações que pode ser revelada por objetos aparentemente supérfluos.

Um exemplo de algo que provavelmente nem iria notar é o tipo de lenço de papel que você encontra na casa de uma pessoa. Todos nós conhecemos pessoas que ostentam o tipo extra-soft, com perfume de flores. E existem aqueles que compram o que estiver mais barato, mesmo que se pareça com jornal. Quase todas as pessoas poderiam comprar o tipo luxuoso se quisessem. Aqueles que o fazem têm mais probabilidades de ser mais sensuais, extravagantes, dispostos a mimar a si mesmos, preocupados com o conforto dos outros, e ansiosos por receber bem. Se escolhem lenços decorados com flores ou belos desenhos, podem também estar mostrando o desejo de se rodear de coisas belas. Aqueles que optam pelo tipo branco, barato, simples e áspero provavelmente são simples, práticos, despreocupados com as aparências, e não dispostos a gastar dinheiro com o conforto dos outros e o seu próprio.

Você deveria tirar uma conclusão definitiva sobre alguém baseado apenas no tipo de lenço de papel que ele prefere? É claro que não. Mas deveria considerar isso como uma pista útil quando combinada com outras. Tenha isso em mente enquanto examina esta lista de objetos comuns numa casa.

Objetos da casa

- Álcool
- Aparelho de som e coleção de CDs
- Brinquedos e móveis de crianças
- Brinquedos ou vasilhas de animais
- Caixa de correio
- Capachos de boas vindas
- Características especiais (tais como adega, sala escura, lareira, piscina)
- Cinzeiros
- Coleções
- Comida
- Decorações de festividades
- Enfeites
- Equipamento de jardinagem
- Espelhos
- Ferramentas
- Flores e plantas verdes
- Fotografias
- Imagens, livros ou objetos religiosos
- Instrumentos musicais
- Itens farmacêuticos
- Itens na geladeira (ímãs, cartões, desenhos)
- Itens que refletem uma deficiência física (bengala, cadeira de rodas, tanque de oxigênio)
- Livros e outros materiais de leitura
- Objetos de arte
- Objetos esportivos
- Relógios
- Revólveres ou estantes de armas
- Televisão (tamanho e localização)
- Tapetes
- Velas
- Vitaminas

A importância de muitos desses itens é óbvia, se você se der ao trabalho de observá-los. Uma televisão de tela grande, colocada no meio da sala de estar transmite uma mensagem direta sobre as prioridades de uma pessoa, do mesmo modo que uma TV pequena enfiada num canto. Gravações e CDs refletem o gosto musical da pessoa; velas podem revelar um lado romântico ou sensível, e vitaminas revelam um interesse em saúde. Equipamentos esportivos, armas, instrumentos musicais e coisas semelhantes revelam os interesses e *hobbies* da pessoa.

As características individuais assumem um significado especial se criarem um padrão quando combinadas com outras características. Se uma casa tem luzes de segurança, grades nas janelas, um sistema de alarme, portões, uma placa "Cuidado com o cachorro" e várias trancas e fechaduras nas portas, há uma grande possibilidade de que a pessoa que mora lá seja muito preocupada com a segurança, talvez até paranóica.* Do mesmo modo, decorações de festividades, balanços e brinquedos infantis sugerem que a pessoa tem um estilo de vida e valores orientados para a família.

A maioria desses objetos são ótimos pontos de partida para uma conversa sobre os passatempos e interesses de seu dono. Alguns itens da lista merecem atenção especial, do mesmo modo que os itens enfatizados na discussão sobre objetos do local de trabalho, esses objetos foram escolhidos não porque a pessoa precise deles, mas porque os deseja.

Livros e outros materiais de leitura O que a pessoa lê pode ser o item mais revelador que uma casa tem a oferecer, especialmente se é o único volume. Você não ficará sabendo muita coisa pela presença do jornal local, mas saberia se houvesse uma revista *Soldier of Fortune*. Entretanto, nem todos exibem os materiais de leitura na sala de estar, e nem todos os leitores ávidos lêem revistas e possuem muitos livros; algumas pessoas vão às bibliotecas. Outras pessoas gostam de manter as casas desimpedidas e guardam sua coleção de livros num quarto dos fundos ou em caixas na garagem. Se a casa tiver estantes de livros e mesas com livros e revistas sobre elas, examine-os bem. Procure padrões – livros de mistério, revistas de culinária, periódicos científicos. Você ficará surpreso com o que pode descobrir. Por exemplo, alguém que tem muitos livros sobre saúde pode ser apenas um pouco obcecado com o assunto. Mas a presença de um único livro sobre uma doença séria específica pode significar que a pessoa ou alguém que ele conhece sofre dessa doença.

Itens na geladeira Imagine uma lista daquilo que é mais importante para alguém afixada numa parede para que você a examine. É assim que são muitas geladeiras – praticamente repletas de vida. Lembretes, cartuns, ímãs, fotos,

---

* Os autores referem-se à realidade norte-americana. Infelizmente esses sinais de segurança, em nosso país, nada têm a ver com paranóia. (N.E.)

desenhos de crianças, ditados prediletos, poemas, tíquetes, cartões de visita...
a lista do que as pessoas penduram nas geladeiras é infinita. E cada item foi
retirado de um lugar mais escondido e colocado onde seria visto. Nem todo
mundo decora a geladeira, e eu não tiraria nenhuma conclusão de uma geladeira sem nada. Mas quando alguém trata a geladeira como um mural, dê atenção
para o que estiver afixado ali.

Coleções As coleções muitas vezes passam de uma geração para a outra.
Minha mãe coleciona belas xícaras de porcelana, e ao longo dos anos minhas
irmãs e eu aderimos ao hábito. Sabemos que algum dia as xícaras serão dividi-
das entre nós, e que nós também as passaremos aos nossos filhos. As coleções
podem indicar estabilidade, a importância da família e amor pela tradição. Aquilo
que uma pessoa coleciona também é significativo: moedas raras e valiosas
indicam algo muito diferente do que um amontoado de colheres reunidas nas
férias anuais da família. As coleções de uma pessoa podem refletir seu nível
socioeconômico, a tendência a seguir modas, um interesse de investimento,
hobbies e experiências de vida. As coleções trazem informações valiosas, sejam cartões de beisebol ou artigos com a imagem de Elvis Presley.

Fotografias Fotografias na casa podem ser mais – ou menos –, reveladoras
do que as fotografias no local de trabalho. Normalmente há mais espaço para
fotografias na casa, e assim você encontrará uma maior amplitude de assuntos
dos quais extrair pistas. Por outro lado, como o espaço é menos limitado, a
pessoa não precisa ser tão seletiva, e a escolha de fotografias pode não ser tão
reveladora. Ainda assim, olhe de perto. Quase sempre há muito a descobrir
sobre atividades da família, *hobbies*, interesses de viagem, envolvimento em
esportes, *histórico* cultural e religioso, e muito mais.

Objetos de arte Como normalmente nós temos total liberdade para escolher objetos de arte para nossa casa, este é um indicador mais confiável de
nosso gosto do que os objetos de arte no escritório. Se você se sente instantaneamente atraído por algo pendurado na parede da casa de alguém, ou se isso
reflete o seu senso de humor ou os interesses, pode ter encontrado alguém com
quem tem muito em comum. Se considera feias ou ofensivas as pinturas, os
pôsteres ou fotos que essa pessoa tem, suas visões de mundo provavelmente
são muito diferentes. A maioria das pessoas não gasta muito dinheiro com arte,

mesmo que tenha o suficiente para fazê-lo. Mas quer alguém compre pôsteres de arte ou um quadro a óleo original, ele irá revelar seu senso de humor, os interesses, valores tradicionais ou não-tradicionais, e muito mais pelas escolhas que faz.

Brinquedos e móveis de crianças Se existem crianças numa casa, eu sempre procuro ver até onde elas influenciam no ambiente. Algumas famílias deixam que as crianças tomem conta da sala de estar, entulhando-a com brinquedo. Essas pessoas gostam de atividades de lazer orientadas para a família. Também gostarão de receber os filhos de seus amigos, mais do que a maioria.

Em outras casas, os brinquedos das crianças ficam nos quartos dos filhos, e os pais reservam o resto da casa para atividades voltadas aos adultos. Você pode levar isso em consideração quando estiver fazendo visitas acompanhada de seus filhos. Algumas famílias têm a felicidade de ter sala de estar e sala íntimas separadas e assim podem agir dos dois modos.

Álcool Nos anos 50, 60 e 70, muitas casas foram construídas com barzinhos, que davam um ar tipo Frank Sinatra – Rat Pack. Atualmente as bebidas alcoólicas perderam muito de seu glamour. Eu reparo quando encontro um bar bem suprido ou qualquer exibição aberta de bebida, especialmente se o morador tiver menos de 50 anos. Não rotule uma pessoa como alcoólatra simplesmente porque ela tem um armário de bebidas com um bom estoque, mas atualmente é incomum encontrar muitas garrafas exibidas abertamente. Seu possuidor pode gostar de beber ou de se relacionar com aqueles que bebem.

Flores e plantas verdes As flores e plantas necessitam de tempo e de cuidados. Elas deixam a casa mais confortável, bonita e convidativa. Uma pessoa que está disposta a devotar tempo, energia e dinheiro na manutenção de vasos provavelmente é sensual, sensível à beleza e hospitaleira. (Mas, por ser mais comum e mais fácil manter plantas em casa, elas são menos importantes aqui do que no escritório – a não ser que a pessoa tenha *muitas*.) Por outro lado, flores e plantas doentes ou morrendo podem sugerir que seu dono é desatento, negligente ou muito ocupado. Normalmente o resto da casa estará no mesmo estado.

Placas sinalizadoras Dentro ou fora de casa, as placas trazem muita informação. "Cuidado com o gato" indica não só que a pessoa provavelmente gosta de gatos, mas também que ela tem senso de humor e quer demonstrá-lo. Por outro lado, "Cuidado com o cão" lhe diz que a pessoa tem um cachorro e está preocupada com segurança. Os avisos anunciando sistemas de segurança ou participação em organizações são pistas úteis do histórico, das crenças e prioridades de uma pessoa. O mesmo acontece com símbolos de afiliação religiosa.

Qualquer objeto da casa de uma pessoa pode trazer material extra para seu arquivo mental. Cada detalhe contribui para o padrão geral. Se você notar algo que seja incomum ou que incomode como um polegar dolorido, pergunte com tato, se puder.

MINHAS RODAS, EU MESMO: DECIFRANDO CARROS

O anúncio do Lexus afirma: "Ele Também Funciona Como um Currículo". Sem dúvida, muitas pessoas pensam que o carro é um modo de telegrafar seu sucesso financeiro, a masculinidade, a classe social ou o estilo. Nossos carros dizem muito sobre nós – não só do nosso dinheiro, mas também de nossas prioridades, interesses, trabalho e personalidade. Os carros são fáceis de interpretar, embora possam dizer coisas diferentes de região para região. Entretanto, se você passar mais de uma semana numa cidade, aprenderá rapidamente as "regras" regionais. Alguém que dirige uma picape na cidade de Chicago provavelmente a usa em seu trabalho; a mesma picape em Austin, Texas, pode servir apenas para ser exibida. Um conversível no sul da Califórnia não é tão extravagante nem pouco prático como seria em Seattle, onde a capota só seria aberta raramente. E não seja vítima do estereótipo de que pessoas ricas, bem-sucedidas e preocupadas com status só dirigem caros sedãs europeus. Em Detroit, elas podem dirigir Cadillacs e Lincolns, e em Tulsa, a escolha pode ser uma picape enorme de cabine dupla.

Quando você estiver avaliando um carro, tenha em mente o quanto ele é prático em relação à região, ao trabalho, à família e aos *hobbies* do proprietário. É esportivo, conversível, um "carro forte", serve para a família, é uma minivan, uma picape? Quanto ele custa? Dura bastante, é fácil e barato de manter? É prático para o status da família e o tipo de trabalho do proprietário? Cada carro diz algo muito diferente sobre a pessoa que o compra. Um carro esportivo caro, com 300 cavalos, me diz que seu motorista provavelmente se preocupa com status, é agressivo e um pouco egoísta. A minivan de seis cilindros indica praticidade, simplicidade e conformismo.

Acessórios

Como os objetos numa casa ou escritório, os acessórios que as pessoas acrescentam a seus veículos oferecem outro aspecto de seus interesses, prioridades e valores. A seguir estão listados apenas os itens mais comuns que você pode observar no carro de alguém:

- Adesivos.
- Alarme.
- Bagageiros (bicicletas, bagagem).
- Calotas.
- Capas ou almofadas nos bancos.
- Enfeites no espelho (dados, cruzes etc.).
- Engate.
- Equipamento de som.
- Luzes (ornamentais / *spot*).
- Moldura para as placas.
- Placas personalizadas.
- Pinturas decorativas.
- Pneus e rodas.
- Tapetes.
- Trava de volante.

Recentemente eu estava dirigindo numa rodovia, e vi quanto pode ser descoberto a partir dos acessórios de um veículo. Passei por um carro pequeno dirigido por uma senhora idosa de cabelos brancos. A moldura das placas tinha a inscrição: "Vovó de Timmy e Julie" e a placa personalizada era "Nana N". A partir disso eu podia não só saber como se chamavam os netos, mas principalmente, que eles eram extremamente importantes para ela.

Manutenção do carro

O modo como uma pessoa cuida do carro é freqüentemente um sinal de suas prioridades. Tenho uma conhecida cuja mãe, depois de entrevistar candidatos a inquilinos, sempre os acompanhava até o carro. Ela dizia: "Não posso ver como eles cuidam da casa, mas posso ver como eles cuidam do carro, e isso me diz a mesma coisa". Nem sempre isso é verdadeiro, mas é uma boa idéia para ter em mente.

O proprietário que mantém o carro sempre sujo provavelmente não se preocupa com a impressão que provoca; não é meticuloso nem voltado para detalhes; é muito ocupado; desorganizado ou preguiçoso. Alguém cujo carro sempre está imaculado provavelmente mostra o mesmo detalhismo ao se vestir e ao se arrumar; e será organizado, ordeiro, preocupado com o modo como os outros o vêem e atento aos detalhes. Crianças (e cachorros) mudam esta relação, pois é muito difícil manter um carro brilhando quando você transporta crianças (ou cães) todos os dias. Se encontrar alguém que consegue fazer isso, provavelmente ele será muito autoritário.

AMBIENTES SOCIAIS: ONDE ESCOLHEMOS NOS DIVERTIR?

Quantas vezes você ouviu alguém reclamando que o marido bebe demais, só para depois ficar sabendo que os dois pombinhos se conheceram num bar? O lugar que escolhemos para passar nosso tempo livre é extremamente revelador, embora muitas vezes subestimemos esses marcos ambientais. Se a abstinência de álcool é importante, por que não tentar encontrar pessoas em locais sem álcool? Se você quer conhecer uma pessoa religiosa, terá maiores possibilidades numa igreja ou na sinagoga. Se estiver procurando por estímulo intelectual, vá a uma universidade ou biblioteca. Atletas podem ser encontrados nas academias, e amantes da natureza em grupos ecológicos. Você encontra ursos polares no norte gelado, não nos trópicos. Bom senso, certo?

É fundamental, mas por alguma razão nós com freqüência não percebemos o quanto os ambientes que as pessoas escolhem dizem delas. Quanto mais a escolha estiver sob o controle das pessoas, mais ela revela. Se encontro alguém jogando com os filhos no parque numa tarde de sábado, pensarei que gosta do ar livre, de ficar com a família e de esportes. Mas se a pessoa estivesse fazendo a mesma coisa num piquenique da empresa, eu não chegaria automaticamente a essa conclusão. Mesmo que ela estivesse se divertindo, eu não poderia ter certeza de que estaria ali se tivesse podido escolher – só posso saber que ela é suficientemente adaptável para se divertir mesmo quando a escolha não foi própria.

Antes de dar peso demais a um único encontro no parque, ou em qualquer outro lugar, você precisa saber quanto tempo a pessoa passa lá. A maioria de nós não passa muito tempo de lazer num lugar a não ser que ele preencha nossas necessidades. A igreja é provavelmente importante para alguém que a freqüenta quase todos os domingos de manhã, mas ainda assim a religião pode não ser um fator fundamental em sua vida. Entretanto, é certo que as crenças religiosas são centrais em sua visão de mundo e podem até dominar o modo como ele pensa e se comporta, se, além de ir à missa ou ao culto aos domingos de manhã, também freqüentar as aulas de estudo bíblico às quartas-feiras e encontros sociais aos sábados na igreja. O mesmo vale para qualquer ambiente, da academia de ginástica ao shopping center ou à Liga infantil. Quanto mais tempo uma pessoa escolhe passar num ambiente, mais ele irá refletir suas crenças e indicar seu comportamento.

Algumas vezes a escolha do ambiente ou até uma ocasião isolada podem dizer muito sobre uma pessoa. Se uma antiga amiga da faculdade está na cidade e liga propondo um encontro, o lugar que ela irá escolher pode ser uma pista digna de nota. Até mesmo o restaurante que sugerir pode refletir sua personalidade, seus valores e estilo de vida. Ela sugeriu um restaurante *fast-food*, uma cafeteria freqüentada por famílias ou um sofisticado bistrô francês? Alguém que opta por um restaurante muito caro para um almoço informal com um velho amigo pode ter uma riqueza moderada – ou uma conta de cartão de crédito fora de controle. De qualquer modo, ela pode estar preocupada com as aparências e tentando impressionar; aparentemente gosta de luxos, e pode não ser muito prática. Tudo isso pode refletir insegurança. Eu não chegaria necessariamente às mesmas conclusões se um empresário escolhesse o mesmo restaurante caro para encontrar o cliente mais importante: talvez ele saiba que o cliente espera por um bom vinho e um bom jantar.

Por outro lado, alguém que escolha uma cafeteria tem mais probabilidades de ser simples, prático e não poder ou não querer fazer sacrifícios financeiros por causa da boa comida ou da imagem. Se minha amiga fizesse essa escolha, eu iria supor que ela só quer conversar, não me impressionar com seu sucesso ou status. Se o empresário levasse seu melhor cliente para almoçar numa cafeteria, eu estaria inclinada a acreditar que ele está muito à vontade com seu relacionamento e que nem ele nem o cliente estão preocupados com aparências.

A pessoa que sugere um encontro num bar também diz algo muito diferente do que aquela que deseja se encontrar com você num café ou ir a sua casa para uma xícara de café. Até mesmo o tipo do bar envia uma mensagem – afinal de contas, há uma variedade enorme de bares; dos balcões das boates até os luxuosos bares no lobby dos hotéis quatro estrelas. Os hábitos de bebida dos americanos mudaram drasticamente nos últimos dez ou quinze anos. Até certo ponto, os cafés, os restaurantes e os clubes substituíram os bares como lugares populares para se conhecer alguém. Portanto, a pessoa que sugere um primeiro encontro num bar pode revelar que, para ele, o álcool é um estimulante social importante. Se for isso que você está procurando, tudo bem. Se não, fique de olhos abertos para perceber esse padrão de comportamento.

Eu nunca tiraria uma conclusão definitiva sobre alguém baseando-me apenas em sua escolha de restaurante ou bar, mas observaria e levaria isso em consideração. Se ele escolhe sempre o mesmo tipo de lugar de encontro, seria ainda mais significativo.

DIGA-ME COM QUEM ANDAS: AVALIANDO O AMBIENTE HUMANO

O ditado antigo diz: "Diga-me com quem andas e te direi quem és", e é muito sábio. As pessoas com quem fazemos amizade, nos casamos, para quem trabalhamos e com quem nos socializamos formam nosso ambiente humano. Elas refletem quem somos ou quem gostaríamos de ser, pois temos um alto grau de escolha com relação a elas. A maioria dos pais são extremamente conscientes disso, e por essa razão monitoram bem de perto os amigos dos filhos. Se tiverem tempo e contato suficiente, os jovens começarão a adotar os valores e os comportamentos de seus companheiros. Num grupo de adultos isso também é revelador.

O advogado que representa há anos o seu cunhado desonesto provavelmente também é igualmente desonesto. Ele teria sido demitido há muito tempo se não estivesse disposto a fazer o trabalho sujo para o cunhado. E o novo namorado que tem um amigo cujo passatempo favorito é jogar bola e tomar algumas cervejas tem de ter algo em comum com esse amigo. Do mesmo modo, uma mulher lhe diz onde estão suas prioridades se suas melhores amigas forem as mães dos amiguinhos de seu filho mais novo.

Sempre que você estiver analisando alguém, observe os amigos, confidentes, sócios e companheiros – especialmente se os conhecidos de uma pessoa parecerem todos da mesma categoria. Muitas pessoas são habilidosas ao disfarçar a personalidade e sistema de valores. Se você puder visitar a casa ou o escritório delas, provavelmente conseguirá descobrir mais sobre sua verdadeira natureza. Mas se você não tiver acesso a isso, *a avaliação dos amigos e sócios de alguém lhe dará uma indicação bastante confiável de sua personalida-*

de. A associação é uma afirmação bastante poderosa, embora eu hesite em condenar ou elogiar só com base nisso.

LOCALIZAÇÃO GEOGRÁFICA COMO PARTE DO AMBIENTE

A conclusão que extraio a partir da aparência pessoal de alguém pode depender da geografia. Pessoas com personalidades e valores muito semelhantes irão parecer, vestir-se e agir de modo diferente se forem de lugares diferentes. As expectativas, normas e influências culturais variam de cidade para cidade, de região para região, de país para país. Você não pode avaliar todo mundo conforme o mesmo padrão. Antes de extrair qualquer conclusão firme, assegure-se de ter levado em conta os fatores geográficos específicos. Se eu estiver em Manhattan e encontrar uma jovem usando maquiagem pesada, um corte de cabelo severo e um *tailleur* de corte moderno, não darei muita importância à aparência dela; provavelmente ela presta atenção ao estilo e se adapta ao que os outros consideram adequado em seu ambiente. Por outro lado, se eu visse a mesma mulher andando na rua numa pequena cidade da América Central, ficaria curiosa. Talvez ela seja exuberante, expressiva, procure chamar a atenção; pode ser que esteja entediada e descontente com a vida. Ou talvez seja apenas uma turista vinda de Nova York.

HORA DO DIA, DIA DA SEMANA E ESTAÇÃO
DO ANO COMO PARTE DO AMBIENTE

Se eu chegar à casa de alguém às cinco da manhã para buscá-la para uma reunião, e ela me abrir a porta esfregando os olhos, movendo-se lentamente e reclamando de cansaço, provavelmente irei atribuir isso ao horário. Mas se ela aparecer no trabalho às dez, com a mesma aparência e agindo do mesmo modo, eu ficaria imaginando qual a razão.

O dia da semana também pode ser importante. Uma pessoa diz muito sobre si mesma se vai beber e dançar até a madrugada numa noite de quarta-feira. Vendo pelo lado positivo, é cheia de energia e gosta de se divertir. Mas – supondo que ela deve trabalhar cedo na manhã seguinte –, seu comportamento também sugere que está disposta a sacrificar o próprio desempenho profissional. Eu não pensaria assim se a encontrasse no mesmo clube numa sexta-feira ou no sábado de madrugada.

Até mesmo a estação do ano pode ser importante. Um homem cujo rosto esteja muito vermelho no dia seguinte a um ensolarado 4 de julho provavelmente está queimado de sol. Se fosse em dezembro, depois de semanas de chuva e tempo ruim, eu buscaria outras causas: cansaço, álcool, tratamento médico ou mesmo vergonha. Se eu encontrar um homem com um bronzeado perfeito em Seattle, em dezembro, e souber que ele não esteve em férias nos trópicos, iria supor que ele faz sessões de bronzeamento regularmente. Isso demonstraria vaidade e preocupação com o modo como os outros o percebem. Se estivéssemos em San Diego, no verão, eu não chegaria à mesma conclusão.

O AMBIENTE É AMIGÁVEL OU HOSTIL?

O comportamento de uma pessoa pode mudar drasticamente quando ela está num ambiente desconhecido ou hostil. Não se pode esperar que um cordeiro aja de modo idêntico quando é jogado dentro da jaula de um leão ou quando está num pasto. O mesmo acontece com as pessoas. Nós mostramos sinais de ansiedade, comportamento anti-social e falta de confiança quando estamos num ambiente hostil. Isso não significa que somos todos nervosos, fechados e inseguros por natureza.

Existem poucos ambientes em que as pessoas se sentem menos à vontade que num tribunal. Vi centenas de pessoas testemunhando, desde especialistas profissionais até aqueles que estão no banco das testemunhas pela primeira vez. Muitas vezes, alguém que eu sei que está falando apenas a verdade, mostra sinais de nervosismo e desonestidade. A voz treme; seus olhos podem estar baixos ou ir de um lado para outro; ele pode passar a língua sobre os lábios, brincar com os objetos a sua frente, gaguejar e até não se lembrar de acontecimentos recentes. Seria um grave erro concluir que deve estar mentindo. Pela mesma razão, muitos especialistas testemunharam literalmente centenas de vezes no tribunal e estão totalmente à vontade. Sabem o que estão fazendo e se comportam de modo confiante e sem esforço. Muitos são essencialmente ótimos atores e conseguiriam parecer completamente inocentes mesmo se estivessem esticando a verdade até o limite.

Fora do tribunal, as pessoas não são diferentes. Se eu for a uma festa em que conheço a todos, posso estar muito expansiva, confiante, sociável e relaxada – vou livremente de uma pessoa para a outra. Num lugar em que não conheço ninguém, poderia estar mais insegura, quieta, tímida ou reservada. Posso quebrar o gelo com uma pessoa e depois passar um bom tempo conversando com ela, em vez de me misturar livremente com uma multidão de estranhos.

Quando você encontrar pessoas pela primeira vez, e tentar avaliá-las, leve em conta como elas podem estar se sentindo no ambiente. Tente determinar se estão em território conhecido ou se elas se sentem como estranhos numa terra estranha. Se alguém está em terreno conhecido e ainda parece não estar à vontade ou mostra-se nervoso, você pode concluir que é bastante tímido ou inseguro; ou que talvez esteja passando por alguma dificuldade pessoal temporária. Mas se a pessoa se comporta desse modo num ambiente estranho ou hostil, essas conclusões seriam infundadas – a menos que sejam indicadas por outras evidências.

SEMPRE SE LEMBRE DE QUE O AMBIENTE PODE ESTAR INFLUENCIANDO O COMPORTAMENTO

Desde o primeiro capítulo deste livro você está lendo a respeito de características que podem ter significados praticamente opostos dependendo das circunstâncias. Alguém que fala alto pode ser confiante – ou inseguro. Alguém que usa roupas que não combinam pode ser socialmente inábil – ou usar o estilo aprovado por seu grupo de referência. Nunca perca de vista o modo como o ambiente de uma pessoa pode influenciar sua aparência ou comportamento.

Posso dar um exemplo surpreendente que vi no julgamento dos quatro policiais acusados de espancar Rodney King. No dia seguinte ao da escolha do júri, uma das juradas, uma afro-americana de meia-idade, apareceu no tribunal usando luvas pretas. Ela usou as mesmas luvas pretas todos os dias até o fim do julgamento. Isso estava me enlouquecendo. Será que ela estava fazendo uma afirmação racial? As luvas seriam um comentário político? Será que elas tinham uma outra importância desconhecida? Depois do término do julgamento, soube por seus colegas jurados que ela usava as luvas pretas simplesmente porque achava o tribunal muito frio.

A importância dada a cada traço no contexto em que é encontrado não pode ser muito enfatizada. Como os personagens de desenho animado num filme de Disney, as nossas ações têm pouco significado fora de seu contexto. Observe isso cuidadosamente, e os outros detalhes entrarão em foco.

5

Não É o que Você Diz, É Como Você Diz: Aprendendo a Ouvir Além das Palavras

Quando eu era criança, minha mãe costumava me dizer: "Não é o que você diz, é como você diz". Anos depois, digo a mesma coisa para meus filhos. O comportamento deles me lembra diariamente quanto de nossa atitude é revelada não pelas palavras, mas pelo modo como elas são ditas.

Dois diálogos acontecem realmente em todas as conversas; um usa palavras, o outro usa o tom de voz. Algumas vezes os dois combinam, mas muitas vezes não. Quando você pergunta a alguém "como está?" e recebe a resposta "bem", normalmente você não se baseia na palavra "bem" para saber como ele se sente. Em vez disso, você ouve o tom de voz para saber se a pessoa está realmente bem, ou se está deprimida, ansiosa, animada ou sentindo qualquer outra emoção. Quando você ouve o tom, o volume, a cadência e outras características vocais, você se sintoniza com a conversa não-verbal, onde muitas vezes a verdade é revelada.

Qualquer pessoa com uma audição normal pode detectar os sinais que as pessoas transmitem com seu tom de voz, mas poucos de nós entendem todos eles. Isso se deve parcialmente ao fato de que muitas coisas chamam nossa atenção enquanto estamos interagindo com outra pessoa. Nós avaliamos a aparência e a linguagem corporal dela, ouvimos o conteúdo de suas palavras e observamos suas ações. Podemos até nos esforçar para identificar alguma reação intuitiva que tenhamos ante uma pessoa ou a situação. As sutilezas vocais perdem-se nisso tudo. É fácil notar a mensagem que alguém envia com um tom de voz amuado, triste ou frustrado, mas uma nota fugaz de ansiedade, medo ou vergonha pode passar despercebida se você não prestar muita atenção.

Tenho me treinado a ouvir essas pistas vocais e reconhecer suas nuances, pois um relance momentâneo desse tipo pode ser a única pista que eu tenha sobre as dúvidas de um jurado potencial ou seus verdadeiros sentimentos em relação a meu cliente. Este capítulo irá explorar os modos pelos quais as pessoas se comunicam intencional e não intencionalmente por meio do tom de voz, explicar como você pode sintonizar essas pistas vocais que muitas vezes são indefiníveis, e decodificar as mensagens contidas nos traços vocais mais comuns.

OUVINDO AS ENTRELINHAS

Fora do consultório do terapeuta, poucas pessoas estão dispostas a anunciar: "Você me magoou" ou "Estou triste e quero falar sobre isto" ou "Estou frustrado com meu trabalho e gostaria de falar sobre isto durante uma hora". Em vez disso, nós damos sinais desses sentimentos por meio das pistas vocais. *Nós brincamos de esconde-esconde emocional.* Alguém que esteja triste pode estar ansiando por simpatia, mas ainda precisa de sua "permissão" para abordar esse assunto. Ele irá suspirar, falar suavemente, responder suas perguntas com monossílabos e associar essas pistas vocais à linguagem corporal como olhos baixos e gestos sem vida. Finalmente, você receberá a mensagem e perguntará o que está errado, dando-lhe assim a permissão que ele procura.

Esse comportamento pode parecer manipulativo, mas é um produto de nossa socialização. Somos ensinados a não solicitar simpatia, não expressar ressentimento ou ciúmes, nem mostrar raiva, mágoa ou outras emoções desagradáveis abertamente. Mas algumas vezes precisamos muito nos expressar, e como não queremos nos expor e dizer isso, usamos o tom de voz para transmitir a mensagem. Essa comunicação não-verbal é quase universal. Você pode testar por si mesmo: ligue a TV num canal que use um idioma que você não conheça. Encontre uma novela, vire-se de costas para a TV e ouça o diálogo. Pode ser que não consiga seguir a trama, mas certamente conseguirá perceber as emoções dos atores.

Dois julgamentos recentes, nos quais estive envolvida, ilustram como é importante dar atenção ao modo como as palavras são ditas. O primeiro caso envolvia a família de um jovem que sofreu um acidente de carro e morreu porque um paramédico se enganou com o rótulo de um medicamento e o deu ao jovem. A família argumentou que o frasco não estava rotulado de modo suficientemente claro e processou o fabricante do remédio, que me contratou para ajudar a escolher o júri. O júri tinha de decidir quem estava errado, e quanto a família deveria receber como indenização, se houvesse alguma.

Durante a escolha do júri, o advogado da família perguntou a um homem branco de meia-idade, conservador, quanto ele estaria disposto a determinar como indenização para compensar uma família pela perda de um ente querido. O homem respondeu: "Nenhuma quantia pode compensar alguém pela morte de um ente querido". O advogado dos reclamantes pensou que tinha um ótimo jurado, que votaria por indenizações praticamente ilimitadas. O homem tinha "dito" a coisa certa.

Mas o advogado do reclamante não reparou nas pistas vocais que revelaram a verdadeira mensagem do jurado. O homem tinha falado num tom quase crítico, até sarcástico. Esse tom me sugeria que ele se ressentira com o fato de o advogado ter lhe pedido que desse um preço à vida do jovem. A resposta do jurado foi até ríspida e direta, o que indicava uma certa distância emocional ante o caso. Considerando tudo isso, entendi que ele não queria dizer que a indenização deveria ser alta, mas sim que ele achava inadequado determinar uma quantia em dinheiro por uma vida humana. Nós o deixamos no júri, e no fim descobrimos que estávamos certos. Ele votou com os outros, que depois de apenas 30 minutos de deliberação decidiram que a empresa farmacêutica não era responsável pela morte do jovem.

O segundo exemplo vem de um julgamento criminal – aquele realizado em Simi Valley –, em que quatro policiais foram acusados de espancar Rodney King. Durante a escolha do júri, uma jovem de origem hispânica disse que um de seus filhos queria ser policial. Também afirmou, com aparente sinceridade, que não tinha nenhuma crença pessoal quanto à culpa dos quatro policiais. Os policiais acusados, Larry Powell e Stacey Koon, recomendaram que ela fosse mantida. Eles acreditavam que ela seria uma jurada solidária, por causa das ambições de seu filho e porque ela parecia ter a mente aberta.

Entretanto, eu estava alerta por causa do modo como a mulher havia respondido a várias outras perguntas. Quando lhe perguntaram se tinha falado com alguém sobre o caso, ela disse que o tinha discutido com o marido. Também reconheceu que ele acreditava que os policiais eram culpados e deveriam ser punidos. Embora jurasse não ser influenciada pela opinião do marido e não conversar com ele sobre o caso durante o julgamento, eu tinha minhas dúvidas: quando falara sobre o marido, seu tom de voz deixara claro que tinha um casamento tradicional, no qual ela cuidava das crianças e da casa e ele era quem sustentava a família. Não havia nenhuma dúvida na voz dela ao falar sobre os fortes sentimentos que o marido tinha sobre a culpa dos policiais. As opiniões dele foram pronunciadas como se fossem o evangelho. Quando ela jurou tentar manter sua mente aberta apesar das opiniões dele, sua voz ficou muito mais suave e muito mais incerta; isso me sugeriu que estava nervosa e não tinha confiança no que estava dizendo. Achei que ela teria de superar uma importante barreira psicológica para votar imparcialmente, pois para fazê-lo teria de desrespeitar o marido e incorrer na ira dele. No fim das contas, ela foi um dos três jurados que votaram a favor da condenação do policial Powell.

Você conseguirá responder às mensagens potencialmente críticas ocultas no tom de voz de uma pessoa, se souber o que significam as várias pistas vocais e aprender a ouvi-las. Você pode fazer isso, seguindo esses passos:

- De vez em quando, durante uma conversa, concentre-se na voz – não nas palavras.
- Pergunte a si mesmo se a voz reflete características opcionais (voluntárias) ou não-opcionais (involuntárias).
- Procure os padrões. Pergunte a si mesmo se a voz está diferente do tom normal ou se está exagerada em algum sentido (isto é, procure as variações e os extremos).
- Compare a voz com a linguagem corporal e com as palavras da pessoa.
- Considere o ambiente.
- Decodifique as pistas vocais.

CONCENTRE-SE NA VOZ

Existe um limite na quantidade de informações que você pode absorver num dado momento. É difícil se concentrar nas palavras de alguém e ao mesmo tempo catalogar suas jóias e observar se ela está cruzando e descruzando as pernas. Há muita coisa chamando sua atenção, e assim é fácil deixar passar despercebido o tom da voz, a não ser que ele seja muito evidente. Nós tendemos a dar mais atenção às palavras do que ao tom de voz pela simples razão de que as palavras exigem uma resposta. Algumas vezes, se retirarmos nossa atenção do conteúdo da conversa podemos perder completamente o fio da meada.

Mesmo assim, em qualquer conversa existem momentos nos quais você pode ligar-se mais no tom do que no conteúdo. Isso leva apenas um segundo, e com a prática você conseguirá ouvir simultaneamente as palavras e o tom da voz. O truque é fazê-lo em breves lapsos de tempo em vez de por um minuto inteiro. Existem momentos em que você pode mentalmente dar um passo atrás e prestar atenção às pistas não-verbais, mesmo numa conversa bem complexa. E quase sempre você enriquecerá o significado das palavras de alguém se ouvir realmente a voz dele.

DISTINGA AS CARACTERÍSTICAS VOCAIS
OPCIONAIS E NÃO-OPCIONAIS

A importância das características opcionais (intencionais e voluntárias) e não-opcionais (resultantes da genética, do histórico socioeconomico ou da resposta incontrolável em certas circunstâncias) foi discutida no capítulo 2, "A Descoberta de Padrões". O que é complicado nos padrões vocais é que muitas características tipicamente não-opcionais, como uma voz rouca ou aguda, podem ser causadas por uma condição médica ou emocional temporária (não-opcional) ou podem até ser intencionais (opcional). Quando alguém altera intencionalmente a voz, muitas vezes está tentando manipular o ouvinte. Algumas vezes você tem de ouvir o conteúdo com cuidado e considerar as circunstâncias para determinar se um traço vocal é opcional ou não.

Recentemente tive a oportunidade de testemunhar um mestre da manipulação vocal durante uma reunião com dois novos clientes, a quem chamarei Steve e Sarah. Os dois eram inteligentes, instruídos e articulados. Steve era um empresário bem-sucedido e Sarah tinha sido dona-de-casa e cuidado dos filhos deles, que agora já eram adultos, durante a maior parte de sua vida. Externamente, Steve era agressivo e dominador. Sarah era passiva e submissa, com uma voz aguda e infantil e modos gentis.

Rapidamente concluí que Sarah tinha aprendido a manipular as situações com a voz em vez de comunicar seus sentimentos e idéias com palavras. Quando tinha algo negativo a dizer sobre alguém, ela adotava um tom de vítima, completando-o com uma voz levemente mais baixa, com uma fala hesitante e com um lamento para acentuar seus pontos principais. Ela enviava uma mensagem que dizia: "Esta pessoa ruim e mesquinha está me magoando com seu comportamento. Ajude-me". Usava uma técnica vocal diferente quando tinha uma idéia a apresentar. Na casa deles, Steve era quem oficialmente tinha todas as boas idéias, e, assim, quando Sara tinha um pensamento sério, passava para um tom cantante, que queria dizer: "Eu tenho uma idéia a expressar mas sei que este não é o meu papel, e assim vou fingir que não tenho convicção quanto a isto e que estou falando simplesmente para que alguém mais inteligente a avalie". Todos os seus traços vocais eram enfatizados com um estilo Marilyn Monroe de falar, agudo e cheio de suspiros.

Sarah deve ter aprendido que Steve responderia melhor a suas necessidades se ela fizesse o papel da garotinha impotente e o deixasse vir em seu socorro. O tom agudo provavelmente era opcional, mas ela o tinha usado por tanto tempo que ele havia se transformado numa segunda natureza. Não pude deixar de imaginar como seria a voz daquela mulher quando ela estivesse realmente brava.

Traços não-opcionais, involuntários, devem ser avaliados cuidadosamente. O modo como uma pessoa os explora – ou os compensa –, pode dizer muito. Por exemplo, um homem com uma voz muito aguda ou "feminina" pode adotar uma maneira rude de falar para parecer mais masculino. Alguém que gagueja pode falar de maneira lenta para superar esse traço e sentir-se menos acanhado. Uma mulher com uma voz excepcionalmente bela pode ser mais expansiva que uma mulher cuja voz seja áspera e desagradável. Alguém com um forte sotaque estrangeiro pode ficar bastante calado numa sala cheia de estranhos. Nenhuma dessas pessoas está sendo intencionalmente manipuladora; mas elas estão reagindo a uma condição involuntária do melhor modo que podem.

Quando você estiver lendo sobre as diversas características vocais descritas neste capítulo, e quando aplicar essa informação em sua vida, sempre se pergunte se as características vocais que está ouvindo são opcionais ou não. Se elas forem opcionais (intencionais) existe uma comunicação voluntária acontecendo – talvez até mesmo manipuladora. Mas os traços não-opcionais (involuntários) que sejam de natureza puramente física – uma voz áspera ou com muito ar, por exemplo – pode não ter nenhuma relação com a emoção do momento.

PROCURANDO PADRÕES VOCAIS, VARIAÇÕES E EXTREMOS

Este livro tem enfatizado repetidamente a importância de identificar padrões. Você só pode ter certeza de que uma pessoa seja realmente extravagante, e chegar a conclusões sobre como ele irá pensar e se comportar, quando uma determinada característica – por exemplo, extravagância –, aparecer repetidamente em várias áreas diferentes. Ao considerar os traços vocais, do mesmo modo que ao considerar qualquer outra característica, lembre-se de que as variações e os exageros dos padrões normais de alguém são especialmente significativos.

Variações nos traços vocais

Todos nós já vimos uma pessoa normalmente calma explodir de raiva. Depois que ela sai da sala, os outros olham em volta, fazem caretas e dizem algo como: "Nossa, ela realmente deve estar brava. Eu nunca a vi assim antes". Por outro lado, todos nós conhecemos um pavio-curto que explode com a menor provocação. Quando ele sai da sala, as pessoas olham em volta, dão de ombros e dizem: "Lá vai ele de novo". Nós sabemos que não devemos levar essa explosão muito a sério, pois estamos acostumados a esse comportamento como normal.

Você pode não conseguir se familiarizar com o estilo vocal de uma pessoa apenas em um encontro, mas tente observar o tom geral, a cadência e os outros traços vocais básicos durante seu primeiro encontro. Uma vez que tenha identificado o padrão vocal fundamental dela, preste atenção nas variações. Alguém que seja naturalmente tranqüilo, com um tom vocal calmo, pode expressar a raiva ficando incomumente quieto ou respirando fortemente, e não aumentando a voz ou falando mais rápido como fazem outras pessoas. *Tudo é relativo ao comportamento normal da pessoa.*

É igualmente importante ter em mente que alguém que pareça muito emocional na primeira vez que você o encontra pode parecer muito diferente um dia ou uma semana depois. Não faça julgamentos apressados a menos que tenha uma necessidade absoluta. Deixe que um padrão se desenvolva durante três ou quatro encontros ou mais, se possível. Desse modo você conseguirá determinar de modo preciso se as pistas vocais observadas refletem um estado mental temporário ou um traço permanente de personalidade.

Ao avaliar a personalidade de alguém, determine se você está vendo uma variação isolada ou parte do padrão normal da pessoa. Por exemplo, se me pedissem para escolher um júri num caso em que fosse importante ter jurados compassivos e dispostos a perdoar, eu poderia não dar muito peso a um único comentário dito num tom duro ou sarcástico por um jurado que me parecesse compassivo pelas outras respostas. Entretanto, se o mesmo jurado mantivesse sempre esse tom, mesmo que não fosse extremo, eu o consideraria sarcástico e crítico – não compassivo –, e o rejeitaria.

Traços vocais extremos

Dê uma atenção especial a qualquer característica exagerada. Um leve tremor na voz de uma pessoa não indica nervosismo de modo tão claro quanto uma forte gagueira. Existe uma diferença entre alguém que tem uma voz muito alta e outra que soa como se estivesse avisando um navio para se afastar dos rochedos. *A importância de um traço vocal é muitas vezes uma questão de grau.*

Como acabei de mencionar, normalmente não dou muita importância a um comentário isolado dito com um tom especialmente expressivo – a menos que o tom e o conteúdo sejam extremos. Recentemente, eu estava ajudando a escolher um júri num caso que envolvia fraude em seguros. A seleção do júri estava lenta, e muitos dos jurados em potencial tiveram de esperar no corredor durante muito tempo antes de serem chamados à sala do tribunal para serem interrogados. Uma mulher de meia-idade, com uma aparência suave foi uma das últimas pessoas a serem chamadas. Ao sentar-se no espaço reservado aos jurados, ela bateu com seu livro no colo e disse *para o juiz*, num tom de voz bravo e frustrado: "Já era hora; eu estava quase dormindo lá fora". Seu nível de irritação, juntamente com o tom desrespeitoso, e o fato de ela ter falado daquele modo com o juiz, deixaram uma impressão indelével. Apesar de ela ter-se recomposto e não ter usado novamente aquele tom de voz durante o longo interrogatório, aquele único comentário, dito daquele modo, foi o que bastou. Achei que ela julgaria rapidamente e sem compaixão. Sugeri que fosse rejeitada, pois estava certa de que tinha visto sua personalidade *real* manifestando-se por um momento.

Características vocais extremas como essas são fáceis de notar, mas podem ser bem difíceis de interpretar, especialmente quando você não conhece bem a pessoa que está falando. O exagero pode indicar a intensidade das emoções dela: está feliz ou extática? Está triste ou a caminho de uma grave depressão? Existirá um padrão se em vários outros encontros você observar o traço extremo; ele pode indicar uma condição permanente, e você terá de avaliá-lo de acordo com isso.

As características vocais extremas também são importantes porque seu "possuidor" normalmente não as percebe. Muitas pistas vocais entram e saem das conversas sem que a pessoa que fala as note, mas habitualmente a pessoa sabe quando sua voz está quebrando de empolgação, ou soluçando de desespero. É claro, isso não quer dizer que o tom tenha sido adotado intencionalmente; expressões de felicidade, tristeza, medo ou raiva extremos muitas vezes não podem ser reprimidas. Na verdade, a pessoa pode sentir-se chateada pela emoção ter transparecido em sua voz, pois preferiria não revelá-la. Se o astuto leitor de pessoas reconhecer quando uma emoção estiver sendo expressa contra a vontade da pessoa, ele terá uma oportunidade para responder apropriadamente. Por exemplo, se uma mulher está tentando parecer confiante diante de seu chefe, mas sua voz começa a tremer, é provável que ela esteja envergonhada. Reconhecendo isto, o chefe pode fazer um esforço especial para deixá-la à vontade. Se normalmente for uma pessoa animada, mas nessa ocasião sua voz estiver totalmente apagada e sem vida, pode ser que ela esteja triste ou deprimida. Se o chefe perceber, ele pode decidir que não é um bom momento para lhe dar mais responsabilidades.

Você deveria parar e prestar atenção a qualquer característica vocal que pareça extrema se comparada ao modo usual daquela pessoa, independente das palavras reais que forem ditas. Muitas vezes as pessoas optam conscientemente por transmitir seus sentimentos por meio do tom de voz, como a mulher mencionada no começo deste capítulo, que buscava permissão para pedir empatia. E, com freqüência, as pessoas que estão pedindo ajuda o fazem não com as palavras, mas com o tom de voz. Isto é especialmente verdadeiro quando alguém está deprimido, magoado ou bravo. Ela pode insistir em que está "tudo bem", mas seu tom de voz irá revelar o contrário. Se você for sensível a essas pistas vocais sutis, não só conseguirá entender as pessoas de um modo que o ajudará a atingir seus objetivos, mas também estará numa posição que lhe permitirá oferecer ajuda àqueles que precisam dela.

COMPARE A VOZ COM A LINGUAGEM CORPORAL E AS PALAVRAS DA PESSOA

Raramente os sentimentos são revelados apenas pelo tom de voz. Entretanto, ao comparar o tom de voz de uma pessoa com sua linguagem corporal e palavras, você normalmente poderá determinar suas verdadeiras emoções.

Quando o tom de voz, as palavras e a linguagem corporal de uma pessoa estão sincronizados – quando se combinam num padrão consistente – é bem fácil interpretar o modo como ela está se sentindo e prever como irá reagir a diversas situações. A situação é bem diferente quando o tom de voz e a linguagem corporal não combinam um com o outro, ou com as palavras da pessoa. Nesse caso você precisa considerar quais os elementos que formam um padrão mais consistente e tirar conclusões adequadas.

Num caso em que trabalhei recentemente, foi importante interpretar em conjunto a linguagem corporal, o tom de voz e as palavras. Durante a escolha do júri, a esposa do advogado chefe sofreu um aborto. O advogado pediu que o juiz suspendesse a escolha por um dia de modo que ele pudesse ficar com sua esposa. O juiz recusou porque o adiamento teria sido inconveniente para a maioria dos jurados em potencial. O advogado teve de deixar a escolha do júri nas mãos de seu sócio e nas minhas enquanto atendia a sua crise familiar pessoal. Enquanto ele estava ausente, o juiz nos pediu para transmitir seus melhores votos ao advogado e sua esposa.

Se eu tivesse apenas uma transcrição impressa para me guiar, as palavras teriam sugerido uma preocupação compassiva por parte do juiz. Entretanto, elas foram ditas de um modo sem emoção e indiferente, sem calor nem compaixão. Enquanto falava, seu rosto não mudou de expressão. Ele continuou a olhar para baixo e a mexer nos papéis a sua frente, como se estivesse mais preocupado com o próximo caso do que com a perda do bebê do advogado. Seu tom de voz já era uma pista poderosa por si só, e junto com a linguagem corporal, deu a impressão de que suas palavras não eram sinceras.

Adiante, no mesmo julgamento, o juiz revelou mais sobre si mesmo por meio de uma combinação um pouco diferente de palavras, tom de voz e linguagem corporal. Um jurado pediu para ser dispensado do julgamento que certamente demoraria oito ou dez semanas, afirmando que seria complicado estar presente. O juiz respondeu num tom de voz sarcástico, agressivo e quase maldoso: "Eu quero saber qual é sua complicação". Novamente, suas palavras isoladamente não sugeririam nenhuma emoção ou estado mental específico. Desta vez, o tom de voz do juiz poderia ser caracterizado como bravo ou hostil.

A linguagem corporal, entretanto, trouxe a pista mais clara a respeito do modo como ele se sentia. Sua expressão facial não era brava. Pelo contrário, era impassível. Os outros aspectos de sua linguagem corporal também não refletiam raiva – ele não se inclinou para a frente, não fez gestos nem ficou vermelho. Uma análise de todo este quadro – palavras, tom de voz e linguagem corporal – me sugeriu que o juiz estava simplesmente usando um tom bravo como uma técnica de intimidação para fazer com que o jurado confessasse que realmente não havia nenhuma razão imperativa para que fosse dispensado.

Essas duas situações revelavam um padrão. O juiz estava preocupado com o andamento do julgamento. Ele estava determinado a manter a eficiência em seu tribunal e a fazer com que todos, advogados e jurados, participassem do modo que desejava. As questões pessoais ficavam em segundo lugar. Nos dois exemplos, as motivações aparentes só foram reveladas quando comparei suas palavras, o tom de voz e a linguagem corporal.

O mesmo processo pode ser usado pelo chefe cujo empregado reclama de resfriado, num tom de voz baixo e sufocado, mas anda até seu carro com um passo lépido; por um cliente que conversa com um vendedor que fala de modo confiante, rápido e sem hesitação sobre o produto, mas que desvia os olhos quando são feitas perguntas a respeito da garantia; e pela mulher cujo namorado fala de seu amor infinito com um tom de voz muito sincero, enquanto olha sobre o ombro dela para uma bela mulher que passa.

Se o tom de voz, a linguagem corporal e as palavras não combinarem, algo está errado. Observe mais de perto para descobrir o que é.

LEVE EM CONTA O AMBIENTE

Se eu notar que alguém parece nervoso no banco das testemunhas, levarei em consideração que o tribunal é um ambiente muito estressante. É claro, *qualquer* ambiente tem algum impacto sobre o modo como uma pessoa se expressa. Por exemplo, uma voz alta pode ser uma pista importante sobre a personalidade e o estado mental de uma pessoa, mas só se ela for consistente e inadequadamente alta. Na verdade, a importância de quase todos os traços vocais pode ser diminuída ou eliminada totalmente em alguns ambientes.

Eu não chegaria às mesmas conclusões a respeito de alguém que fala num tom de voz alto e ressonante numa biblioteca, se ela falasse nesse mesmo tom numa festa animada. E não chegaria às mesmas conclusões a respeito da fala rápida de uma pessoa se ela estivesse me alertando sobre um carro que se aproxima, ou se ela estivesse tentando me vender um aspirador de pó. Uma pessoa pode falar rapidamente porque está feliz, nervosa, animada ou assustada; o ambiente ajuda a determinar qual é o caso. Isto é especialmente verdadeiro se você estiver vendo a pessoa pela primeira vez. O tom de voz das pessoas é um bom indicador de sua personalidade e de seu estado de espírito se elas estiverem à vontade no ambiente. Se não se sentirem à vontade, o tom de voz pode refletir apenas seu desconforto.

DECODIFICANDO PISTAS VERBAIS

É necessária alguma prática para entender as mensagens codificadas nos traços vocais, e você precisa prestar atenção. Mais do que os outros traços, o tom de voz muda de um segundo para o outro, dependendo do ambiente e das circunstâncias. Se você não estiver atento, poderá perder algo essencial. Os traços permanentes, como uma voz alta e ressonante podem ser bem diretos e fáceis de interpretar, mas outras características mais transitórias como voz aguda ou grave, ritmo da fala e gagueira podem ser difíceis de perceber. Um certo tom pode às vezes ter significados opostos, como acontece com muitos outros traços. Como sempre, procure os padrões, e dê uma atenção especial ao fato de o tom combinar ou destoar da linguagem corporal ou das palavras usadas.

Existem muitos traços vocais diferentes para podermos discuti-los todos aqui; os seguintes são os mais comuns e mais importantes:

- Voz alta.
- Voz macia.
- Fala rápida.
- Fala lenta.
- Voz trêmula.
- Voz aguda ou grave.
- Entonação e ênfase.
- Voz apagada, sem emoção.
- Pretensão / esnobismo.
- Voz chorosa.
- Ar na voz.
- Voz áspera ou rouca.

- Resmungo.
- Sotaques.

Voz alta

De vez em quando todos nós encontramos alguém com uma voz excepcionalmente alta – um barítono ressonante, ou uma soprano aguda que você simplesmente não consegue deixar de ouvir. Essa é a idéia. As pessoas com vozes altas normalmente a obtiveram por alguma razão. A chave para avaliar a importância de uma voz alta, portanto, é avaliar quando e como a pessoa a usa e o que ela está tentando conseguir.

Controle Uma voz alta costuma ser usada para controlar o ambiente e as pessoas que estão nele. O volume é autoritário e intimidador, e assim aqueles que buscam dominar ou controlar os outros freqüentemente cultivam vozes com muitos decibéis. Em alguns casos, o volume é associado com a prática de "falar junto" com os outros, outra provável tentativa de controle, que também sugere insensibilidade e rudeza. O domínio excessivo da conversa também pode refletir egoísmo e impaciência. A maioria das pessoas supõe que aqueles que têm vozes altas e ressonantes estão demonstrando confiança. Pode ser verdade – mas algumas pessoas gritam porque têm medo de que ninguém as ouça se murmurarem.

Persuasão Algumas pessoas descobriram que uma voz alta é um ótimo instrumento para persuadir os outros, ou pelo menos forçá-los a se submeter. Elas aprenderam que se falarem de modo bem alto e estridente, algumas pessoas irão interpretar seu tom como confiança e segui-las. Mesmo que pensem que a pessoa que fala está totalmente errada, os outros não vão querer discutir com ela. Em minha profissão, já vi muitos tagarelas que usam o volume para intimidar os fracos, enganar os pouco inteligentes ou controlar os inseguros e os preguiçosos que sempre preferem que alguém pense por eles.

Compensação por uma falha percebida Também vi muitos casos em que o volume compensava outras deficiências, como baixa estatura ou deficiência física.

Estive envolvida num caso em que nós examinamos um jurado em potencial que era um homem de meia-idade, muito baixo e franzino. Ele sentou-se, tão rígido como se estivesse usando um colete ortopédico, durante o exame dos outros jurados, com as mãos cuidadosamente fechadas e totalmente imóveis sobre o colo. Parecia um Don Knotts muito sedado. Da primeira vez em que respondeu a uma pergunta, sua resposta quase nos fez cair de costas. Raramente ouvi uma voz tão alta ou tão retumbante. Ela havia sido obtida intencionalmente. Concluí que ele tinha compensado sua baixa estatura e o físico franzino desenvolvendo uma voz que soava como uma sirene de nevoeiro.

Reação à perda da audição Isto ocorre comumente entre os idosos, e nesse caso o problema normalmente é óbvio. Mas esteja atento à perda de audição também entre as pessoas mais jovens.

Embriaguez Pessoas embriagadas às vezes ficam barulhentas, mas seu volume não será o único sinal da bebedeira. Se você estiver vendo uma pessoa pela primeira vez numa festa de Natal em que todos estão bebendo muito, não julgue a voz dela até encontrá-la de novo em circunstâncias mais calmas.

Quando você estiver avaliando a qual das categorias uma pessoa de voz alta pertence, tenha as seguintes perguntas em mente:

- A voz é adequada à ocasião?
- O volume é constante, ou varia de acordo com o número de pessoas no grupo?
- A voz está sendo usada de modo agressivo, para controlar, intimidar ou falar junto com os outros?

De modo geral, descobri que as pessoas que têm uma voz alta e dominante, mas a usam de modo cortês e apropriado são confiantes. Aquelas que abusam dos outros com sua voz alta costumam ser inseguras, como acontece com alguém que só é valente se estiver segurando um grande pedaço de pau.

Voz macia

Uma voz macia pode ser usada para manipular os outros, ou pode indicar uma pessoa que é facilmente influenciada. Não seja enganado por um tom baixo que inicialmente poderia sugerir que a pessoa não tem confiança nem assertividade. Uma voz macia pode refletir bem uma autoconfiança calma: a pessoa não sente necessidade de dominar a conversa. Pode também haver um elemento de arrogância: "Se você quer ouvir o que eu tenho a dizer, só tem de escutar mais de perto".

Ao avaliar a importância do tom de voz baixo de alguém, você precisa primeiro determinar se ele sempre teve uma voz macia ou se o tom está mais baixo nessa situação específica. Se isso estiver acontecendo, pergunte o que poderia explicar a diminuição do volume.

- Houve um confronto, e a pessoa está retraída?
- A pessoa está numa situação desconfortável na qual se sente nervosa ou intimidada?
- Você vê alguma indicação de pesar ou tristeza?
- Há algum sinal de que ela esteja mentindo, e prefira mentir suavemente já que precisa mentir?
- A pessoa está tentando obrigar alguém a chegar mais perto? Este é um jogo de poder.
- A pessoa está abaixando a voz intencionalmente para limitar o alcance de suas palavras?
- Ela parece cansada?
- O tom suave poderia ser resultado de uma doença?

Quase sempre você achará uma explicação quando o volume baixo não for a característica normal da pessoa. A aparência dela provavelmente irá confirmar a explicação que você encontrar.

Ao avaliar alguém que tem uma voz constantemente baixa, concentre-se na adequação das modulações existentes. A pessoa faz um esforço para falar mais alto quando fica claro que os outros têm dificuldade em ouvi-la? Se não fizer, ela pode ser desatenta, sem consideração ou arrogante. Se o volume é baixo mas ela faz um bom contato ocular e sua linguagem corporal é descontraída, a voz suave tem pouca importância. Por outro lado, se o constante volume baixo é associado a uma linguagem corporal que reflete desconforto, como falta de contato ocular, virar as costas ou o rosto, ou tamborilar, eu "leria" a voz como um sintoma de desconforto e de falta de confiança.

Duas advogadas com quem trabalhei exemplificam como uma voz suave pode ser percebida de modos diferentes. Elas têm aproximadamente a mesma idade e o mesmo tempo de experiência, as duas são inteligentes e articuladas, as duas também falam de modo extremamente suave. Entretanto, uma irradia confiança e controle, enquanto que a outra não.

A confiante se senta muito quieta na cadeira enquanto fala comigo. Suas mãos normalmente estão relaxadas na mesa a sua frente, a menos que ela esteja tomando notas, o que só faz quando é adequado. Nós sempre mantemos um excelente contato ocular. A voz dela, embora suave, não tem hesitação e incorpora ênfase apropriada apesar de sutil.

A outra advogada, embora seja igualmente inteligente, muitas vezes fala de modo trêmulo e com esforço. Não parece haver um padrão na ênfase que coloca nas palavras, o que me dá a impressão de que ela reforça uma palavra ou conceito por causa de ansiedade e não por uma escolha consciente. O baixo volume e os outros traços vocais são espelhados por sua linguagem corporal, que inclui olhos freqüentemente baixos, brincar nervosamente com a caneta ou o papel, e uma postura corporal curvada. Todos esses sinais sugerem falta de confiança, a impressão oposta dada pela outra advogada que também fala manso.

Fala rápida

Todos nós já ouvimos a frase "vendedor de fala rápida". Normalmente refere-se a alguém que não só está falando rápido mas mentindo rápido também. A fala rápida às vezes indica falsidade, mas esta é apenas uma entre várias possibilidades.

Existe uma diferença entre falar depressa o tempo todo e falar rápido em reação a situações específicas. As pessoas que sempre falam assim podem ter crescido em lares onde tinham de falar rápido para se fazer ouvir. Outras pessoas de fala rápida são personalidades presas a um ritmo alucinante. Independente da causa, descobri que pessoas que sempre falam rápido muitas vezes são tão rápidas para avaliar e julgar uma situação quanto são para se expressar. Como resultado, não costumam ser prudentes, mas impulsivas e críticas. Normalmente não gosto delas como jurados quando estou trabalhando com a defesa num caso criminal, porque elas tendem a tirar conclusões precipitadas em vez de avaliar cuidadosamente as evidências.

Também descobri que muitas pessoas que falam rápido estão compensando uma insegurança básica. Essas pessoas mostrarão sinais de baixa auto-estima, tais como uma personalidade geralmente nervosa e esforços inadequados para chamar atenção.

Uma pessoa que usualmente se expressa em ritmo normal pode falar ocasionalmente rápido por causa de:

- Nervosismo.
- Impaciência.
- Ansiedade.
- Insegurança.
- Empolgação.
- Medo.
- Drogas ou álcool.
- Raiva.
- Desejo de persuadir.
- Medo de ser pega numa mentira.

A maioria das pessoas já passou pela desagradável experiência de ser pega numa mentira. Alguém está conversando na velocidade normal, e então percebe que existe uma inconsistência no que está falando. Repentinamente passa a falar rápido enquanto tenta se explicar. Quanto mais mente, mais rápida fica sua fala. Vi um ótimo exemplo disso alguns anos atrás, em um jurado relutante.

Esse homem queria desesperadamente ser dispensado da obrigação de ser jurado, e assim disse ao juiz que a esposa estava doente e que tinha de levá-la ao médico. Quando o juiz sugeriu que ele marcasse uma consulta no final do dia, o jurado, falando cada vez mais rápido, explicou que tinha de levar sua esposa *freqüentemente* ao médico, e que não achava que conseguiria marcar as consultas para o final da tarde. Quando o juiz sugeriu que ele ligasse para o médico, descobrisse se poderia, e depois voltasse ao tribunal à tarde com o resultado, o jurado acrescentou que também tinha de levar o cachorro ao veterinário (eu não estou brincando). Finalmente, ele disse ao juiz que precisava consertar o telhado de sua casa. A metade das pessoas presentes no tribunal mal conseguia segurar um sorriso, para não dizer uma gargalhada, à medida que as desculpas aumentavam e a voz dele ficava mais rápida.

Estou sempre atenta para a possibilidade de que alguém fale rápido para tentar ocultar a verdade com uma barreira de palavras – mas é muito mais provável que ele esteja apenas nervoso e inseguro, e fale rápido por causa de ansiedade, ou por um desejo de ocultar sua falta de segurança, ou por querer persuadir. Nós reconhecemos isso em nossos filhos: a animação infantil muitas vezes é transmitida pela fala rápida. Normalmente, não é muito diferente com os adultos.

Fala lenta

As pessoas que falam lentamente tendem a pertencer a duas categorias: aquelas que soam e parecem à vontade e descontraídas; e aquelas cuja fala lenta é acompanhada por outras pistas físicas e vocais que sugerem desconforto. Depois de determinar a qual categoria a pessoa pertence, eu posso fazer uma suposição bem fundamentada sobre as causas da fala lenta.

Algumas pessoas que falam sempre de modo lento têm uma deficiência física ou mental. No último caso, a fala lenta estará associada com a incapacidade de expressar idéias. Os problemas físicos também ficam bem óbvios depois de você ter falado por alguns minutos com a pessoa. Pessoas que não estejam acostumadas com o idioma também podem falar lentamente, e o mesmo acontece com aquelas que se sentem inibidas em uma situação social específica. E existem variações regionais comuns na velocidade da fala – por exemplo as pessoas do sul dos Estados Unidos falam mais lentamente do que as pessoas que vivem na cidade de Nova York.

Professores, sacerdotes e outros que falam freqüentemente para grandes grupos de pessoas, às vezes adotam uma fala lenta para ter certeza de que a audiência os está acompanhando. E às vezes essa técnica aparece em sua conversa cotidiana. Às vezes, as pessoas que falam lentamente estão sendo condescendentes, e nesse caso elas normalmente também usarão um tom sarcástico.

Alguém que costuma falar num ritmo normal pode falar lentamente às vezes se estiver:

- Tentando explicar um ponto que seja muito importante para ele.
- Ansioso.
- Confuso.
- Mentindo.
- Triste ou pesaroso.
- Cansado.
- Imerso nos próprios pensamentos.

- Doente.
- Sob a influência de drogas ou álcool.

Para decidir qual é o caso, observe a linguagem corporal e o conteúdo da fala.

Fala trêmula

Uma fala trêmula, hesitante ou quebrada é diferente da fala lenta. Um padrão de "soquinhos" normalmente é causado por insegurança, nervosismo ou confusão. Às vezes, pode refletir uma mentira, como acontece quando alguém se esforça para encontrar uma desculpa. Mas também pode indicar a direção oposta: a pessoa que fala deseja ser muito precisa e está buscando as palavras certas. Ou ela pode fazer uma pausa para dar a você a oportunidade de fazer algum comentário.

Observe o padrão total da fala de uma pessoa, as palavras e a linguagem corporal para determinar se sua fala trêmula significa insegurança, nervosismo, confusão, mentira ou uma tentativa de ser precisa. As pessoas precisam estar muito tensas com o que estão dizendo para que a tensão provoque uma fala trêmula e quebrada. Outros sinais quase sempre também aparecerão. Alguém que está mentindo evitará o contato ocular, irá cobrir inadvertidamente a boca ou outras partes do rosto, ou mostrará alguma das outras pistas de linguagem corporal que discutimos no capítulo 3. Uma pessoa nervosa não irá apenas falar de modo trêmulo; ela também se mexerá na cadeira, irá tamborilar com os dedos e assim por diante.

Supondo que a pessoa não esteja mentindo nem nervosa, você poderá atribuir a fala hesitante a um esforço honesto para articular os pensamentos. Uma mulher com quem trabalhei é um excelente exemplo. Ela é uma advogada muito brilhante e precisa, mas às vezes tem um hábito desconcertante – pára no meio da frase, faz uma pausa, e depois continua novamente, às vezes numa direção levemente diferente. Ela não mostra sinais de nervosismo, evasão ou insegurança. Ao contrário, sua linguagem corporal reflete concentração e atenção. Seu olhar permanece fixo e o volume de sua fala não varia significativamente. Ela claramente se concentra naquilo que está dizendo, e se esforça para ser precisa.

Você deve fazer uma distinção entre uma tentativa de precisão, como esta, e um tagarelar sem idéias – quando a pessoa parece perder o fio de seus pensamentos, vai para outra direção, parece bater numa parede invisível e fica indo e vindo, e obviamente sua boca está vários segundos na frente de seu cérebro. A fala trêmula, hesitante e quebrada associada a um conteúdo fragmentado indica confusão ou falta de concentração e de foco. Pode também significar que a pessoa quer atenção mesmo que tenha de falar a esmo para consegui-la.

Quando a fala trêmula se transforma numa gagueira, normalmente indica nervosismo. É claro, existem pessoas que gaguejam por causa de condições físicas. Observe se a gagueira aparece em várias conversas ou se a pessoa gagueja apenas quando parece estar nervosa. O gago crônico não é necessariamente uma pessoa nervosa. A gagueira grave é uma condição vocal ainda não plenamente compreendida.

Voz aguda ou grave

As vozes das pessoas vão desde a calma e confortadora até a estridente e irritante. O registro vocal é em grande parte não-opcional: se você nasceu com uma voz que lembra as unhas de Fran Drescher raspando a lousa, você terá de viver com isso – ou fazer exercícios e ir para Hollywood. Mas nós podemos elevar ou abaixar nosso registro vocal, dentro do alcance normal para cada um, por alguns motivos básicos.

A voz da maioria das pessoas terá um registro mais alto quando elas estiverem especialmente assustadas, alegres, agitadas, animadas e assim por diante. A voz pode quebrar, se o sentimento for suficientemente intenso. Nesses casos, a causa normalmente é clara e acompanhada por linguagem corporal, palavras e ações.

Algumas pessoas falam com uma voz perceptivelmente mais grave quando estão tentando seduzir alguém. Elas tendem a soar como o locutor da madrugada numa estação de jazz, ou como a mulher sedutora dos filmes de detetive dos anos 40. O registro também pode cair quando alguém está triste, deprimido ou cansado. Mais uma vez, o significado é fácil de perceber se você estiver atento a todas as pistas disponíveis.

Entonação e ênfase

Em muitos idiomas, as palavras assumem significados completamente diferentes dependendo da sílaba enfatizada. Embora o inglês não se apóie tanto na entonação e na ênfase como outros idiomas, todos nós comunicamos as diversas emoções e significados por meio da alteração de nosso padrão de fala. Fique atento a isso, e você perceberá pistas importantes.

Todos nós já perguntamos a alguém se gostaria de ir a algum lugar conosco, e ouvimos a resposta "eu adoraria ir". Às vezes, ao ouvir estas palavras, sabemos imediatamente que nosso convite foi aceito. Em outras ocasiões, quando a pessoa completa esta sentença, sabemos que a próxima palavra será "mas".

Se você escutar atentamente a entonação, as pausas e a ênfase, poderá reconhecer as frases "incompletas". Mesmo que não tenha como saber quais seriam as palavras que completariam o pensamento, pelo menos você conseguirá detectar as ambigüidades e fazer perguntas apropriadas.

Não é de admirar que a ênfase vocal normalmente seja acompanhada pela ênfase física. Ao enfatizar uma palavra, a pessoa pode se inclinar para a frente, acenar com a cabeça ou fazer um gesto. Como resultado, mesmo as mudanças sutis na entonação ou na ênfase podem ficar mais fáceis de serem reconhecidas se você ouvi-las e ao mesmo tempo observar as mudanças na linguagem corporal.

Voz apagada e sem emoção

Você se lembra do juiz que mandou votos de melhora à esposa do advogado quando ela havia acabado de sofrer um aborto? A falta de sinceridade aparente do juiz não foi revelada por suas palavras, mas por seu tom de voz apagado e sem emoção. Uma voz apagada pode também ser um sinal de tédio, raiva, ressentimento, frustração, depressão e de algumas doenças físicas.

Se você contar a uma amiga que acabou de receber uma grande promoção, será normal esperar que a resposta dela reflita algum nível de animação e de felicidade por você. Deveria haver alguma vivacidade na voz dela; talvez ela diga "parabéns" de um modo caloroso e sincero. Você não espera um apagado e rápido "que bom". Você deve ficar atento quando receber uma resposta inesperadamente sem emoção. Observe primeiro a linguagem corporal para determinar se a pessoa está distraída, entediada ou deprimida. Ou talvez a voz apagada seja uma tentativa de camuflar sentimentos mais intensos, como inveja ou ressentimento. Isso provavelmente irá transparecer em sua linguagem corporal. Você pode então prosseguir de acordo com o que descobriu, seja continuando o assunto ou guardando a resposta para refletir mais sobre ela.

Pretensão / esnobismo

Quando eu era criança, assistia a *Gilligan's Island*. O "milionário e sua esposa" falavam de um modo exagerado e pretensioso, que eu e minhas irmãs adorávamos imitar. Trinta anos depois, eu ouço meu filho mais novo dizer no mesmo tom: "Desculpe-me, você tem algum *Grey Poupon?*". A pretensão e o esnobismo normalmente não são revelados tão dramaticamente na voz de alguém, embora eu às vezes encontre uma pessoa que tem um pouco de Mr. Howell em seu modo de falar.

Se eu admitir que não estou a par de um acontecimento atual específico, posso ouvir a resposta "é mesmo" dita num tom que sugere surpresa por alguém estar tão mal informado. Ou alguém poderia descrever sua nova casa ou o novo carro numa voz que ficaria melhor no narrador de *Lifestyles of the Rich and Famous*. É difícil capturar um tom esnobe na escrita, mas (parafraseando o que o juiz Potter Stewart do Supremo Tribunal de Justiça disse sobre pornografia) "você sabe o que é quando a vê". A questão é: o que isso significa?

Muitas pessoas adotam um tom esnobe ou outros maneirismos pretensiosos para apresentar uma imagem de sucesso, sofisticação, inteligência, riqueza ou valores da classe superior. Essas características podem não ser centrais em sua personalidade. Ao contrário, o aparente esnobe pode ser apenas inseguro, e estar buscando aprovação e reconhecimento.

Muitos esnobes realmente, verdadeiramente acreditam que *são* melhores, mais inteligentes e que suas palavras têm mais valor do que a dos outros. Eles não são nem um pouco inseguros. São confiantes. E por mais que você tente, não conseguirá persuadir um esnobe a respeitar pessoas "menores" ou suas idéias ou estilos de vida. Esses esnobes essenciais normalmente vêm de uma família que é de classe alta ou pensa que é. Não tenha ilusão de que você conseguirá mudar a maneira pela qual um verdadeiro esnobe vê o mundo, pois o histórico socioeconomico é um indicador fundamental do modo como as pessoas pensam e se comportam. Sua visão de mundo normalmente está gravada em pedra.

Choramingo

O choramingo nem sempre é um lamento cantado associado a um rosto tenso e a mãos apertadas. Ele pode ser muito mais sutil. Mas quer esteja nas entrelinhas ou seja óbvio, o choramingo é uma técnica usada para manipular os outros sem usar palavras fortes. Freqüentemente representa um esforço para que alguém consiga o que quer sem precisar pedir diretamente. Uma sentença choramingada é uma sentença que diz: "Eu realmente tenho sentimentos fortes quanto a isto, e vou ficar lamentando e reclamando até que você faça o que eu quero".

No decorrer dos anos, observei milhares de jurados simulados deliberando. E vi muitos lamentadores entre esses homens e mulheres. Eles reclamam que não há gelo suficiente na Coca-Cola, mas não vão buscar mais gelo. Reclamam que as apresentações dos advogados foram confusas, mas raramente fazem esforço para entender as provas. Se suas opiniões são rejeitadas pela maioria, eles se retraem e ficam amuados.

Os lamentadores normalmente são seguidores – nos júris e na vida fora dos tribunais. Eles não têm a coragem ou a confiança necessárias para liderar. Querem que os outros cuidem deles. Sentem-se impotentes e fora de controle. Se você quiser saber se alguém é de fato um lamentador, tente obter uma impressão geral de seu ambiente humano – em outras palavras, encontre alguns dos amigos dele. Como essa pessoa se comporta com eles? É manipuladora? Se for casada, dê uma atenção especial ao marido dela. Os lamentadores choramingam porque isso funciona. E o choramingo é um traço difícil de ser superado, mesmo que a pessoa deseje mudar. O comportamento do lamentador com outras pessoas lhe dará um *trailer* de como será seu relacionamento com ela. Cabe a você decidir se deseja esse desafio.

Ar na voz

Marilyn Monroe, em seus parabéns a JFK, "Feliz aniversário, senhor presidente", deu um exemplo clássico de uma voz sedutoramente suspirante, com muito ar. Uma voz voluntariamente com ar pode normalmente ser ligada à sedução. Uma voz involuntariamente com ar pode ser causada por estados emocionais, por doença ou por cansaço.

Como normalmente não ouvimos a respiração das pessoas, sempre que eu a escuto fico imaginando qual será a razão. É física ou emocional? As pessoas que sofrem de enfisema, de outras doenças pulmonares, ou de diversas doenças debilitantes podem ter dificuldade para respirar, e nesse caso o ar na voz é apenas uma indicação de doença.

Se eu puder afastar a possibilidade de doença (observando a linguagem corporal ou perguntando com tato a respeito da saúde da pessoa), considero as outras condições que podem causar ar na voz:

- Raiva.
- Interesse sexual.
- Animação.
- Frustração.
- Exercícios físicos ou fadiga.
- Descrença.
- Nervosismo.
- Estresse.

Durante os julgamentos, eu detecto freqüentemente mudanças nos padrões de respiração dos jurados, testemunhas e até advogados. Dadas as circunstâncias, normalmente é bem fácil eliminar diversas causas possíveis, como interesse sexual ou exercício físico. O mais freqüente é que uma respiração audível no tribunal seja resultado de frustração, surpresa, descrença ou nervosismo. Mesmo o advogado mais experiente algumas vezes fica nervoso e começa a inspirar e expirar de modo incomum. No momento em que o julgamento realmente começa, eu já os ouvi falando diversas vezes, e assim percebo instantaneamente essas mudanças sutis. Normalmente as pessoas revelam o nervosismo não só por uma respiração mais profunda ou menos rítmica, mas também por movimentos corporais como beber água ou fazer movimentos exagerados com as mãos. Também ouço atentamente para perceber os suspiros rápidos e audíveis do jurados (e, às vezes, do juiz, dos advogados e das testemunhas) e que sinalizam surpresa, descrença ou exasperação. Mais uma vez, essas pistas vocais normalmente são acompanhadas por um balançar de cabeça ou por outros sinais visíveis. O ponto-chave é notar a característica, identificar as diversas causas possíveis, e depois ver qual dessas causas combina com a linguagem corporal, o comportamento e as palavras da pessoa.

Voz áspera

Uma voz áspera muitas vezes é um sinal de que a pessoa fuma, mas também pode ser causada por um resfriado ou por bronquite, ou por uma condição física permanente. Também pode ser que a pessoa tenha forçado a voz recentemente. Pergunte sobre isso. Se ela canta ou dá palestras que deixam sua voz cansada e rouca, você tem um bom ponto de partida para uma conversa que pode revelar muito a respeito dela. Muitas vezes, as pessoas ficam com a voz rouca depois de gritar em eventos esportivos ou em outros lugares. Mais uma vez, pergunte: a pessoa estava torcendo no jogo de futebol de seu filho, ou incentivando a equipe local de beisebol? Se gritou tanto que ficou sem voz, eu saberei que a pessoa é uma fã ardorosa, e suspeito que seja agressiva e controladora. (Em algum nível, ela acredita que se gritar bem alto poderá influenciar o resultado do jogo.) Ou então, posso concluir que ela é expansiva e animada. Poucas pessoas quietas, tímidas e reservadas gritarão tanto a ponto de ficar sem voz.

Resmungo

Algumas pessoas resmungam tão baixinho que são inaudíveis. Outras habitualmente cobrem a boca com as mãos ao falar. Outras, ainda, abaixam a cabeça ou olham para baixo. Algumas pessoas que resmungam irão falar mais claramente se você lhes pedir, mas outras parecem ser praticamente incapazes de falar claramente, embora não exista uma explicação física para o fenômeno.

A pessoa que estava resmungando mas reage a um pedido para falar mais claramente podia estar distraída, cansada, mascando chiclete, sob influência de drogas ou álcool, ou por outra razão desviou-se momentaneamente de um padrão normal de fala clara. A pessoa que resmunga de modo crônico (aquela que não reage a um pedido para falar mais claramente, ou não consegue fazê-lo por mais de alguns minutos) muitas vezes revela:

- Falta de confiança.
- Insegurança.
- Ansiedade.
- Pouca habilidade para articular os pensamentos.
- Autoconsciência.
- Preocupação.
- Fadiga.
- Doença.

As pessoas que resmungam raramente demonstram habilidade de liderança ou mesmo um desejo de controle. Freqüentemente as pessoas que resmungam também parecem estar deprimidas ou tristes. Eu vi muito poucas animadas, otimistas e felizes. E isso normalmente reflete-se em sua linguagem corporal: hesitação, movimentos passivos, um aperto de mão fraco e uma aparência cansada.

Sotaques

Nós vivemos num mundo cada vez mais diversificado. Num dia normal, eu ouço sotaques de pelo menos seis nacionalidades diferentes, e de muitas regiões dos Estados Unidos. O sotaque de uma pessoa pode trazer pistas valiosas sobre o modo como ela pensa ou age.

Se encontro um homem que fala com um forte sotaque estrangeiro, observo para ver se ele tem alguma limitação de linguagem que possa afetar sua fala ou comportamento. Também fico atenta para a possibilidade de que ele possa ter um histórico cultural incomum, que pode ter um impacto sobre suas características vocais. Por exemplo, algumas culturas são mais expressivas e desinibidas verbalmente do que outras.

Alguém que não se sente à vontade com o idioma que está falando pode também estar acanhado com a falta de fluência ou preocupado com a busca das palavras corretas. Pode se sentir frustrado ou nervoso por causa dessa dificuldade. Avaliarei sua personalidade de modo totalmente errado se não levar em conta o seu sotaque e a possibilidade de que ele pode se comunicar de modo muito diferente na língua nativa. Posso supor erroneamente que ele é passivo, tímido ou nervoso. Na verdade, ele pode ser bem agressivo e confiante quando o idioma não representa uma barreira à comunicação.

Em menor grau, o mesmo se aplica às pessoas das diversas regiões dos Estados Unidos. As atitudes gerais sobre o modo apropriado de agir, o decoro social, e a auto-expressão variam de uma região para a outra. Em grandes áreas metropolitanas, como Nova York, as pessoas geralmente aprendem a falar mais rápido, mais alto e de modo mais agressivo do que se estivessem nas cidades pequenas do sul ou do meio-oeste. Nessas cidades, os padrões de fala de Nova York seriam considerados rudes. A menos que esteja muito acostumada com a região ou o país refletidos no sotaque de uma pessoa, você não saberá como seu histórico cultural específico pode afetar os maneirismos vocais dela. Assim, pergunte de onde ela é. Este é um ótimo modo de quebrar o gelo e aprender mais sobre alguém.

6

Aprendendo a Fazer as Perguntas Certas e a Ouvir as Respostas

Estou sentada num restaurante e vejo um casal entrando. Eles pedem uma mesa reservada, onde eu os vejo enquanto termino minha refeição. É claro que acabaram de se conhecer, provavelmente este seja o primeiro encontro deles.

Vieram a um restaurante tranqüilo, e a atenção deles está concentrada um no outro. Posso ver acenos suaves, gestos de compreensão e interesse e o que me parece uma troca animada de informação. Cada um ouve atentamente enquanto o outro fala, as interrupções são raras. Embora eu não possa ouvir a conversa, a linguagem corporal reflete entusiasmo, empatia e curiosidade. Eles desejam sinceramente aprender, entender e ser entendidos.

Avance um ano. Estou no mesmo restaurante, e o mesmo casal entra. Desta vez eles não pedem por um lugar tranqüilo, mas aceitam uma mesa perto da cozinha. Eles se enfiam cada um em seu menu, e quase não conversam. Depois que o garçom anota o pedido deles, permanecem em silêncio, cada um olhando absortamente ao redor de si. Estão tão perto de mim que posso ouvir todas as palavras que dizem quando finalmente começam a conversar. A mulher fala de seu dia no escritório, e o namorado suspira, olha para o outro lado da sala, e depois muda de assunto, falando de seus planos para o fim de semana. Ela faz um comentário sarcástico a respeito do tempo que ele passa em cima da *mountain bike*. Ele responde com um comentário ciumento e acusador a respeito de ela ter almoçado com um ex-namorado num dia da semana. Eles estão discutindo acaloradamente esse assunto quando eu saio do restaurante, feliz por escapar.

O que aconteceu? Eles pararam de falar. Eles pararam de ouvir. As linhas de comunicação se desgastaram quando começaram a sentir que já conheciam um ao outro. Não fizeram mais perguntas significativas nem ouviram as respostas com uma mente aberta; eles acusaram, negaram e brigaram.

Cada um de nós tem a capacidade de fazer perguntas significativas e realmente ouvir as respostas – se quisermos. O problema é que nós ficamos ocupados ou preguiçosos ou acostumados demais, e paramos de tentar fazê-lo. Pense sobre a última vez em que você encontrou alguém que estivesse interessado em conhecer, como um amigo, um empregado ou um namorado. Você se lembra de como fazia perguntas e realmente ouvia as respostas durante as primeiras conversas que vocês tiveram? Você ainda ouve tão atentamente agora que conhece melhor a pessoa? Provavelmente não. E embora nós não possamos ter a expectativa de manter o interesse intenso que sentimos quando conhecemos alguém, muitas pessoas perdem o interesse de um modo surpreendente.

Você nunca entenderá verdadeiramente as pessoas se não souber como fazer boas perguntas e ouvir as respostas. E sem entendê-las, você não conseguirá prever o comportamento delas, nem saberá como suprir as necessidades delas ou se essas necessidades combinam com as suas. Este capítulo explicará como fazer as perguntas que importam, e trará alguns conselhos sobre como criar o melhor ambiente possível para uma conversa produtiva. Ele também mostrará como formular perguntas se não obtiver a informação necessária imediatamente. Talvez o ponto mais importante seja aprender a ser um bom ouvinte. Se você não aprender a ouvir, *ouvir de verdade*, as respostas de uma pessoa, todo o seu questionamento pode ser um total desperdício de tempo.

O QUE FAZER E O QUE NÃO FAZER PARA SER UM BOM OUVINTE

Aprender a ouvir é mais difícil do que aprender a fazer boas perguntas. Lembro-me constantemente disso no tribunal enquanto observo advogados inexperientes questionando as testemunhas. Muitos deles estão tão preocupados em manter uma linha de interrogatório cuidadosamente construída, que deixam de lado uma resposta evasiva ou não seguem uma pista importante que a testemunha deixou escapar. Se eu ensinasse Direito, insistiria para que meus alunos aprendessem como ouvir, muito antes de eles começarem a formular as perguntas. Ouvir é essencial, mas como parece passivo, é freqüentemente subestimado. Pode parecer que estamos colocando o carro adiante dos bois, mas é importante considerar a habilidade de ouvir antes de entrar no tópico das boas perguntas.

Durante a leitura das próximas páginas, considere o modo como ouviu outra pessoa da última vez em que esteve numa festa, no refeitório, na avaliação de desempenho de um empregado ou jantou com amigos. Se você é igual à maioria das pessoas, terá muito que aprender nas várias áreas que discutiremos. Não se preocupe – a coisa maravilhosa sobre o processo de decifrar pessoas, inclusive aprender a ouvi-las, é que não importa quanto você tenha sido fraco no passado, sempre terá uma nova oportunidade amanhã.

EM PRIMEIRO LUGAR, E MUITO IMPORTANTE, NÃO INTERROMPA

Os adultos muitas vezes ouvem as crianças pequenas com muito mais cuidado do que ouvem os outros adultos. Nós esperamos que as crianças tenham dificuldade para se expressar, e assim lhes damos o tempo necessário; nós as ouvimos. Ainda mais, nós realmente tentamos entender o modo como elas estão se sentindo, não só o que estão pensando. Normalmente interrompemos para ajudar a criança a se expressar, não para mudar de assunto ou para controlar a direção da conversa. Tendemos a mostrar a mesma cortesia e interesse aos idosos e às pessoas que têm uma deficiência ou uma barreira de linguagem. Por que não ouvimos a todos desse modo?

A primeira regra do bom ouvinte é não interromper. É impossível ouvir bem quando você está falando ou planejando o que vai dizer a seguir. Mesmo quando a pessoa está desabafando, fique quieto e deixe-a aliviar o coração – você aprenderá muito. Você sempre poderá voltar atrás para corrigir, desafiar ou discutir com ela – ou quem sabe, talvez concordar. Além disso, ela estará mais disposta a ouvir seu ponto de vista depois que tiver desabafado um pouco.

Se alguém estiver divagando, pare e ouça por algum tempo, a menos que você tenha algo com que contribuir. Sei que é tentador fazer um corte, mas o assunto sobre o qual uma pessoa diverga lhe dirá o que é importante para ela, ou pelo menos o que está passando pela cabeça dela naquele momento. Assim você pode ter *insights* sobre o processo de pensamento da pessoa e as associações que ela faz entre os fatos.

Quando interrompemos alguém, nós cortamos o fio do pensamento dele, mesmo que por um breve momento. A espontaneidade e o ritmo da conversa podem ter se perdido quando ele conseguir retomar seus pensamentos. Pelo menos metade de meus cabelos brancos apareceram ao observar esse processo no tribunal. Um advogado acabou de conseguir que um jurado em potencial ficasse descontraído e falasse livremente. Estou anotando febrilmente no meu *laptop* e posso ver que o jurado está para realmente se abrir, quando o advogado o interrompe para fazer uma pergunta longa e confusa sobre um assunto totalmente diferente. É como o fim de uma seqüência de sonho num filme ruim: sou jogada de volta à realidade. O jurado pára no meio da frase, com a boca semi-aberta, enquanto o advogado termina a pergunta. O estado de espírito foi quebrado. Eu começo a procurar coisas para jogar no advogado.

Essas interrupções acontecem sistematicamente em nossas conversas cotidianas. Existem muitos modos de quebrar o fluxo, além de uma pergunta inoportuna. O pior deles é aquilo que eu chamo de "o gole do peixinho". Do mesmo modo como um peixe vem à superfície de um lago sujo para inspirar grandes goles de ar, a pessoa prestes a interromper olha fixamente para você, com a boca se abrindo para fazer uma inspiração profunda, enquanto se prepara para mergulhar de cabeça no meio da frase que você está dizendo. Completamente distraído, você pára de falar. Por que não? Não há sentido em falar quando a outra pessoa claramente parou de ouvir.

Existem também aqueles que interrompem com movimentos ou gestos repentinos, que olham para outro lugar, ou que até se levantam e vão embora. E existem aqueles que começam a anotar rapidamente. Mesmo que suas intenções sejam boas, as pessoas que fazem anotações sempre me fazem parar de falar até que elas parem de escrever e estejam novamente prontas para ouvir.

Qualquer distração é uma interrupção potencial, e as interrupções são fatais para as conversas significativas. Aprenda a dar atenção e a esperar sua vez. Pense em si mesmo como um bom juiz, cuja função é manter o jogo em andamento, mas não controlá-lo.

MOSTRE EMPATIA: NÃO CONDENE NEM DISCUTA OU ASSUMA ARES DE SUPERIORIDADE

Você não detesta quando confessa que não sabe quem é o prefeito de Chicago e o seu interlocutor exclama: "Você está brincando! Eu pensei que todos soubessem!"? Se você quer fazer que alguém não confie mais em você, apenas seja crítico, contestador ou superior. Se a outra pessoa não parar de falar completamente com você, tudo que ela disser será distorcido pelo desejo de evitar suas respostas afiadas. "Não seja tão duro consigo mesmo; todos cometemos erros", será muito melhor para uma boa conversa do que: "eu não acredito que você tenha feito algo tão estúpido". "Sinto muito que você tenha sido dispensada. Você está bem?", levará a um diálogo muito mais significativo do que: "eu lhe disse que você seria demitida se não parasse de tirar tantas licenças médicas".

As pessoas que se sentem obrigadas a apontar qualquer afirmação equivocada ou qualquer palavra pronunciada errado normalmente são inseguras. Menosprezar outra pessoa pode lhes dar uma sensação temporária de superioridade, mas sabota as linhas de comunicação. *Resista ao impulso de corrigir, criticar ou olhar maldosamente, para propiciar uma conversa espontânea.* Quando você realmente não puder apoiar o comportamento de uma pessoa, precisa expressar seus sentimentos de modo honesto (e com tato), mas esses casos são relativamente raros. No mais, siga o conselho da mamãe: "Se você não puder dizer alguma coisa agradável, não diga nada". Isso o transformará no tipo de ouvinte no qual as pessoas sentem que podem confiar, e com quem podem falar.

Fique perto, mas não seja invasivo

As pessoas se sentem mais à vontade quando falam com alguém que está perto delas. Advogados com experiência no tribunal reconhecem isso e, se o juiz permitir, tentam se colocar o mais perto possível dos jurados com quem estão falando. Entretanto, eles tomam muito cuidado para não invadir o espaço pessoal dos jurados.

Na maioria das culturas, o espaço pessoal geralmente vai até aproximadamente a distância de um braço estendido. À medida que você se torna mais íntimo de alguém, o espaço pessoal entre vocês se torna mais flexível. No entanto, sob circunstâncias normais, se você ficar a uma distância menor que a de um braço estendido ao falar com um estranho, arrisca-se a deixar a pessoa pouco à vontade. Se não acredita em mim, da próxima vez que entrar num elevador com uma pessoa estranha, fique bem perto e observe a reação dela. Tocar a pessoa também é arriscado. A não ser que você a conheça bem, um toque pode deixá-la desconfortável e distraí-la do que está dizendo, mesmo que você deseje apenas transmitir apoio.

Use a distância de um braço estendido como guia, e se afaste ou se aproxime como for apropriado, dependendo de seu grau de intimidade com alguém. A linguagem corporal da pessoa ajudará você a avaliar se ela está à vontade. À medida que você se aproximar, ela ficará tensa ou se retrairá. Ela poderá cruzar os braços ou ficar meio de lado para você. Se você se afastar demais de sua zona de contato, ela poderá começar a olhar pela sala como se estivesse se preparando para ir embora, ou simplesmente parar de falar.

Envolva-se, mas não seja intenso demais

Quando estamos falando, especialmente se o assunto for importante para nós, desejamos uma confirmação relativamente constante de que a pessoa com quem estamos conversando está prestando atenção. Tudo o que é necessário é um aceno de cabeça ocasional, ou um "entendo" ou "certo". Estamos tão acostumados a ouvir esses reconhecimentos sutis que eles não nos interrompem nem nos distraem. Ao contrário, incentivam a pessoa a continuar. O silêncio total pode ser desconcertante.

Eu costumava trabalhar com um consultor que acreditava que o melhor modo de fazer com que as pessoas falassem era não dizer nada, tirando vantagem do fato de que as pessoas detestam silêncios estranhos e automaticamente tentam preenchê-los. Isso pode funcionar durante um certo tempo, mas em algum momento a outra pessoa vai ficar desconfortável demais, ou cansada de fazer todo o esforço sozinha. Ela não vai querer mais falar com você, e irá pensar que você é rude, não se importa, não tem habilidade social ou é simplesmente insensível.

Por outro lado, uma intensidade excessiva pode ser tão perturbadora quanto a falta de envolvimento. Um olhar fixo, sem piscar, parece pouco receptivo ou até ameaçador. Embora o contato ocular seja um ótimo instrumento para desenvolver a intimidade e a confiança, não se deve abusar dele. O mesmo pode ser dito a respeito de um olhar intencionalmente preocupado e compassivo que algumas pessoas adotam, quer você esteja falando sobre uma experiência infantil traumática ou sobre o que jantou na noite passada. A compaixão ou a intensidade inadequadas e exageradas parecem falsas e muitas vezes afastam as pessoas.

Tenha consciência de sua linguagem corporal

O ângulo de seu corpo ou a expressão de seu rosto podem sinalizar que você está prestes a interromper, e dar um golpe mortal numa boa conversa. Do mesmo modo, se alguém vir que você está fazendo uma careta, franzindo as sobrancelhas ou balançando a cabeça em descrença no meio de um relato, ele provavelmente irá parar, ou pelo menos mudar de direção.

Mas você pode também incentivar uma linha de conversa específica com uma linguagem corporal positiva – acenar levemente, inclinar-se para a frente de modo atento, manter o contato ocular e sorrir. Esse tipo de reforço positivo acontece de forma natural para a maioria das pessoas. Da próxima vez em que você estiver realmente apreciando uma conversa, observe sua linguagem corporal e suas expressões. O mais provável é que perceba que suas reações físicas estão incentivando a outra pessoa a se animar e a detalhar o relato.

Entretanto, tome cuidado: até o reforço positivo pode ser exagerado. O incentivo não-verbal é uma força poderosa, pois todos nós buscamos aprovação. Se você não usá-lo de modo prudente, a pessoa com quem está falando pode ser arrastada e exagerar seus sentimentos e opiniões apenas para continuar recebendo sua aprovação. Vi isso acontecer muitas vezes durante a escolha do júri. Por exemplo, num caso de pena de morte, uma jurada que no início está em dúvida a respeito da pena capital, pode acabar quase implorando para apertar o botão, por causa do reforço ativo que recebe do promotor. E, então, o advogado de defesa se levanta e começa a questioná-la. Agora a jurada recebe "toques" positivos a cada vez que expressa reservas em relação à pena capital. Na maioria dos casos, ela termina onde começou – incerta. Eu sei, pela experiência, que as afirmações originais da jurada provavelmente refletem suas verdadeiras crenças, e que ela estava tentando agradar a todos. Se você deseja respostas confiáveis, não manipule a pessoa, intencionalmente ou não, fazendo com que ela diga aquilo em que realmente não crê, só porque você está transmitindo "boa resposta!" ou "resposta errada!" com a sua linguagem corporal.

Fale sobre si mesmo, mas não fique muito íntimo rápido demais

A boa conversa é uma via de mão dupla. Você habitualmente não irá longe, mesmo que faça perguntas maravilhosamente penetrantes e profundas, a não ser que também revele algo sobre si mesmo. Os capítulos anteriores enfatizaram como é importante se envolver com as outras pessoas e estabelecer uma relação com elas. *É essencial expor algo sobre si mesmo se quiser que as outras pessoas continuem falando espontaneamente de modo que você ouça coisas que valham a pena.*

A escolha de júri feita por Johnnie Cochran no julgamento criminal de O. J. Simpson foi a melhor que eu já vi. Qualquer que fosse a opinião que as pessoas no tribunal tivessem sobre o sr. Cochran ou sobre o caso, todas tinham de reconhecer seu domínio da arte da auto-revelação. Era como se ele estivesse sentado na sala de cada jurado tomando uma xícara de café. Ele ria. Ele sorria. Eles riam e sorriam também. Ele chegou a um equilíbrio perfeito, dizendo algo de si mesmo ao júri, sem revelar demais. Esse equilíbrio é essencial para a arte da auto-revelação.

Escolha cuidadosamente o que vai revelar, e faça-o no momento certo. Se estiver incerto sobre o quanto deve revelar, é melhor errar por revelar menos – você sempre pode completar a questão à medida que o relacionamento se aprofunda. Mas se revelar coisas demais, cedo demais, você pode afastar o novo amigo para sempre.

Leve em conta o contexto

Muitas pessoas não são particularmente precisas com as palavras que escolhem. Os advogados adoram esquadrinhar cada palavra que uma testemunha diz, e comparam depoimentos e transcrições de julgamento em busca de inconsistências. "Aha! Na página 412 ela disse que era uma tarde 'morna', mas na página 723, ela disse que era 'quente'." Ou: "Ah, eu o peguei. Na página 114, ele testemunhou que foi direto para casa depois do trabalho, mas na página 212, ele disse que parou no posto de gasolina". Bem, a primeira testemunha provavelmente não faz distinção entre "morna" e "quente", e a segunda provavelmente foi "direto para casa" depois do trabalho: o posto de gasolina estava no caminho.

Você tem de considerar as palavras de alguém em seu contexto mais amplo, para poder entendê-las verdadeiramente. Isso inclui muito mais do que o lugar onde as palavras estão na frase. Pode incluir também quando, onde, por que e para quem as palavras foram ditas. Considere também quais as emoções que poderiam estar presentes. Não existe nada potencialmente mais deformador do que tirar as palavras do contexto e recolocá-las num contexto inteiramente diferente, como se elas fossem partes intercambiáveis.

Quase todos os casais têm brigas. Algumas vezes, as palavras são ditas com raiva ou até ódio. Uma discussão acalorada gerada pela raiva, a frustração, a mágoa, o medo ou outras emoções poderosas pode facilmente resultar em afirmações exageradas como "eu odeio você" ou "não posso acreditar que me casei com você". Você pode chegar a conclusões incorretas se considerar essas frases como se tivessem sido ditas de modo calmo e depois de pensar e refletir bastante – a não ser que elas sejam coerentes com um padrão de afirmações similares.

Como um bom ouvinte, você deve ficar alerta para as inconsistências que podem aparecer numa conversa, mas nunca se esqueça de que na vida real as pessoas raramente são cem por cento precisas. *Nem todos os lapsos de linguagem são freudianos, nem todas as explosões emocionais refletem os verdadeiros sentimentos de uma pessoa, e nem todas as inconsistências são uma mentira proposital. Não as considere assim.*

Ouça com todos os seus sentidos

Como foi mencionado no capítulo 1, os telefones, o e-mail, o fax e as secretárias eletrônicas reduziram nossas oportunidades de falar pessoalmente com os outros. E essa é uma perda significativa, pois a conversa ideal acontece cara a cara. Para ser um bom ouvinte, você precisa ser capaz de perceber todas as pistas disponíveis, com todos os seus sentidos.

Pessoalmente você ouvirá nuances da voz de alguém que não são transmitidas pelo telefone. Você poderá ver a emoção no rosto dele e a tensão ou o relaxamento de seu corpo. Quando estiver falando com um amigo mais íntimo, você pode segurar a mão dele ou lhe dar um tapinha nas costas, e isto pode incentivar a pessoa a se abrir ainda mais. Você pode até ser capaz de perceber pistas olfativas, tais como álcool, medicamentos ou suor. Tecnicamente, ouvir se refere apenas ao som, mas a verdadeira compreensão exige que você use todos os seus sentidos. Não se restrinja usando apenas um.

CRIANDO UM AMBIENTE PARA ÓTIMAS CONVERSAS

Agora que você aprendeu os pontos básicos de ouvir bem, está pronto para criar um cenário para uma ótima conversa. Todas as conversas cara a cara precisam acontecer em algum lugar – e esse lugar não deve ser deixado ao sabor da sorte. Alguns ambientes têm um efeito de estufa sobre as conversas, fazendo-as vicejar e florescer. Outros ambientes matam o discurso como se fossem um vento gelado. Você não vai fazer uma pergunta pessoal a alguém durante uma reunião da equipe, nem discutir a história da família dele no meio do ruído de um concerto de rock.

É raro que não tenhamos escolha sobre o ambiente de uma conversa. Até no trabalho existem opções – a sua sala, a sala da outra pessoa, uma sala de reuniões, o refeitório, ou até mesmo a rua em frente ao prédio. A porta pode estar fechada ou aberta. Pode ser necessário ter paciência para esperar o momento e o local corretos, mas valerá a pena se você tiver de discutir algo importante.

O melhor ambiente depende daquilo que você quer discutir e com quem. Todos nós vimos os filmes de detetives dos anos 40, em que um suspeito é interrogado duramente, com uma luz brilhante bem em cima de seus olhos. A teoria é que quanto mais assustado e desconfortável o suspeito esteja, mais rapidamente ele "abrirá o bico". Na realidade a maioria dos suspeitos é tratada de um modo mais humano, mas deixá-los desconfortáveis ainda faz parte da técnica de interrogatório.

No lado oposto do espectro está o ambiente que um amigo meu escolhe quando sai pela primeira vez com uma mulher. Seu lugar predileto é um restaurante marroquino onde refeições compostas de sete pratos são servidas lentamente, em salas particulares, durante duas ou três horas. O que seria melhor para conhecer alguém?

Quer você tenha dias para planejar, ou apenas alguns minutos para arrumar alguns detalhes, dê atenção aos seguintes pontos:

Na sua casa ou na deles?

As pessoas costumam ficar mais à vontade em seu próprio território. Se deseja que alguém relaxe e se abra para você, encontre-a no escritório dela, na casa dela, ou em outro lugar que ela escolher. Ou, se vocês já estiverem juntos quando a conversa começar – por exemplo, numa festa – deixe que a pessoa decida. Concorde prontamente se ela sugerir que vocês saiam para o jardim ou para um lugar mais calmo. Não tenha medo de perguntar: "Onde você gostaria de conversar?" ou "Você se sente à vontade aqui, ou prefere ir para outro lugar?".

Mas se *você* quiser sentir-se mais confortável e no controle da conversa, leve a outra pessoa para o seu próprio território. Já reparou que quando um chefe traz boas notícias, ele normalmente vai até a mesa ou sala do empregado, mas que a conversa costuma acontecer na sala dele quando vai chamar a atenção ou demitir alguém? Quando tem más notícias a dar, ele deseja manter mais controle e autoridade, e pode fazer isso melhor em sua própria sala.

Há uma opção: controle ou informação. Pode ser difícil ler as pessoas no seu território porque elas ficarão mais em guarda, mais defensivas e menos dispostas a se revelar do que se estivessem no terreno delas. Entretanto, você terá mais controle. Descobri que raramente vale a pena sacrificar um diálogo significativo para obter mais controle.

Evite ter uma platéia

No tribunal, sempre que surge uma questão delicada quanto a algum jurado, ela costuma ser discutida na sala do juiz e apenas na presença do juiz, dos advogados e do jurado em potencial. É embaraçoso discutir questões pessoais em público, e os jurados não costumam ser muito espontâneos se forem obrigados a responder essas perguntas num tribunal aberto. Na vida diária acontece o mesmo; você ficará desapontado se tentar obter informações pessoais de alguém na frente de outras pessoas.

Uma platéia também tende a fazer com que a pessoa se comporte do pior modo possível. Muitas pessoas responderão de modo petulante, briguento, ficarão na defensiva ou se calarão por vergonha, se forem confrontadas com questões pessoais quando houver mais gente por perto. Você nunca ficará sabendo o que elas poderiam ter revelado sobre si mesmas ou suas crenças se tivesse feito as perguntas mais pessoais num ambiente mais reservado.

Remova os obstáculos físicos entre você e uma boa conversa

Qualquer objeto entre você e a pessoa com quem está conversando pode interferir em sua conversa. É por isso que muitos palestrantes experientes saem de trás do pódio quando estão falando: eles não querem nada entre si e o grupo. É também por esta razão que muitos empresários não falam com clientes ou empregados atrás de uma mesa, mas preferem sentar-se perto da outra pessoa.

Se você quer ter uma conversa desembaraçada com alguém, livre-se de qualquer obstáculo entre vocês dois. Saia de trás de sua mesa, a menos que manter o controle seja mais importante do que trocar informações. Se estiverem num restaurante, peça ao garçom para remover flores altas, copos extras ou qualquer outro objeto que atravanque o espaço visual entre você e seu companheiro. Tire os óculos de sol. Até o a atmosfera se transforma em obstáculo se for muito: fique perto, mas não perto demais.

Livre-se das distrações

Enquanto era uma estudante universitária, eu trabalhava como administradora de uma pequena escola particular. Freqüentemente eu me encontrava com os pais para discutir os problemas de seus filhos. As emoções muitas vezes eram intensas, e em certas ocasiões eu me sentia mais como uma terapeuta do que como administradora. A última coisa que queria durante essas reuniões tensas era ser distraída por telefonemas ou por outras interrupções, e assim sempre recebia os pais em meu escritório com a porta fechada e instruía minha secretária para interceptar todas as ligações.

Quando você elimina as distrações, abre o caminho para um diálogo espontâneo e sem interrupções. Desligue o telefone celular e o *pager*, desligue a TV ou o rádio. Escolha um lugar tranqüilo no restaurante, ou um banco num parque bem calmo, longe de skatistas e dos gritos das crianças. Se você estiver numa festa, afaste-se o máximo possível do centro da ação para que sua conversa não seja interrompida por pessoas que passam nem pela tentação de observar os outros.

Uma boa conversa flui como um rio. Ele muda de direção e redemoinha, mas nunca pára. As interrupções são como um dique no rio. Pode ser que a conversa não consiga fluir novamente depois que o dique surgir. Quando você remove as distrações, reduz o risco de que sua conversa seja interrompida. Você e seu companheiro ficarão mais relaxados e conseguirão se concentrar mais na discussão presente. Uma boa comunicação já é bastante difícil. Evite colocar dificuldades adicionais em seu caminho.

Coloque-se em posição de receber informação

Tanto na minha vida pessoal quanto na profissional, tento não fazer perguntas realmente importantes se não estiver próxima o suficiente para ver claramente os olhos da outra pessoa. Um leve tremor de pálpebras, um rápido tensionamento da mandíbula, uma careta ou até uma contração leve dos músculos faciais podem fazer uma grande diferença no modo como eu avalio a resposta dela.

Interpretar as pessoas inclui construir padrões com todas as pistas possíveis que você consiga reunir. As expressões faciais podem ser uma valiosa fonte de informações. Se optar por uma conversa importante com alguém enquanto está dirigindo o carro ou andando pela rua, você estará se distraindo e só conseguirá ver as reações da outra pessoa de perfil.

Isso não quer dizer que não seja possível ter maravilhosas conversas durante longas viagens de carro ou correndo no parque. Mas idealmente, você deveria estar bem de frente para a pessoa com quem está falando, de modo que pudesse ver todo o rosto e o corpo dela, e que ela pudesse ver os seus.

O MOMENTO CORRETO PODE SER TUDO

Por que alguns recém-casados brigam tanto? Talvez seja porque ainda não aprenderam que é uma péssima idéia discutir questões importantes no fim de um dia longo e difícil. Em todos os relacionamentos, pessoais ou profissionais, existem bons e maus momentos para abordar qualquer assunto. Você estará correndo um risco se ignorar esse fato.

A raiva, a frustração, a alegria, a depressão – quase todos os estados emocionais – podem distorcer a reação de uma pessoa ante a uma questão. Se você não se der ao trabalho de avaliar o estado de espírito de alguém antes de abordar um assunto delicado, pelo menos leve em conta como esse estado pode influenciar a resposta. Faça uma pergunta totalmente educada a alguém no momento em que esta pessoa acabou de descobrir que o filho bateu com o carro que ela acabara de comprar, e provavelmente você receberá uma resposta surpreendentemente atravessada. No outro extremo, você pode receber uma resposta irrealisticamente otimista se a pessoa acabou de receber um grande bônus de Natal.

Será que é uma boa idéia pedir a opinião de uma amiga sobre seu novo namorado quando ela estiver um pouco "alta"? Talvez você receba uma resposta mais espontânea. Por outro lado, pode ser que você ouça uma resposta inflamada pelo álcool e que tenha apenas uma leve proximidade com os reais sentimentos de sua amiga. Existem aqueles que acreditam que você obterá informações mais confiáveis de pessoas bêbadas ou com raiva porque elas perderam suas inibições e irão vociferar "a verdade". Isso pode acontecer ocasionalmente, mas muitas vezes as pessoas se arrependem profundamente de suas palavras raivosas ou bêbadas, não porque revelaram algum segredo oculto, mas porque realmente não pensam aquilo que disseram.

É comum que uma pessoa bêbada, raivosa ou extremamente emocional perca sua perspectiva temporariamente. Ela pode ignorar o contexto mais amplo – ou o padrão –, do comportamento de alguém e concentrar-se num fato isolado que domina seus pensamentos presentes. Qualquer coisa que ela diga em tais circunstâncias pode ser totalmente diferente do que diria se tivesse refletido enquanto estivesse sóbrio.

Escolha com cuidado o momento, para ter uma discussão produtiva. Assegure-se de que o momento também seja bom para a outra pessoa. Evite discutir um assunto delicado com uma pessoa que esteve bebendo ou que já esteja agitada e brava. Não tente obrigar alguém a sentar-se e conversar com você quando ele lhe diz que está ocupado demais; ele estará distraído, desconcentrado e pouco predisposto a responder a suas necessidades.

Vá devagar e sempre

A direção normal da comunicação entre duas pessoas vai do geral para o específico, do casual para o significativo, e do impessoal para o pessoal. O processo não precisa levar semanas ou meses. Já vi bons advogados estabelecerem um vínculo com jurados potenciais ou testemunhas em questão de minutos. Não há nada melhor que um amplo sorriso e um jeito aberto para deixar os jurados relaxados; eles rapidamente começam a confiar no advogado, que então pode obter respostas espontâneas para perguntas difíceis sobre seus sentimentos e suas crenças pessoais. Mas antes de começar a interrogar, o grande advogado estabelece uma relação. Ele aquece o jurado.

A conversa pode empacar se você passar depressa demais das perguntas gerais e não ameaçadoras para perguntas penetrantes sobre a fé ou o casamento de alguém (por exemplo). Muitas pessoas simplesmente se calam; outras se sentirão ofendidas e o considerarão rude e insensível. Algumas podem concluir que você não tem habilidade social. As pessoas podem simplesmente dizer aquilo que acham que você deseja que elas digam para que você se afaste e as deixe sozinhas.

Vi um excelente exemplo disto num seminário recente, que apresentou uma simulação de julgamento e de escolha de júri. O caso envolvia um professor que tinha sido demitido por ensinar a doutrina cristã da criação, violando a política do conselho de educação – o contrário do famoso "Julgamento do Macaco" de Scopes, apresentado na peça e no filme *Inherit the Wind*. Naturalmente, durante a escolha do júri as perguntas rapidamente abordaram as crenças religiosas dos jurados. Os jurados responderam gentilmente às perguntas dos advogados: "Sim, eu sou cristã, mas não vou muito à igreja"; "Eu nunca acreditei nisso"; "Eu sou um católico devoto". Eles não pareciam estar perturbados com as perguntas, e tudo seguia calmamente – até que chegamos a uma senhora idosa. O advogado lhe perguntou abruptamente: "A senhora se considera uma pessoa religiosa?" Ela eriçou-se e respondeu entre os dentes cerrados: "Eu acho que isto diz respeito a mim e a meu criador". Eu pensei: "Nossa!". Nunca se esqueça de que aquilo que é perfeitamente apropriado para uma pessoa pode ser profundamente ofensivo para outra. A maioria dos jurados estava à vontade com o ritmo em que a informação pessoal era pedida. Mas o limiar de abertura pessoal é diferente para cada pessoa.

Será que devo deixar que ele pense sobre o assunto?

Você deseja fazer uma pergunta. A resposta é essencial para você, e precisa ser confiável. Você não quer que ela seja distorcida ou manipulada. Você dá tempo para que a pessoa responda ou ela precisa dar uma resposta imediata? Depende.

Durante os processos nós encaramos freqüentemente esse dilema. Por um lado, antes do julgamento nós podemos apresentar perguntas por escrito para o lado oposto, que tem então semanas para preparar respostas por escrito. Em teoria, isto lhes dá bastante tempo para responder do modo mais verdadeiro e completo. Na prática, normalmente eles usam o tempo para ruminar tranqüilamente suas respostas. Nossa outra opção é esperar até que a pessoa esteja sentada na nossa frente no tribunal antes de fazer-lhe a pergunta essencial. Desse jeito, nós certamente receberemos uma resposta mais espontânea, mas muitas vezes não é completa nem ponderada.

A maioria dos advogados acredita que você tem mais chances de receber uma resposta verdadeira se a pessoa responder imediatamente, em especial se a pergunta toca num assunto delicado. Isso também acontece fora do tribunal. Embora existam exceções (nem sempre você pode esperar que alguém decida imediatamente se aceita um emprego, compra um carro, ou foge para Paris com o namorado), *geralmente você não deve deixar a pessoa refletir muito tempo antes de responder à uma pergunta delicada, se desejar respostas confiáveis.* Se deseja espontaneidade, mas também precisa de reflexão, peça uma resposta imediata e, depois de obtê-la, sugira que a pessoa pense um pouco e volte a falar com você no dia seguinte.

O QUE FAZER E O QUE NÃO FAZER PARA ELABORAR BOAS PERGUNTAS

Além de levar em conta o momento e o ambiente, considere também todas as circunstâncias, inclusive o tipo de informação de que você precisa. Existem momentos em que você precisa obter respostas precisas, e nesse caso as suas perguntas precisam ser igualmente focadas. E raramente, você pode até precisar fazer perguntas duras. Entretanto, o mais comum é que você aprenda mais com perguntas amplas que desencadeiam um fluxo livre de informações. Qualquer que seja a situação, você terá resultados melhores se planejar suas perguntas antes de realmente reunir-se com a outra pessoa.

Preparando suas perguntas

Um bom advogado nem sonharia em interrogar uma testemunha de improviso. Mas os *melhores* advogados também não ficam presos a uma linha de questionamento. Eles dão muita atenção a outras indicações que apareçam durante o testemunho. *Planeje suas perguntas com antecedência, quer você esteja num primeiro encontro, entrevistando um candidato a um emprego ou procurando alguém com quem deixar seu filho, e assim você obterá a informação de que realmente precisa.* Você atingirá vários objetivos se agir assim. Primeiro, economizará tempo durante a conversa. Segundo, fará perguntas mais precisas e claras do que faria se estivesse improvisando. Finalmente, poderá se concentrar nas respostas e na linguagem corporal da outra pessoa em vez de ficar pensando em sua próxima pergunta. Isto tornará a conversa mais informativa e também mais espontânea. Você poderá seguir o fluxo, sabendo que sempre poderá voltar às perguntas já preparadas depois de abordar qualquer assunto que venha à baila inesperadamente.

Preparar-se não quer dizer fazer um conjunto de cartões para sortear durante a conversa, embora às vezes seja uma boa idéia escrever as perguntas antecipadamente. Os médicos algumas vezes sugerem que os pacientes façam isso antes de uma consulta para não se esquecerem de perguntar algo importante. Eu sempre escrevo qualquer pergunta que tenha antes de uma reunião importante. Mesmo que você não leve a lista consigo, o fato de ter escrito as perguntas mais importantes fará com que elas fiquem mais firmes em sua mente.

O que eu devo perguntar?

Fale-me a respeito da natureza e do histórico, do relacionamento e daquilo que uma pessoa espera da outra, e eu conseguirei formular algumas perguntas úteis. A verdade é que existem tantas boas perguntas quanto momentos de interação humana. A regra principal é ser claro quanto ao que é importante para *você*. Se você é um homem divorciado com filhos pequenos, e está procurando um relacionamento romântico duradouro, a atitude de sua parceira potencial quanto a crianças é obviamente algo que você desejará explorar. Se você é um dentista procurando uma assistente, precisará saber sobre a escolaridade e a experiência da pessoa.

Como você já viu no capítulo 2, três traços gerais tendem a iluminar todos os outros: compaixão, histórico socioeconomico e satisfação com a vida. Em qualquer contexto, obter informações sobre esses traços lhe dará uma vantagem substancial para compreender alguém e conseguir prever seu comportamento. Assim, se você não conseguir pensar em nenhuma pergunta, concentre-se neles.

Muitas perguntas que fazemos aos jurados potenciais antes de um julgamento têm o objetivo de nos trazer informações sobre essas três áreas-chave. Para tanto fazemos perguntas como as seguintes:

- Onde você nasceu?
- Onde você foi criado?
- Onde você vive agora?
- Qual a profissão de seus pais?
- Quantos irmãos você tem?
- O que você faz em seu tempo livre?
- Que livros e revistas você lê?
- A que programas de TV você assiste?
- Você pertence a alguma organização ou a algum clube?
- Quais são seus objetivos para os próximos cinco anos?
- O que você queria ser quando estava no colegial?

As pessoas adoram falar sobre si mesmas, e essas perguntas podem ser úteis também fora do tribunal. Lembre-se de ir devagar e gentilmente e de observar as pistas que podem indicar que você está sendo muito pessoal cedo demais.

Descobri que é especialmente útil saber sobre a vida da família enquanto a pessoa estava crescendo. Os pais a ajudavam com a lição de casa? Elas jogavam na liga infantil, cantavam no coro da igreja, tinham aulas de dança? Se sim, os pais iam assistir? Essas perguntas podem ser feitas a quase todas as pessoas e as respostas indicarão o tipo de histórico socioeconomico que a pessoa tem.

Também vale a pena fazer perguntas que o ajudarão a avaliar a satisfação da pessoa com a vida. Uma das minhas favoritas é: "O que você queria ser quando estava no colegial?". Se a pessoa não faz aquilo que queria, pergunte a razão. Algumas poucas perguntas nessa direção lhe trarão rapidamente algum *insight* a respeito dos objetivos que ela alcançou em sua vida e do modo como ela se sente por não ter realizado outros, se este for o caso. Aqui a sensibilidade é tudo. Se você perceber que a pessoa deseja evitar o assunto, não force a situação como se fosse um repórter que tem uma pista quente.

Existem muitos modos de descobrir se uma pessoa é compassiva. Ela é próxima de sua família, especialmente dos pais? Faz algum trabalho beneficente ou voluntário? O que sente em relação às pessoas sem-teto, em relação a pagar impostos para sustentar escolas públicas, a respeito do salário mínimo? Você sempre pode lançar casualmente algumas perguntas numa conversa para obter uma impressão do grau de compaixão de alguém. E observe também o comportamento revelador e a linguagem corporal: como ele trata os caixas, as garçonetes e outros em posições de serviço? Qual é a reação se alguém se choca com ele acidentalmente, ou lhe dá uma fechada sem perceber enquanto ele dirige pela rodovia? As atitudes e o comportamento das pessoas o ajudarão a determinar o lugar que elas ocupam na escala de dureza, depois de uma ou duas horas de conversa.

Se você preparar algumas perguntas gerais a respeito dessas três áreas importantes, poderá descobrir mais sobre as pessoas e mais depressa do que jamais conseguiu. Exceto nos encontros mais casuais, provavelmente você também deseje algumas informações mais específicas. Pode usar três tipos de perguntas para consegui-las: abertas, dirigidas e argumentativas.

PERGUNTAS DIFERENTES PARA SITUAÇÕES DIFERENTES

Independente do que você diga sobre os advogados, os melhores certamente sabem como fazer boas perguntas. Embora um interrogatório mordaz possa ser sua idéia de como um advogado questiona uma testemunha, isso acontece muito raramente. Os bons advogados planejam sua linha de questionamento para obter respostas verdadeiras. Às vezes uma abordagem funciona melhor, às vezes outra.

Todas as testemunhas e jurados juram dizer a verdade e a maioria diz, pelo menos na maior parte do tempo. Mas alguns são, digamos, relutantes. Outros estão tão ansiosos por agradar, que apenas precisam ser colocados na direção correta e deixados à vontade. Por essas razões, os bons advogados desenvolveram um senso aguçado sobre quais tipos de perguntas funcionam melhor em diversas situações.

Visualize um funil quando você pensar nos tipos de perguntas que pode fazer. O lado mais aberto representa as perguntas abertas que requerem uma explicação narrativa "ampla" e dão espaço para que a pessoa responda do modo que desejar. As perguntas argumentativas ou "focalizadas" representam o lado mais estreito do funil. São perguntas muito restritas, com freqüência confrontadoras, e demandam uma resposta de uma ou duas palavras. As perguntas dirigidas são intermediárias, pois dão um foco à resposta da pessoa, mas deixam algum espaço para explicação, mas não tanto quanto as perguntas abertas.

Cada tipo de pergunta é mais apropriado em algumas circunstâncias que em outras. É muito importante saber quando usar cada tipo para conseguir informações confiáveis das outras pessoas.

Pergunta aberta

A pergunta aberta é um convite ao bate-papo. O aspecto-chave desse tipo de pergunta é que ela não sugere qual a resposta que você desejaria. Esta é uma grande vantagem: como a outra pessoa não tem como saber qual a resposta que agradaria a você, há uma probabilidade muito maior de dizer aquilo que realmente está pensando. *As perguntas abertas normalmente são a melhor escolha para obter informações objetivas e não distorcidas.* Além disso, elas dão muito espaço para a pessoa divagar, e por isso as respostas quase sempre irão incluir informações extras que podem ser muito reveladoras.

Existem algumas desvantagens nas perguntas abertas. Primeiro é que por serem tão amplas, a resposta pode ser desviada para outro caminho inteiramente diferente e você não conseguirá a informação de que realmente precisa. Outra é que as perguntas abertas demoram para ser respondidas e assim são melhores quando o tempo não for uma prioridade. Uma terceira desvantagem é que uma pergunta aberta deixa a outra pessoa mais livre para não respondê-la.

Entretanto, mesmo que você precise de uma informação muito específica, uma boa estratégia é começar com algumas perguntas abertas e ir restringindo o foco no decorrer da conversa. Isto lhe dá a oportunidade de desenvolver uma relação com a outra pessoa e ao mesmo tempo obter alguns dados valiosos. É necessário apenas um pouco de paciência, o que é essencial se você deseja obter informações honestas e confiáveis.

Na maioria dos casos, as perguntas abertas são o melhor modo de descobrir aquilo que você precisa saber. Por exemplo, vamos supor que uma mulher decidiu que deseja ter filhos, e relativamente dentro de pouco tempo. Ela está saindo com um homem há vários meses, e pensa que ele pode ser o homem certo. Em algum momento, ela vai querer descobrir se ele tem as mesmas prioridades. Se o relacionamento está se desenrolando de modo agradável, ela pode estar inclinada a confidenciar a ele: "Ser mãe e criar filhos é extremamente importante para mim. E para você?". Se o objetivo da pergunta é descobrir como ele realmente se sente, ela estragou tudo.

Primeiro, a pergunta dela transmite claramente a resposta "certa". Isso distorce a resposta, fazendo com que não seja confiável. Segundo, suponha que o homem responda: "Eu sinto o mesmo". Isto não diz a ela nada a respeito de quando ele quer ter filhos, quantos ele deseja ter, como ele acredita que sua vida será transformada ao ter filhos, ou outras coisas importantes. Eles podem ter idéias completamente diferentes sobre todos esses pontos importantes. Entretanto, a mulher provavelmente ficará muito feliz por receber uma resposta tão agradável, e irá para casa extasiada acreditando que encontrou seu futuro marido, que quer construir exatamente o mesmo tipo de vida que ela deseja. Não necessariamente.

Agora, vamos supor que a mulher pergunte simplesmente: "Como você imagina sua vida daqui a cinco anos?". Esta é uma pergunta verdadeiramente aberta. Se o homem responde: "Eu quero estar casado, ter um casal de filhos, uma casa com uma cerca de estacas, um cachorro e um *motor home* para as férias da família", a mulher poderia concluir com razão que ele compartilha os seus sonhos. Entretanto, se esta resposta não incluir especificamente filhos, talvez ser pai não seja uma prioridade para ele num futuro próximo. Se ele não mencionar filhos, ela pode fazer uma pergunta mais direcionada, mas ainda aberta, como: "Onde os filhos se encaixam em seus planos para o futuro?". Ela irá receber informações mais confiáveis, nas quais poderá perceber melhor as intenções dele, se formular suas perguntas de um modo geral e não sugestivo.

O mesmo vale para entrevistas de emprego. Se você quer contratar uma secretária que fique satisfeita com este cargo por um longo tempo, pergunte: "O que você se vê fazendo daqui a cinco anos?", e não "Eu estou procurando alguém que fique feliz como minha secretária pelos próximos cinco anos. Você gostaria de ficar no mesmo cargo tanto tempo?". Do mesmo modo, em vez de perguntar: "Você está disposta a fazer horas extras?", o melhor seria: "Qual é a sua posição em relação às horas extras?". Mesmo que você pense em pedir a sua nova funcionária que faça horas extras regularmente e se sinta obrigado a alertá-la do fato, segure esta informação. Primeiro descubra o que ela realmente pensa. Talvez ela diga que precisa de dinheiro extra e que adoraria essa oportunidade. Talvez ela diga que tem compromissos na maioria das noites e fins de semana. Qualquer que seja a resposta, você pode perguntar sobre a disponibilidade dela para se adaptar às reais exigências do trabalho, depois de ter descoberto o que ela preferiria.

Durante a escolha de um júri, eu consigo ver o grande ganho na qualidade da informação que os advogados obtêm se eles forem bons na formulação de perguntas abertas. Em casos de pena capital – especialmente nos famosos –, nós freqüentemente encontramos pessoas ansiosas por estar no júri. Elas normalmente respondem "sim", quando o promotor lhes pergunta diretamente: "Você acredita na pena de morte?". Entretanto isto não nos diz por que elas acreditam na pena de morte, qual a intensidade de seus sentimentos em relação a isso, ou se elas pensam que deve haver exceções em sua aplicação. Mesmo as pessoas que geralmente apóiam a pena de morte podem ter algumas reservas. A chave é descobrir quais são elas.

No caso do Caçador noturno, foi perguntado a um dos jurados potenciais, um homem afro-americano, como ele se sentia em relação à pena de morte. Ele disse que a considerava apropriada em muitos casos, mas que tinha sido aplicada de modo desproporcional. O promotor pensou que ele seria um bom jurado para a promotoria. Eu era consultora para a defesa e discordei da opinião do promotor. A pergunta aberta bem formulada tinha permitido que o homem expressasse seus sentimentos. Era extremamente significativo que em sua breve resposta ele tivesse apontado que a pena de morte tinha sido aplicada desproporcionalmente. Obviamente o jurado potencial estava incomodado pelo fato de que os réus afro-americanos em casos de pena de morte são sentenciados à morte mais freqüentemente do que os réus de outras raças. A partir dessa resposta, eu acreditava que a promotoria teria dificuldade em obter o voto dele. As pessoas não gostam de apoiar regras que acreditam injustas.

Nós decidimos deixar esse homem no júri. Imediatamente antes de o julgamento começar, outro jurado relatou que o homem tinha anunciado para os outros jurados que nunca poderia votar a favor da pena de morte. Nesse ponto, o juiz o dispensou. Eu estava certa, mas apenas porque a pergunta aberta do promotor tinha permitido que o homem tivesse a liberdade necessária para me dar a informação que eu precisava para identificá-lo corretamente.

A pergunta dirigida

As perguntas abertas não focam de modo algum a resposta, mas as perguntas dirigidas sim. Algumas vezes é útil restringir a amplitude de uma resposta. As perguntas dirigidas direcionam a resposta de uma pessoa, e podem evitar muita perda de tempo e de energia. Se você quiser saber a que horas seu empregado chegou ao trabalho, não pergunte: "Bem, o que você fez hoje?". Faça uma pergunta dirigida: "A que horas você chegou ao trabalho?".

Perguntas dirigidas também são essenciais se você quiser uma resposta direta de alguém que está tentando evitar isso. Você pode fazer perguntas abertas a alguém até cansar, e nunca receber uma resposta direta. De algum modo, a pergunta aberta serviu a um propósito: demonstrou que a pessoa não deseja falar a respeito do assunto. Se você quiser descobrir por quê, precisará fazer uma pergunta dirigida.

Em algumas ocasiões, as perguntas dirigidas podem ser úteis justamente porque influenciam a resposta. Um vendedor de seguros de vida usou efetivamente esta técnica comigo logo depois do nascimento de minha primeira filha. Ele perguntou: "Você consegue pensar em algo mais importante do que deixar sua filha financeiramente segura caso algo aconteça a você?". A pergunta não foi feita para obter informação, mas para me fazer pensar sobre a importância de garantir a segurança de minha filha caso eu viesse a morrer.

Outro uso muito hábil de uma pergunta dirigida é fazer com que a outra pessoa fique sabendo que você também conhece alguns fatos. Por exemplo, muitos empresários têm o hábito de aprender tudo que podem sobre um novo cliente em potencial, antes de encontrá-lo pessoalmente. Então preparam algumas perguntas dirigidas, como: "Esse projeto tem algo a ver com o fato de você ter comprado a ABC Company no ano passado?". Algumas perguntas dirigidas bem planejadas impressionam o cliente, incentivam a confiança e o predispõem a fornecer mais informações.

Em sua vida pessoal, as perguntas dirigidas muitas vezes facilitam uma aproximação mais íntima. Eu tenho uma amiga que é lésbica, mas que não revela publicamente sua orientação sexual. Era óbvio para mim que ela era lésbica, desde a primeira vez em que nós nos encontramos, mas era igualmente óbvio que ela não queria que eu ou qualquer outra pessoa soubesse. À medida que passei a conhecê-la melhor, eu queria que nosso relacionamento fosse mais aberto. Assim, esperei por um momento adequado e lhe perguntei se ela tinha uma "companheira" – um termo que freqüentemente é usado para se referir a um relacionamento amoroso com alguém do mesmo sexo. Isso lhe deu a opção de deixar o assunto passar, ou de abaixar a guarda, percebendo que eu tinha adivinhado sua orientação sexual. No fim das contas, ela *tinha* uma companheira, e desejava falar sobre isso. Essa pergunta dirigida possibilitou que nós nos aproximássemos e chegássemos de modo mais rápido a uma amizade descontraída e honesta.

Às vezes as coisas ficam difíceis: a pergunta argumentativa

Perguntas argumentativas são exatamente isto: argumentos. Embora freqüentemente sejam úteis no tribunal, raramente são produtivas em outros lugares. Mas às vezes é necessário confrontar alguém se você deseja saber alguma informação crucial ou expor uma mentira.

Aqueles que assistiram ao julgamento de O. J. Simpson podem se lembrar do modo confrontador com que F. Lee Bailey interrogou o detetive Mark Furhman sobre o uso da palavra 'negro'. Você poderia supor que o detetive Furhman cedesse sob esse ataque. Pelo contrário, ele encarou o sr. Bailey com poucos sinais de emoção, negando que tivesse usado a palavra nos últimos dez anos.

Quando as fitas de Laura Hart McKinny foram reveladas, a negativa peremptória ante a um interrogatório tão agressivo fez com que sua mentira fosse ainda mais prejudicial à promotoria.

Na vida cotidiana, o uso mais comum das perguntas argumentativas é obrigar alguém a admitir algo: "Tudo bem. É isto que você queria saber – agora me deixe em paz". Não é incomum que as pessoas que revelam informações sob esse tipo de questionamento mais tarde afirmem que disseram aquilo apenas para se livrar de você. Isto deve ser visto de modo cético. Apenas nos filmes as pessoas confessam crimes que não cometeram ou admitem "fatos" que não existem, mesmo sob um interrogatório muito agressivo.

A desvantagem de pressionar alguém é que embora você possa obter as informações desejadas, o preço normalmente é muito alto. Na vida fora do tribunal, nós realmente precisamos nos relacionar com a maioria das pessoas que questionamos. Um questionamento argumentativo pode alterar permanentemente um relacionamento. Desse modo, pressionar ou ameaçar alguém para conseguir alguma informação deveria ser seu último recurso.

Se você não for bem-sucedido imediatamente – não desista!

Por mais cuidado que você tenha ao formular suas perguntas, e por mais atentamente que ouça as respostas, haverá momentos em que não conseguirá o que está procurando. Talvez a pessoa realmente não saiba a resposta ou tenha dificuldade em lidar com o assunto. Talvez ela esteja respondendo de modo evasivo. Ou então sua pergunta não foi clara ou você falou baixo e ela não ouviu direito. Qualquer que seja o caso, não desista se a informação for importante para você.

A primeira regra para uma boa seqüência de perguntas é fazê-las assim que você percebe que precisa delas – idealmente, enquanto a conversa ainda está acontecendo. Você tem de ser um bom ouvinte para conseguir fazer isso.

Puxe o assunto de volta à conversa se perceber que a pessoa está se desviando do tema que você quer discutir. Existem muitos modos de fazer isso sem ser rude ou ofensivo. Entretanto, antes de interferir, espere a pessoa acabar de falar. Lembre-se, não arruine a espontaneidade, interrompendo. Faça sua intervenção assim que houver uma pausa natural na conversa.

Uma das atitudes mais efetivas é assumir plena responsabilidade pela falta de comunicação. Afinal de contas, pode ser que a sua pergunta não tenha ficado clara. Por que não dar o benefício da dúvida à outra pessoa? Você pode admitir que não se lembra se ela lhe deu a informação de que você precisa: "Você pode já ter mencionado isto, mas não me lembro – o que você fazia em seu último emprego?". Ou reconheça que você pode não ter entendido a explicação dela: "Não entendi direito como isso aconteceu. Você poderia explicar novamente?". A pessoa ficará feliz em repetir, a menos que esteja sendo evasiva.

Um pouco de exposição pessoal antes de repetir a pergunta pode aquecer a outra pessoa, e deixá-la suficientemente relaxada para revelar aquilo que você precisa saber. Considere o menino que está relutando em contar a seu pai sobre seu medo de concorrer a uma vaga no time de futebol da escola. Quando o pai lhe pergunta a respeito, o menino pode fazer o possível para fugir do assunto, pois não quer admitir que tem medo de não ser bem-sucedido. Se o pai percebe e diz ao menino que, quando tinha a mesma idade, teve medo de concorrer à vaga no time, o menino provavelmente irá responder dizendo que também sente o mesmo. Agora o assunto está aberto e pode ser discutido. Mas esteja atento para a possibilidade de estar distorcendo a resposta quando você usar essa técnica. Talvez o verdadeiro motivo de o menino não querer concorrer à vaga no time seja que ele não gosta desse esporte e não quer admiti-lo para seu pai. A exposição sugestiva do pai lhe deu uma desculpa aceitável, e ele seguirá esta linha aliviado. Por causa desse risco, eu não sugiro que você use essa abordagem, a não ser que as outras tenham falhado.

Se a pessoa não responder a nenhuma dessas abordagens, experimente outra estratégia. Volte para algum assunto seguro – algo a respeito do qual a pessoa goste de falar. Refaça a conexão entre vocês, e volte para a área onde estavam as sensibilidades aparentes. Se isso ainda não funcionar, abandone o assunto por algum tempo. Espere um momento ou uma situação melhor, ou até que o relacionamento com a pessoa chegue a um ponto em que ela se sinta à vontade para conversar sobre assuntos delicados com você.

Às vezes não existe um modo sutil de ir atrás de uma informação. Se o vendedor não lhe der uma resposta direta, você terá de ser mais objetivo: "Você pode me dizer se este carro teve ou não teve um acidente?". Ou pergunte diretamente ao candidato a emprego: "Você foi demitido de seu último emprego?". Quanto mais difícil for extrair uma informação de alguém, mais significativa essa informação será. Na verdade, em algum momento todo esse exercício perde o sentido – o próprio comportamento reticente e talvez desonesto da pessoa deveria afastar você dela.

OBTENDO INFORMAÇÃO POR INTERMÉDIO DE OUTRAS PESSOAS

Depois de ter lido este capítulo a respeito de obter boas respostas das pessoas, você deveria ser capaz de conseguir a maior parte das informações de que precisa, na maior parte do tempo. Mas existem ocasiões em que você necessita mais do que pode obter usando tato, ou mais do que a pessoa pretende lhe dar. Nessas situações, você descobrirá que pode ficar sabendo muita coisa por intermédio de outras pessoas.

O objetivo deste livro não é treinar detetives particulares, mas as pessoas que têm uma inclinação para isto podem descobrir muitas coisas sobre os outros a partir de registros pessoais e públicos. É surpreendente quanta informação pessoal existe em fontes como Internet, serviços de proteção ao crédito, arquivos dos tribunais, registros escolares, conselhos de exercício profissional e departamentos de veículos motorizados. Durante um programa recente da Associação de Advogados Americana a respeito das questões legais levantadas pela revolução eletrônica, um dos palestrantes demonstrou como ele podia ter acesso ao extrato da hipoteca de sua maravilhosa casa, através do ciberespaço. É assustador, mas com um pouco de esforço e ingenuidade muitos de seus segredos mais bem guardados estão acessíveis a todo mundo.

De modo mais simples, nós podemos ficar sabendo muito sobre alguém por intermédio de seus amigos, familiares, colegas de trabalho e conhecidos, como o empregado que o atende no supermercado. Você normalmente pode saber como os outros se sentem em relação a alguém simplesmente observando o modo como interagem. Os outros o tratam com respeito, consideração, medo, intimidação, amor, preocupação, humor, amizade? Como ele trata as outras pessoas? E você não precisa se basear apenas na observação: pergunte!

É razoável confirmar as referências pessoais, do mesmo modo como um empregador checaria a educação e as referências dos empregos anteriores, mas nós raramente o fazemos. Isto acontece parcialmente por causa de tabus sociais. Você não pode ligar casualmente para a ex-noiva de seu namorado e perguntar qual a opinião dela a respeito dele. Entretanto, não há nada de estranho em dizer à mãe dele: "Deve ser bom quando Joe vai visitá-la". Existe uma grande possibilidade de respostas potencialmente reveladoras, desde "certamente – faz tempo que ele não liga nem aparece" até "eu nunca me canso dos telefonemas e das visitas dele, embora ele faça isto o tempo todo". A primeira resposta dá a imagem de um filho negligente. A segunda sugere que ele tem consideração e é devotado.

Você ficará impressionado com a quantidade de coisas que pode ficar sabendo se gastar um pouco de tempo fazendo perguntas produtivas aos que já conhecem a pessoa que você está acabando de conhecer. E você não precisa se intrometer. Pergunte à esposa de seu chefe numa festa: "Você joga golfe com seu marido?". A questão pode ter inúmeras respostas, e todas podem lhe dizer muito sobre a personalidade e as prioridades de seu chefe. Um rápido "você está brincando – ele leva esse jogo muito a sério", revela como ele é competitivo. "Eu gostaria, e vivo sugerindo isso, mas ele nunca me convida", revela um lado egoísta e insensível. "Nós temos jogado às sete horas de todas as manhãs de domingo nos últimos seis anos, faça chuva ou faça sol", demonstra tanto o compromisso dele com a esposa quanto sua adesão obsessiva a horários e rotinas, por outro lado, indica que ele espera ver lealdade, organização e disponibilidade em seus empregados. Todas essas informações o ajudariam a entender melhor o que é importante para seu chefe e a prever melhor o comportamento dele.

Quando você começar a procurar pelas oportunidades de descobrir coisas sobre as pessoas por intermédio dos outros, você encontrará muitas. Cada uma pode lhe dar uma perspectiva diferente, e quanto mais perspectivas você tiver, mais confiável será a imagem formada.

7

Por que Você Falou Desse Jeito? Os Significados Ocultos na Comunicação Cotidiana

Algumas conversas, especialmente aquelas que abordam assuntos delicados, me lembram cenas dos programas sobre natureza que meus filhos assistem: um passarinho está pousado num ninho no chão. Um predador se aproxima, e o pássaro finge ter uma asa quebrada e se move com dificuldade, levando o predador para longe de seus filhotes. Ou uma cobra está imóvel na grama – exceto pela ponta de sua cauda que se retorce, atraindo irresistivelmente sua próxima refeição.

Existem muitos paralelos entre o modo como as pessoas interagem e as dinâmicas que acontecem no mundo animal. Nós humanos avançamos e nos retraímos, distraímos e atraímos, como fazem todas as criaturas. Afastamos os outros dos assuntos que pretendemos evitar, ou os conduzimos para a direção que queremos. Fazemos isso usando um arsenal de técnicas de comunicação desenvolvidas por causa da sobrevivência social: palavras e tom, ações e até silêncio. Algumas são instintivas; outras são manobras conscientes.

Por mais que seja útil saber como formular perguntas e ouvir as respostas, nem todas as questões são bem-vindas e nem todas as respostas são diretas. Muitas vezes lidamos com assuntos desagradáveis, humilhantes, ameaçadores até. Levamos as conversas para longe de assuntos que revelem nossas fraquezas ou enganos e normalmente tentamos evitar assuntos embaraçosos. Fomos ensinados a não nos vangloriar nem mentir. E a maioria de nós tenta respeitar essas regras não-escritas e outras semelhantes.

Se não queremos admitir nossos fracassos, alardear abertamente nossas realizações nem mentir a respeito de nossos enganos, como lidamos com as situações em que precisamos ou queremos fazer exatamente isso? Recorremos a nosso estoque de manobras verbais e não-verbais. Neste capítulo você aprenderá a reconhecer e a interpretar essas manobras. Os assuntos discutidos aqui vão desde as respostas manipuladoras e outros traços verbais bem diretos até. típicos desvios de conversa e outros hábitos mais complexos. Como todos os outros traços e comportamentos, essas manobras de conversa devem sempre ser consideradas em conjunto com outras características, conforme você for estabelecendo um padrão.

PROCURE O MOTIVO

Quando percebo que alguém pode estar tentando conduzir ou controlar uma conversa, sempre pergunto a mim mesma o que ele está tentando conseguir. Na maioria das vezes identifico seu objetivo quando analiso o comportamento da pessoa no contexto mais amplo da conversa. Algumas perguntas podem fazer com que a resposta apareça, quando ela não fica clara apenas a partir da minha observação.

Mesmo que não exista uma razão aparente para que uma pessoa manipule uma conversa, apenas o fato de se comunicar de um modo específico – dando alguma informação sobre si mesma, vangloriando-se, criticando – pode ter implicações a respeito de sua personalidade. Se alguém menciona uma pessoa famosa por alguma razão específica, por exemplo, isso pode não dizer muito a respeito de sua personalidade. Mas se menciona rotineiramente as pessoas famosas que conhece, mesmo que elas não tenham conexão com o assunto presente, isso indica insegurança, necessidade de aceitação e desejo de chamar a atenção para si mesmo.

As pessoas tentam manipular as conversas por muitas razões diferentes, positivas (não envergonhar ou magoar outra pessoa) e negativas (encobrir uma mentira, enganar ou provocar uma discussão com alguém). Quando você notar que uma pessoa está tentando provocar uma discussão, pergunte-se por quê. O que ela tem a ganhar? O comportamento dela reflete uma tentativa de atingir um objetivo específico, por exemplo, reunir fatos ou proteger a privacidade de alguém? Ou as manobras indicam baixa auto-estima e necessidade de atenção? Continue a conversa até você ter certeza da resposta. Pode ser que precise observar e ouvir atentamente para perceber algumas manobras; estas podem ser muito rápidas. Outras técnicas são fáceis de ver, mas a motivação não é tão óbvia. Qualquer que seja o caso, tente identificar o método e também o motivo. Isso lhe dará um enorme *insight* a respeito da personalidade da pessoa.

RESPOSTAS MANIPULADORAS

Por mais habilidoso que você seja ao formular uma pergunta, certamente irá encontrar pessoas que são igualmente habilidosas em evitá-las. Algumas respostas parecem planejadas para evitar qualquer revelação, enquanto que outras trazem informações não relacionadas com a conversa. Quando você sabe o que procurar, pode avaliar se a pessoa o está levando na direção de um assunto ou para longe dele, e por quê.

Falta de resposta

Existem diversas maneiras de não responder a uma pergunta, desde mudar de assunto até calar-se completamente. Mas antes que você dê importância demasiada à resposta evasiva de alguém, assegure-se de que ele o ouviu e entendeu.

Eu já vi muitas testemunhas bem-intencionadas e inocentes parecerem inicialmente evasivas, apenas para demonstrar mais tarde que estavam tentando responder da melhor forma que podiam. Algumas pessoas não querem admitir que não entenderam uma pergunta, e isso acontece freqüentemente. Outras estão tão preocupadas com outro assunto que saem pela tangente sem nem perceber que não responderam à pergunta. Outras, ainda, entendem a pergunta de modo errado e acreditam sinceramente que deram uma boa resposta. A linguagem e as diferenças culturais também podem fazer com que uma pessoa formule uma pergunta de modo ambíguo e pareça evasiva. Nessas situações, a falta de resposta normalmente é apenas um obstáculo na estrada da conversa. Você conseguirá a informação de que precisa se fizer mais algumas perguntas.

Entretanto, se uma pessoa evita responder a várias perguntas abertas em seguida, você provavelmente tocou algum ponto fraco. Ela pode estar evitando a vergonha, o conflito, a verdade, ou um assunto emocionalmente difícil. Pode também falar sobre algo totalmente diferente, e nesse caso a falta de resposta normalmente não é uma tática evasiva, o mais provável é que a pessoa discuta o que você deseja depois de dizer aquilo que está ocupando a sua mente. Para determinar o que está acontecendo, faça perguntas dirigidas ou, se necessário, focalizadas. Se nem isso funcionar, você terá de tentar obter a informação em outro lugar, ou abandonar totalmente sua busca.

Entretanto, antes de passar a um ataque direto, tente estabelecer uma hipótese consistente a respeito das razões pelas quais a pessoa está relutando em responder. Você precisa ter pelo menos uma impressão dos motivos dela, para poder seguir adiante sem muitos riscos. Muitas pessoas consideram insensível e rude quando alguém insiste em discutir um assunto que elas claramente tentaram evitar.

Não é incomum que um advogado caia nessa armadilha durante uma escolha de júri, e pressione impiedosamente um jurado que está evidentemente envergonhado com um assunto específico. Num caso recente de quebra de contrato, o advogado que representava o homem que tinha entrado com o processo estava questionando um jurado idoso que claramente não desejava falar a respeito do filho. O advogado quis saber a razão. Suas perguntas incansáveis e públicas rapidamente se tornaram ofensivas. Inicialmente, o homem revelou que seu filho estava "preso". Perguntas posteriores revelaram que o filho tinha sido condenado por roubo. Isso deveria ter sido suficiente para que o advogado do reclamante dispensasse o jurado, mas ele continuou a se intrometer, pedindo detalhes sobre a condenação, a duração da pena, em que prisão o filho estava, e a natureza do relacionamento entre pai e filho. A cada pergunta, as respostas do pai ficavam mais curtas, até que ele parou completamente de responder. Ele sabia que seria dispensado do júri, portanto, por que responder? Durante toda a duração dessa cena, eu estava muito consciente da humilhação e do desconforto do homem, e fiquei imaginando por que o advogado continuava a perguntar, especialmente porque esses detalhes não eram relevantes para um caso de quebra de contrato.

Depois percebi que o advogado estava tão curioso a respeito da relutância do homem em falar, que não conseguiu evitar o questionamento; o impulso de conhecer os fatos tomou conta dele. Ao sugerir que a falta de respostas deve ter provocado a curiosidade e mais perguntas, eu não o estou aconselhando a fazer isso sem pensar. Por mais que você possa desejar ou precisar de uma determinada informação, reconheça o momento em que continuar questionando apenas irá afastar a outra pessoa, e deixe para perguntar mais tarde.

Não negar nem explicar quando isso seria o esperado

Do mesmo modo que as pessoas podem reclamar demais, elas também falham em negar uma acusação ou em explicar algum fato, deixando que a verdade fique exposta no silêncio, audível para qualquer pessoa que queira ouvir. O comportamento é semelhante à falta de resposta mas pode ser ainda mais revelador.

A maioria das pessoas é rápida em negar qualquer sugestão de má ação e fica feliz em dar explicações se não tiver nada a esconder. É por isso que, em quase todos os tribunais, os juízes instruem os jurados a extrair uma inferência negativa se uma das partes tiver uma oportunidade de explicar um ponto importante e não o fizer. Tenha em mente essa instrução também quando você estiver deliberando a respeito de alguém fora do tribunal.

Imagine uma mulher que pergunta a seu namorado "você se divertiu na noite passada?", depois de ele ter chegado em casa mais tarde que o normal. Se ele é falante e costuma dar detalhes de suas atividades noturnas, mas desta vez evita os olhos dela e diz simplesmente "foi legal", isso deve soar como um sinal de alarme. Quanto mais comunicativa a pessoa for, mais importância você deve dar à dificuldade em explicar ou negar um comportamento incomum. Para estar totalmente certo de que ela não entendeu errado, puxe o assunto novamente. Se mais uma vez ela deixar de explicar ou de negar, é o momento de considerar os motivos possíveis.

Evitar um assunto, deixando de explicar ou de negar, é especialmente importante porque a maioria das pessoas deseja ser amada, respeitada e entendida. Também desejamos evitar preocupações ou tristezas desnecessárias às pessoas que amamos. Normalmente nos desviamos desses padrões usuais quando a honestidade iria magoar alguém que amamos, ou nos faria perder o respeito dela, sua aprovação e afeição. Nós esperamos que o assunto simplesmente desapareça se nós o ignorarmos.

Mas as pessoas nem sempre estão escondendo algo quando não explicam nem negam. Alguém pode ficar na defensiva em relação a um assunto ou ficar com raiva, porque você continua pressionando-a. Ele pode querer evitar o confronto, acreditando que você irá zombar de qualquer explicação que dê. Pode estar fazendo um jogo, querendo deixar você com ciúmes ou inseguro. Ou ele pode estar tentando controlar você, desequilibrando-o. Pode até ter ficado ofendido com sua sugestão de que ele se comportou de modo impróprio e achar que nem vale a pena responder.

Todos esses motivos são possíveis, mas também são desculpas tipicamente usadas por alguém que realmente esteja escondendo alguma coisa. Sempre suspeito quando ouço essas desculpas, do mesmo modo que suspeitaria se meu filho adolescente chegasse em casa às duas da manhã, e quando eu perguntasse onde esteve, ele respondesse: "Qual é o problema? Você não confia em mim? Eu não acredito que tenha de lhe explicar cada um dos meus movimentos!" Isso soa como culpa. Não deixe que a resposta agressiva de alguém o distraia daquilo que você deveria estar ouvindo.

Respostas curtas

Não há nada inerentemente suspeito nas respostas curtas. Muitas vezes elas são agradavelmente francas e diretas. Ainda assim, a pessoa que constantemente dá apenas respostas curtas é muito incomum – e me faz refletir se as minhas perguntas não pediam mais informação do que ela está dando. Eu ficarei intrigada se as perguntas abertas que pedem uma resposta narrativa forem sempre respondidas com um simples sim ou não.

Para investigar, eu olho para a linguagem corporal da pessoa e ouço seu tom de voz. Uma resposta honesta e sucinta não parece desonesta. Pela mesma razão, alguém que dá respostas curtas porque está nervoso, com medo, na defensiva ou envergonhado não usa a mesma linguagem corporal que alguém que está basicamente à vontade. Respostas curtas são apenas um primeiro sinal de alerta – o significado delas precisa ser confirmado por outras pistas. Um exemplo excelente é o jurado potencial, que eu já mencionei, cujo filho cumpria pena por roubo. As respostas dele eram muito curtas, sua linguagem corporal era extremamente defensiva. Eu podia ver claramente que ele era honesto, mas certamente não estava contente por ser forçado a discutir um assunto tão delicado em público.

Respostas longas

As respostas longas são mais difíceis de interpretar. Existem muitas pessoas que falam muito sem nenhum outro motivo a não ser conseguir atenção, e muitas outras que apenas têm dificuldade de se expressar. Mas às vezes uma resposta longa oculta ou distorce a verdade. *As pessoas que não querem mentir diretamente muitas vezes tentam espalhar a verdade no meio de uma resposta longa de modo que para descobri-la você terá de juntar as peças dispersas. A* pessoa pode dizer a si mesma: "Eu não estou mentindo; está tudo ali. O problema não é meu, se ele não consegue encontrar".

Não suspeite de todas as pessoas e de todas as respostas, mas você será tolo se não procurar possíveis significados ocultos em respostas muito longas. Para testar uma resposta extraordinariamente longa, primeiro pergunte a si mesmo se ela está adequada às circunstâncias. A pessoa respondeu à pergunta, mesmo que de um modo enrolado? Ou agiu como um político, respondendo à pergunta que *gostaria* que tivesse sido feita? Ela revelou muito sobre si mesma em sua resposta, de um modo sincero? Sua linguagem corporal e sua voz refletiram honestidade e abertura? A resposta dela teria sido apropriada, se você tivesse *pedido* uma resposta com duração de cinco minutos?

A seguir, pergunte a si mesmo se a resposta foi coerente, ou desconexa e fragmentada. Se ela foi incoerente, isso pode resultar de nervosismo, falta de habilidade social, insegurança ou confusão. Uma resposta coerente, mas aparentemente não solicitada, pode estar querendo encobrir a verdade, controlar a conversa, pressionar na direção de um assunto específico, ganhar tempo para pensar no que dizer, ou impressionar os outros.

Tenha em mente que algumas pessoas simplesmente são mais articuladas que outras. Alguém que não está acostumado a falar em público pode ter mais dificuldade em se expressar, e como conseqüência pode precisar de mais tempo. Isso não quer dizer que seja inseguro, confuso ou que esteja mentindo. Como sempre, olhe o padrão que se desenvolveu diante de seus olhos antes de tirar qualquer conclusão. Uma resposta desconexa e fragmentada dada por um vendedor de fala escorregadia sugere uma coisa; a situação será totalmente diferente se a mesma resposta for dada por uma pessoa reclusa e nervosa.

Respondendo a uma pergunta com outra pergunta:

- E aí, o que você achou do novo cara de vendas?
- Eu não sei. Qual foi a sua impressão?
- Bem, você não almoçou com ele ontem?
- Por que você está perguntando?

Quando alguém não quer se comprometer, muitas vezes responde uma pergunta com outra. Ele está esperando que você lhe passe mais informações para que possa dar uma resposta sob medida. Será que é seguro admitir que você gostou muito do novo gerente de vendas, ou será que o seu colega discorda? O que ele pensará se você confirmar que almoçou com o sujeito?

Freqüentemente eu vejo essa dinâmica no tribunal: "Como você se sente em relação à pena de morte?". "O que você quer dizer com como eu me sinto?". A jurada pode desejar mais informações antes de se comprometer. Pode querer saber como nós achamos que ela *deveria* se sentir, ou pode ser que queira ter alguma pista de qual seria a resposta mais aceitável socialmente. Quando descobrir isso, poderá responder de um modo que a deixe mais tranqüila.

Fique atento quando uma pessoa responde com uma pergunta. Nem sempre isso significa que ela esteja sendo evasiva, no entanto muitas vezes, é o caso. Também pode estar insegura, envergonhada, ansiosa por agradar ou simplesmente pode desejar um esclarecimento. O motivo pode ser sinistro ou inocente. Por exemplo, suponha que um empregador diga a um empregado: "Eu liguei para a loja ontem à tarde e você tinha saído. A que horas você saiu?". Se o empregado responder: "Quando você ligou?", ele pode estar querendo esta informação para dizer que saiu o mais tarde possível. Por outro lado, pode ter chegado e saído diversas vezes durante a tarde e ter uma boa razão para pedir esse esclarecimento. Não seja muito rápido em julgar duramente uma resposta.

Outra razão comum para as pessoas responderem com uma pergunta é mudar a direção da conversa. Um homem pergunta a sua esposa: "Você quer que eu consiga dois ingressos para o jogo de sexta?". Ela responde: "Você sabe que os Wilson vão estar na cidade neste fim de semana?". Normalmente, existem três significados possíveis para uma resposta assim: a pessoa não ouviu o que você disse; está tentando responder de um modo evasivo, dando-lhe nova informação com a pergunta que faz; ou simplesmente não quer responder. Se ela não quiser responder, pode estar evitando alguma coisa, como por exemplo o fato de já ter feito planos para a sexta-feira à noite sem consultar você. Ou pode ser que ela odeie jogos e queira evitar uma briga. Você precisará de mais uma ou duas perguntas para descobrir qual é o caso.

Algumas pessoas com boas habilidades sociais descobriram que podem fazer os outros falarem e quebrar o gelo quando respondem com uma pergunta. Esses comunicadores natos têm uma curiosidade natural pelas pessoas; eles não devem ser vistos com suspeita. Entretanto, se alguém sempre devolve a pergunta para as outras pessoas e nunca revela nada de si mesmo, eu normalmente suponho que seja reticente.

Existem diversos motivos possíveis para responder a uma pergunta com outra. Para concentrar-se no mais provável, primeiro pergunte a si mesmo se a informação pedida na segunda pergunta era necessária para responder à primeira – por exemplo, para esclarecer um ponto. Se não, a pessoa provavelmente está procurando informação para que sua resposta não pareça tola, tentando descobrir o que você sabe para depois dar uma resposta estratégica, ou procurando pistas sobre a resposta que você aprovaria.

A seguir, considere se a segunda pergunta é uma tentativa de redirecionar a conversa. Se for o caso, ou a pessoa não o ouviu, ou deseja evitar a resposta. Provavelmente você tocou numa questão delicada se ela estiver tentando evitar uma resposta. Continue a perguntar, mas de modo cauteloso.

Procure os padrões mais uma vez. Revise a troca de palavras, no contexto de toda a conversa. Se a pessoa tiver sido sincera nos outros pontos, não existe razão para concluir que ela tem um motivo oculto. Se ela insiste em não responder, e devolve a pergunta, considere a possibilidade de que ela tenha algo a esconder.

CHAMADAS VERBAIS

As palavras que nós escolhemos para expressar nossos pensamentos sempre têm uma função dupla. Além de expressar nossas idéias, revelam nossa percepção do mundo e nosso lugar nele. Alguns traços verbais são especialmente confiáveis como "chamadas", e telegrafam dados básicos sobre o histórico e as crenças de uma pessoa. O uso de gíria, palavras-tema e títulos pode estar tão enraizado que nós raramente temos consciência deles, e isso os torna ainda mais reveladores. A última categoria desta seção, uso de palavrões, é um traço óbvio e igualmente revelador. Cada uma dessas quatro chamadas verbais dão acesso a informações importantes.

Gíria

A palavra "gíria" tem um significado relativamente amplo. Ela pode incluir coloquialismos, gramática ruim e até as palavras mais na moda.

Os coloquialismos podem revelar se a pessoa foi criada num ambiente urbano ou rural e esclarecem as influências culturais e o histórico socioeconômico. Sempre que ouço um coloquialismo especialmente vívido, pergunto qual a origem dele. A resposta normalmente amplia minha compreensão sobre a forma pela qual a pessoa foi criada e a faz falar sobre o seu passado.

As gírias rurais são recheadas de metáforas e imagens, cujo significado pode não ser instantaneamente óbvio para quem vem de outra parte do país. Conheço um homem cujos pais cresceram numa fazenda de criação de gado em Wyoming, e que esbanja coloquialismos de caubói em sua conversa. A gíria que ele usa às vezes parece um pouco estranha, ou até ofensiva para as pessoas desacostumadas com a terminologia das fazendas. Durante uma reunião de negócios com uma executiva importante, ele descreveu a aparência de uma mulher durona e desgrenhada como se ela tivesse "cavalgado muito e ficado molhada". Vendo o choque no rosto da executiva, ele rapidamente explicou: "Essa expressão se refere à aparência de um cavalo que correu até suar, e depois foi colocado no estábulo sem ser escovado". A julgar pela expressão dela, a mulher tinha entendido uma coisa completamente diferente.

Uma gramática ruim, que é um outro aspecto da gíria, pode revelar muito sobre uma pessoa, mas nunca suponha que alguém não é inteligente por não falar corretamente. O mais freqüente é que a má utilização da gramática reflita o histórico socioeconomico e educacional de alguém. Algumas das pessoas mais inteligentes que eu conheço não foram criadas falando um inglês perfeito. Quando encontro alguém que obviamente é inteligente, mas comete erros de gramática, normalmente concluo que seus pais não estudaram muito e que ele também deve ter tido pouca escolaridade formal. Mas preciso acrescentar que existem exceções a esta regra. Usualmente, você pode percebê-las ao dar atenção ao contexto em que a gramática ruim aparece.

Primeiro, examine o ambiente da pessoa, os homens e mulheres que a rodeiam. Algumas pessoas usam conscientemente uma gramática ruim para se integrar num determinado grupo. Outras pessoas usam gíria com a família e amigos íntimos como um modo de relaxar ou mostrar intimidade.

A pessoa pode estar usando gíria intencionalmente para passar uma imagem específica, se puder falar corretamente quando desejar. Será que está representando o papel de cara legal ou de malandro das ruas? Está num ambiente em que não deseja revelar seu nível de educação ou de sofisticação? Escorrega para a gíria quando está empolgada e perde um pouco do controle? As circunstâncias e o contexto, além do grau em que a gíria é usada, irão revelar nuances interessantes da personalidade.

Palavras-tema

O idioma inglês nos dá uma imensa variedade de palavras para descrever aquilo que estamos sentindo ou pensando. A maioria das pessoas usa uma grande variedade de palavras, mas algumas habitualmente se expressam por temas.

Por exemplo, muitos advogados costumam usar termos de combate ou agressão. O vocabulário deles é cheio de termos como "ganho", "batalha", "agressor", "destruído", "confrontado", manobrado", "flanqueado", "estratégia", "nas trincheiras" e assim por diante. Advogados e não advogados que usam a linguagem de batalha revelam sua natureza agressiva, competitiva e com freqüência combativa. Pessoas que evitam confrontos normalmente não usam esses termos para descrever uma ida à quitanda ou a compra de um carro.

Outras pessoas descrevem a vida usando terminologia de esportes, temperando sua fala com palavras como "placar", "chute". As analogias esportivas freqüentemente revelam uma natureza agressiva ou competitiva. A fala esportiva pode também revelar o grande interesse da pessoa por esportes.

Encontro com uma certa freqüência pessoas cuja fala é recheada de alusões sexuais e que são rápidas em indicar qualquer significado sexualmente sugestivo em alguma coisa que alguém disse. Normalmente, esse tipo de pessoa está experimentando para ver a reação dos outros; é um tipo extremo de sedução. E não está limitado aos homens. Embora a maioria dos homens e mulheres que têm esse hábito costumem afirmar que suas intenções são inocentes, a minha experiência diz que suas palavras-tema são uma boa indicação de suas intenções. Eles usam as sugestões sexuais porque isso é exatamente o que está em suas mentes. As pessoas que se sentem à vontade com a própria sexualidade e não estão interessadas na dos outros, não colocam sugestões sexuais freqüentes no meio de uma conversa.

A palavra-tema "honestidade" também pode ser muito esclarecedora. As pessoas que a usam costumam iniciar seus comentários com termos como "francamente", "sendo completamente honesta", ou "dizendo a verdade". Sempre fico desconfiada de alguém que sente a necessidade de me dizer que está falando a verdade. Será que devo inferir que quando ele não disser "francamente" não devo confiar nele?

Como sempre, esteja atento a desvios e extremos. Quanto mais a pessoa se apóia em palavras-tema, mais fortemente ela se relaciona com algum aspecto dessas palavras prediletas.

Uso de pronomes de tratamento

O modo como uma pessoa usa os pronomes de tratamento pode revelar seu histórico geográfico, sua experiência de vida e sua criação. Por exemplo, a maioria dos advogados se refere a "senhoras e senhores do júri", mas eu trabalho com um que sempre diz "homens e mulheres do júri". Esse uso reflete seu passado militar: os oficiais militares, que estão acostumados a se dirigir às tropas, não se referem a eles como senhoras e senhores, mas como homens e mulheres.

Muitas pessoas do sul dos Estados Unidos se dirigem às mulheres com a palavra *"ma'am"* e aos homens com *"sir"*; esta é uma característica daquela cultura. Se eu ouvir alguém que eu saiba ser da Califórnia sempre se referir a homens com *"sir"*, irei supor que ele foi militar. Se eu soubesse que ele era do sul, não faria essa suposição automaticamente.

Um pronome de tratamento também pode ser usado sarcasticamente ou para mostrar respeito – ou pode ser ignorado de propósito. Fiquei cara a cara com essa técnica na primeira vez em que me solicitaram que fosse uma testemunha especialista num julgamento. A questão era se seria possível selecionar um júri imparcial de membros da comunidade onde o caso tinha recebido muita cobertura da mídia. O advogado que me chamou para ser sua especialista se dirigiu a mim como dra. Dimitrius durante todo o meu depoimento. Mas, durante o interrogatório, o advogado da outra parte me chamou de *sra.* Dimitrius. Quando me chamam de sra. Dimitrius numa reunião de pais na escola de meus filhos, eu não concluo que a pessoa está tentando menosprezar minhas qualificações profissionais. Entretanto, no tribunal, era exatamente isso que o advogado adversário estava tentando fazer.

Normalmente é bem fácil descobrir se o uso de pronomes de tratamento reflete histórico cultural, respeito ou outro estado mental, se você perguntar a si mesmo: "Ele habitualmente se refere a todas as pessoas desse modo?". Se a resposta for sim, a pessoa provavelmente usa esse recurso por causa de seu histórico cultural. Mas se não for esse o caso, ela deve estar usando pronomes nessa ocasião específica para transmitir uma atitude específica – respeito, falta de respeito ou sarcasmo. Para saber qual, você precisa examinar o contexto, a linguagem corporal e o tom de voz.

Uso de palavrões

Há vários anos, eu trabalhava com uma consultora de júri muito respeitada que tinha todas as indicações de ser muito profissional, meticulosa e correta. Havia apenas uma exceção: ela usava palavrões freqüentemente e praguejava como um marinheiro. Isso era particularmente surpreendente vindo de uma jovem mulher atraente e bem-educada que se relacionava quase que exclusivamente com outros profissionais altamente educados. A linguagem é muito afetada pela pressão do grupo, e assim todos nós tendemos a nos ajustar ao comportamento das pessoas com quem passamos a maior parte do tempo. O uso de palavrões feito por minha colega, um desvio de seu comportamento normal, provou ser chave para prever sua natureza independente e rebelde.

Os palavrões são muito mais comuns na mídia atualmente do que eram há 15 ou 20 anos, mas ainda são percebidos como um desvio da conversa educada normal. Se alguém pragueja sempre, especialmente em ocasiões inadequadas, isso sugere que ele tem falta de habilidade social, é insensível às reações dos outros ou é irritadiço. Não é incomum que alguém que use palavrões quando está agitado, seja agressivo e tenha um temperamento irritadiço. O excesso de palavrões é ameaçador. Aqueles que exageram em seu uso freqüentemente percebem o efeito que têm nos outros, e podem usar isso como um método de intimidação.

É claro, a maioria das pessoas diz palavrões de vez em quando. Mesmo alguém que tenha um tremendo autocontrole pode soltar um ou dois palavrões quando atinge o polegar com o martelo, ganha na loteria, ou sente algum outro estímulo repentino e intenso, físico ou emocional. Mas quando alguém usa palavrões regularmente ou de modo inadequado, isso não mostra uma perda de controle temporária. Ao contrário, provavelmente isso reflita mais profundamente seu histórico e sua personalidade. *Para avaliar a importância dos palavrões, considere a freqüência com que a pessoa os usa e sob quais circunstâncias.* Não seja rápido demais em julgar alguém que de vez em quando deixa escapar alguns palavrões; em vez disso, tente descobrir o que provocou a explosão.

Recentemente, encontrei-me com uma advogada que conheço há algum tempo. Ela é uma pessoa pequena, muito gentil e que fala muito bem. Entretanto, estava descrevendo um advogado oponente e deixou escapar algumas palavras um pouco mais fortes. Assim que as palavras escaparam de sua boca, ela

177

parou e se desculpou. Nós duas rimos e continuamos nossa conversa. O lapso dela me indicou que sua raiva e frustração eram suficientemente intensas para extrapolar temporariamente suas habilidades sociais. Essa foi uma observação importante, porque me ajudou a entender seus sentimentos intensos com relação ao caso e as pessoas envolvidas nele.

A explosão da advogada também revelou que ela estava ficando mais relaxada na minha presença. As pessoas que normalmente evitam os palavrões estarão mais inclinadas a deixar escapar algumas palavras mais fortes quando estiverem à vontade com você. Quando duas pessoas estão saindo pela primeira vez, elas normalmente evitam os palavrões. Mas quando o casal fica mais à vontade um com o outro, os palavrões podem começar a aparecer nas suas conversas.

DESVIOS NA CONVERSA

As melhores discussões não se parecem com trilhos de trem que cruzam as planícies. Elas dão voltas interessantes à medida que as informações são trocadas e as opiniões expressas. Desvios como pausas "cheias", interrupções e divagação normalmente fazem parte do fluxo. Mas às vezes esses desvios não são o resultado natural da conversa, e sim esforços conscientes de um participante para mudar o assunto. Vale a pena prestar ainda mais atenção quando isso acontece; aquilo que as pessoas *não* querem discutir pode ser extremamente revelador.

A pausa "cheia"

Você está no meio de uma conversa fluente e espontânea. Diz algo, talvez alguma coisa provocadora, ameaçadora ou fora do assunto. Não há resposta. O ritmo da conversa foi quebrado – seja o que for que você tenha dito, pegou a pessoa desprevenida. Ela perdeu-se e está se centrando novamente.

As pausas "cheias" muitas vezes são acompanhadas pelo olhar "suspeito sob holofotes": a pessoa fica quieta e o pânico ou a ansiedade surgem em seu rosto. Ela nem pisca. É como se tivesse acontecido um curto-circuito momentâneo em seu cérebro, e ela está pensando: "Oh, meu Deus, o que eu faço agora?" Nós freqüentemente supomos que pegamos alguém mentindo, quando isso acontece. Mas essa reação também pode indicar que ele está surpreso ou ofendido com aquilo que você acabou de dizer. Quando vejo esse olhar, imedia-

178

tamente me pergunto o que pode tê-lo provocado. Foi a questão sobre a razão de ele ter saído de seu último emprego? Foi a menção ao batom no colarinho dele?

Nem todas as pausas são tão dramáticas. Pausas breves podem refletir raiva, frustração ou até aversão. Muitas vezes, uma pessoa que ficou perturbada precisa de um momento para retomar o controle de suas emoções antes de responder. Se isso estiver acontecendo, você verá um rápido olhar de raiva, acompanhado por um enrijecimento do maxilar, uma careta ou um balançar de cabeça. Se ela estiver frustrada, demonstrará expirando o ar, franzindo as sobrancelhas, virando a cabeça, ou por algum outro sinal. E é possível que a pausa simplesmente signifique que a pessoa pensou uma coisa completamente fora do assunto; pode ter se lembrado de repente que se esqueceu de trancar a porta de casa ou de desligar o fogão. Se for esse o caso, você provavelmente verá um olhar de distração, um olhar distante, e uma contração dos músculos faciais.

Quando acontecer uma pausa "cheia", não tente preencher o vazio com outra pergunta ou com um comentário. Em vez disso, procure pistas no rosto, nos olhos e na boca da pessoa. Pense em que ponto o fluxo da conversa foi interrompido pela pausa. Quais foram as últimas palavras ditas, aquelas que desequilibraram a pessoa?

Interrupções

Como já foi mencionado no capítulo anterior, as interrupções muitas vezes são fatais para uma boa conversa. Nós desejamos que nossos interlocutores ouçam cuidadosamente enquanto falamos, com sua atenção centrada em cada palavra que dizemos. Mas algumas interrupções são inevitáveis. É natural que uma pessoa interrompa quando está empolgada com o que vai dizer, ou quando ela sente que você está tateando as palavras. Entretanto, alguém que interrompe sistematicamente ou em pontos particularmente perturbadores não só desvia a conversa, mas também revela muito sobre o próprio estado mental ou personalidade.

Interrupções constantes ou inoportunas podem ser causadas por impaciência ou tédio — você pode estar indo devagar demais para a outra pessoa, ou falando de um assunto que não interessa a ela. Você pode ser levado a considerar tal comportamento como uma grosseria intencional. Mas ele pode indicar um histórico familiar em que as conversas eram altamente carregadas e competitivas, ou onde as regras de conduta verbal não eram tão estritas. Pode ser difícil quebrar o hábito de interromper, se a pessoa cresceu numa família grande e extrovertida, onde todo mundo falava ao mesmo tempo na hora do jantar.

As pessoas que estão ansiosas para abordar um assunto específico muitas vezes também interrompem para dirigir a conversa para o assunto desejado. Elas querem persuadir você, não ouvir o seu ponto de vista. Essas interrupções muitas vezes são argumentativas. Quanto mais exaltadas e freqüentes forem, mais provável será que você tenha atingido um ponto sensível da pessoa, especialmente se ela não costuma interromper.

As pessoas que interrompem sistematicamente podem também pertencer à categoria geral daqueles que procuram atenção. Querem que você perca o fio e assim todos se centrarão nelas e no que elas têm a dizer. Normalmente, as pessoas que têm este hábito são inseguras e centradas em si mesmas, e farão o que for necessário para dirigir a conversa. Não hesitarão em puxar um assunto completamente diferente para controlar a discussão, ou podem se contentar em prosseguir o assunto presente, desde que elas estejam falando. Se a interrupção levar a um assunto totalmente diferente, isso pode ser um sinal de que a pessoa está pouco à vontade com o assunto abordado.

Algumas vezes não fica claro se a pessoa interrompeu para controlar a conversa ou para chamar a atenção, ou simplesmente porque ela está empolgada com o assunto. A intenção provavelmente será boa, se a linguagem corporal da pessoa transmite entusiasmo, e a interrupção contribui para o diálogo. Mas se alguém interrompe com um comentário totalmente fora do assunto, normalmente estará tentando controlar a conversa, ou para evitar um assunto desconfortável ou para puxar seu assunto particular, ou por estar entediado, impaciente ou ansioso para passar para outro assunto ou mesmo terminar a conversa.

Divagação

É importante distinguir entre um divagador e a pessoa que muda de assunto para controlar a conversa. Os divagadores pulam de um assunto a outro e de pensamento a pensamento de um modo quase aleatório. Sua conversa consiste de muitos desvios. Algumas vezes parecem incapazes de seguir uma linha de pensamento por mais do que alguns segundos.

Descobri que a maioria dos divagadores não consegue controlar seu hábito. Normalmente, eles também não têm um motivo consciente para divagar, exceto nos casos raros em que estão ganhando tempo enquanto pensam no que dizer. A divagação usualmente revela nervosismo, confusão, insegurança, uma necessidade de atenção ou uma falta de concentração mental ou emocional. É incomum que alguém cuja fala costume ser coerente e organizada de repente comece a divagar; quando isso acontecer, procure sinais de embriaguez ou de extrema fadiga ou distração. Se você suspeitar que a divagação de uma pessoa não passa de um tagarelar nervoso, procure confirmações de sua teoria na linguagem corporal.

Mudança de assunto

Nós não temos a lógica inequívoca da mente vulcana do sr. Spock. Nossas conversas dão muitas voltas – e isso as torna interessantes. Mas ocasionalmente uma pessoa muda completamente a direção no meio de uma discussão. Uma mudança brusca normalmente não acontece por acaso.

Quando você perceber que alguém está mudando de assunto, pergunte-se se ele estava inicialmente aberto para o tema, mas fechou-se repentinamente, ou se evitou o tema desde que este foi mencionado. Por exemplo, suponha que uma jovem pergunte a seu marido quando ele pretende ter filhos. Ele responde: "Eu adoraria ter filhos, mas você acha realmente que nós estamos prontos? Podemos arcar com isso? Será que o meu emprego é seguro?". Na conversa que se segue, ele aborda os problemas de seu trabalho. Ele efetivamente mudou de assunto. Entretanto, a mudança foi um desvio natural e se relaciona à pergunta original, que ele estava disposto a discutir. Isso só indica que, para ele, a segurança no emprego está diretamente relacionada a estar ou não preparado financeiramente para ter filhos.

Compare isto com o modo pelo qual a esposa poderia interpretar a resposta se o marido nem revelasse a questão, mas em vez disso, respondesse: "Nem me fale de filhos. Faço tudo o que posso para me manter no emprego", e então começasse a despejar um relato detalhado sobre o chefe, sobre os projetos empacados e os problemas da equipe. Uma mudança tão imediata envia uma mensagem muito diferente. Nesse caso, a esposa poderia concluir que o marido está de fato evitando o assunto.

Normalmente você pode determinar se a pessoa está divagando inocentemente ou se tem a intenção de evitar por completo um assunto, ao avaliar a relação entre o tema original e o novo. Os dois estão relacionados ou esta pessoa mudou completamente de assunto? O único modo de descobrir é ouvir por alguns momentos. Não tente redirecionar a pessoa de imediato, mas em vez disso explore o novo assunto com ela e veja aonde a conversa chega. No final, ela pode retornar ao assunto original – revelando mais informações nesse processo.

Eu vejo isso com freqüência no tribunal. Uma testemunha dá uma resposta que à primeira vista parece ser completamente evasiva. Quando o advogado lhe pede que responda à pergunta feita, a testemunha expressa surpresa, e até fica ofendida, com a sugestão de que estivesse tentando mudar de assunto. À medida que o interrogatório continua, fica óbvio que ela estava sendo sincera, mas sentiu que era necessário iniciar sua resposta com uma explicação que à primeira vista parecia irrelevante.

Se alguém puder responder do jeito que preferir, e ainda assim não voltar mais ao tema, pode estar tentando evitar o assunto original. Existe também a possibilidade de que esteja tão concentrado numa questão especialmente importante para si, que tenha esquecido o que você perguntou. Se você estiver falando com alguém que divaga, puxe gentilmente a conversa de volta à direção original e veja se a resistência continua. Se continuar, você ficará sabendo que o desvio não foi acidental.

HÁBITOS REVELADORES

As pessoas usam diversas técnicas para transmitir seus argumentos ou escapar de assuntos delicados, mas algumas manobras parecem ser muito mais comuns que outras. Talvez seja um instinto animal; talvez nós venhamos equipados com um número limitado de artifícios. Os hábitos descritos nesta seção são aqueles que surgem mais freqüentemente nas conversas cotidianas. Às vezes são inconscientes, mas o mais comum é que sejam usados para provocar uma resposta específica. Depois de se familiarizar com eles, você começará a notar nuances verbais que nunca percebeu antes.

Comportamento defensivo

O capítulo 1, descreveu como a defesa pode distorcer nossas tentativas de ver objetivamente as pessoas. Podemos aprender a refrear nossa própria defesa, mas o que podemos fazer quando a encontramos nos outros? A defesa é extremamente comum e pode terminar com uma conversa em questão de minutos. Se você perceber que alguém está começando a ficar na defensiva, tente rapidamente evitar a ansiedade dele, se quiser manter a conversa.

A defesa surge de diversas maneiras, às vezes passiva, às vezes muito agressiva. Na maioria das vezes é totalmente compreensível – se você estiver sendo atacado ou criticado, é natural que se defenda. Mas mesmo nesse caso, é necessário lidar com a defesa antes que possa haver uma conversa significativa.

O tipo de defesa mais difícil de identificar é a retirada defensiva. Alguém que se retrai quando é atacado normalmente só ficará quieto. O retraimento é difícil de ler; ele pode refletir não apenas defesa mas também tédio, preocupação, introspecção ou até concordância. Normalmente o único modo de descobrir é perguntando. O tom e o conteúdo da resposta devem trazer uma explicação.

No outro extremo do espectro estão as pessoas que atacam agressivamente quando são ameaçadas ou desafiadas. "A melhor defesa é um bom ataque" é um antigo clichê esportivo, e muitas pessoas vivem desse modo. A pessoa que adotou tal mecanismo para lidar com as situações descobriu que pode intimidar os outros e torná-los submissos com a ameaça de um confronto. É típico dessa tática culpar você ou outra pessoa num esforço de tirar o foco de si mesma. Ela também pode tentar fazer com que seu "agressor" se sinta culpado, dizendo como trabalha duro, quanto se sacrifica, ou quanta dor pessoal suportou por causa de alguém. Um gerente pergunta a sua secretária: "Onde está o arquivo das sugestões dos clientes? Você disse que estaria na minha mesa ao meio-dia". A secretária defensiva pode responder: "Nem Susan nem Linda estão aqui hoje, e eu estou cobrindo o trabalho delas. Fiquei sem almoçar e também estou atendendo o telefone. E ainda por cima estou resfriada. Eu me arrastei para fora da cama para vir trabalhar. Nem deveria estar aqui!". A secretária está esperando que suas boas ações superem o arquivo esquecido, ou, pelo menos, que o gerente volte atrás e não comece uma discussão.

O retraimento e a agressão são comportamentos defensivos comuns entre os animais. A maioria, quando acuada, se imobiliza ou ataca repentinamente. Nós, humanos, usamos essas estratégias, mas também desenvolvemos alguns métodos mais sofisticados de lidar com as ameaças. Um desses métodos é professar nossas crenças religiosas, nossos valores familiares, ou nossa moral e ética elevadas. Os políticos são famosos por agir assim. Richard Nixon, acusado em 1952 de aceitar contribuições ilegais em sua campanha, declarou em rede nacional de televisão que a única coisa que tinha recebido era seu cachorro, Checkers. "As crianças, como todas as crianças, amam o cachorro, e eu quero deixar isto claro: independente do que digam a respeito, nós vamos continuar com ele". Nixon estava tentando se defender das críticas, ao professar os valores familiares de um pai devotado e amoroso.

O tribunal é um lugar natural para o surgimento desse tipo de protesto. As pessoas acusadas de comportamento não-ético ou criminal muitas vezes usam seu compromisso religioso como a primeira linha de defesa. Eles também são amigos leais, pais devotados e maridos amorosos. Recentemente encontraram o Senhor e nasceram de novo. Nós ouvimos isso o tempo todo, mesmo quando o réu é culpado de crimes brutais inimagináveis.

Outro comportamento de defesa unicamente humano é desarmar emocionalmente o atacante, elogiando-o. A pessoa que está na defensiva responderá à crítica dizendo: "Você é realmente importante para mim, e me sinto horrível por você estar tão perturbado por causa disto. Eu dou mais valor a sua opinião do que à de qualquer outra pessoa. Sinto tanto que esteja triste comigo. Se não fosse por seu apoio, eu estaria perdido" – e assim por diante, até que o crítico seja varrido por uma onda de cumprimentos. Como ele pode criticar alguém que lhe dá tanto valor? O atacante pode até sentir-se culpado e se desculpar por suas críticas, se não perceber que está sendo manipulado.

Um outro sinal de defesa são os protestos de inocência não solicitados. Foi a esta tática que Shakespeare se referiu quando escreveu "A senhora protesta demais, isto me faz pensar". É natural, e até esperado, que alguém negue ou explique situações de que foi acusado. Mas quando alguém se lança numa longa desculpa por sua conduta antes desta ter sido questionada, está agindo defensivamente. E mesmo que a conduta de alguém tenha sido questionada, a resposta dele pode ser tão exagerada que você ficará pensando por quê.

As causas mais comuns da defesa são a vergonha, a raiva, a culpa, ou ser pego numa mentira. Mas nem sempre se deve colocar a culpa em acontecimentos específicos; algumas pessoas são defensivas até em relação à própria existência. Considere a mulher que é mãe em tempo integral e que se refere a si mesma como "apenas uma dona-de-casa", ou o empregado de uma empresa que se refere a si mesmo como um "escravo do salário". Mesmo que essas pessoas sintam que estão fazendo a coisa certa com suas vidas, aparentemente não sentem que o resto do mundo as respeite por isso. Existe um tipo de defesa difusa em suas personalidades. A dona-de-casa pode expressar suas opiniões políticas defensivamente porque teme que ninguém a leve a sério; o assalariado pode agir de modo arrogante com o vendedor de carro que ele acha que não o está tratando com o devido respeito. Você não entenderá o comportamento deles a não ser que saiba de sua postura defensiva.

Quando você reconhecer os sinais de defesa, pergunte a si mesmo qual poderia ser a causa. Fique firme em sua posição, se a pessoa estiver reagindo por culpa, vergonha, raiva ou para encobrir uma mentira. Não deixe que as diversas manobras defensivas de alguém o distraiam. Se ele não parece ter alguma razão óbvia para se comportar de modo defensivo, considere a possibilidade de que sua atitude esteja mais ligada a uma insegurança básica do que com qualquer coisa que você tenha dito.

Fanfarronice

"Eu não estou me vangloriando – é realmente verdade." Seja ou não verdade, alguém que inclui comentários auto-elogiosos numa conversa está agindo assim por alguma razão. É típico da fanfarronice encontrar uma forma de inserir as próprias realizações num momento em que elas não são relevantes, de citar nomes de pessoas famosas ou de exagerar os próprios sucessos.

Referir-se a suas realizações ou mencionar o nome de uma pessoa por um bom motivo não é fanfarronice. Por exemplo, numa entrevista para emprego é apropriado enfatizar seu desempenho e dar referências que causem boa impressão. Do mesmo modo, não há nada de errado em responder de modo verdadeiro quando alguém lhe pergunta "quanto você ganha?" ou "você foi um bom aluno?". Se você ganha um milhão de dólares por ano e foi um estudante que só tirava dez, então diga isso. Você não deu um jeito de incluir essa informação, apenas respondeu a uma pergunta – e, assim, não está se vangloriando.

Antes de examinarmos os jurados numa sessão aberta, nós costumamos ter uma grande quantidade de informações sobre eles, pelos questionários que preenchem. Mas temos poucas pistas a respeito de quem costuma se vangloriar, porque os questionários não dão muita chance para que isso aconteça. É sempre importante quando, no meio do interrogatório, alguém começa a fazer um discurso auto-enaltecedor a respeito de seu modo justo de ser, sua inteligência superior ou suas realizações surpreendentes.

A fanfarronice não escolhe raça nem classe social. Ela ocorre em pessoas de todas as profissões e com todos os níveis de sucesso. Algumas vezes essas pessoas têm muito de que se vangloriar. Algumas vezes, não. Algumas vezes, as pessoas se vangloriam de algo verdadeiro. Algumas vezes é óbvio que estão inventando. Mas no decorrer dos anos eu notei um traço comum entre os fanfarrões: quase sempre eles não sentem autoconfiança verdadeira. Eles se vangloriam porque precisam de aprovação e de reconhecimento. As pessoas confiantes e seguras, que estão satisfeitas com sua posição na vida não precisam direcionar a conversa para si mesmas e suas realizações.

Quando você observar isto, pergunte a si mesmo se os auto-elogios foram encorajados, como numa entrevista de emprego, ou se apareceram do nada. Eu não daria nenhuma importância se houve alguma pergunta e os elogios forem apropriados. Se a fanfarronice foi gratuita, tente determinar se ela é verdadeira, exagerada ou totalmente falsa. Se for verdadeira, mas inoportuna, você poderia interpretar o comportamento como um sinal de arrogância, falta de confiança ou necessidade de aprovação.

Afirmações muito exageradas ou totalmente falsas são uma indicação muito diferente. Alguém que falsifica suas realizações revela uma profunda infelicidade e insatisfação com a vida, e também uma falta de sinceridade óbvia. Esse comportamento indica um senso de inadequação muito maior do que a pessoa cujos auto-elogios são gratuitos, mas verdadeiros. Em casos raros, as invenções são tão extremas que tenho de imaginar se a pessoa é delirante, e se ela realmente pensa que as pessoas acreditam no que está dizendo.

Recentemente conduzi um julgamento simulado num caso que envolvia o projeto de uma peça de maquinaria. Entre os jurados havia um homem de 55 anos que por muitos anos tinha sido um dos milhares de engenheiros numa grande empresa aeroespacial. Ele foi questionado sobre seu emprego, e sua resposta dava a entender que havia sido uma peça chave no desenvolvimento do esforço espacial norte-americano nas duas últimas décadas. Por diversas razões, tive a impressão de que ele estava exagerando muito.

O júri iniciou suas deliberações depois da apresentação das evidências. O engenheiro aeroespacial tinha uma opinião sobre tudo e era muito egocêntrico. Ele rejeitava rapidamente as opiniões opostas e lembrava constantemente aos outros jurados sua vasta experiência com projetos de produtos. Tudo, desde suas palavras até a linguagem corporal, transmitia insatisfação com a própria vida. Ele interrompia as pessoas no meio da frase, era sarcástico com aqueles que discordavam dele, balançava a cabeça e girava os olhos com frustração e desprezo se alguém dizia algo diferente de sua opinião. Sem dúvida, era um homem que não tinha alcançado o grau de sucesso profissional que esperava. A amargura em sua voz me fez acreditar que ele preferiria responsabilizar outra pessoa ou situação por sua falta de sucesso.

No fim das contas, como eu tinha previsto, as opiniões deste homem varreram a maioria dos outros jurados. Eles permitiram que a atitude agressiva e fanfarrona os intimidasse, persuadisse ou subjugasse. Se tivessem lido o homem corretamente, teriam percebido que era a última pessoa que deveriam ter seguido: ele era motivado por sua necessidade de ser importante, não pelo desejo de ouvir todos os pontos de vista e chegar a uma decisão justa.

Exagero

Imagine uma conversa entre a Senhorita Raio-de-Sol e Eeyore, o burrinho triste das histórias de Winnie, o Ursinho. As afirmações da Senhorita Raio-de-Sol estariam cheias de palavras como "maravilhoso", "o melhor", "perfeito" e "fabuloso", enquanto que as de Eeyore estariam carregadas com "horrível", "medonho", "desagradável", "depressivo". Não haveria lugar para as gradações de cinza.

Todos nós encontramos Senhoritas Raio-de-Sol e Eeyores na vida. Algumas vezes tropeçamos em alguém que exagera igualmente nos positivos e nos negativos. Esse tipo de exagero freqüentemente indica que a pessoa é insegura e está tentando se fazer notar. Se você teve uma experiência ruim com um dentista há alguns anos, ela teve uma ainda pior. Se você conhece um ótimo restaurante italiano, ela conhece o melhor do mundo. Além de ser insegura, as pessoas que cometem esse tipo de exagero muitas vezes estão tentando controlar a conversa e o comportamento das pessoas que participam dela. Se um grupo de amigos está resolvendo a que restaurante irão, eles provavelmente iriam escolher um que fosse "absolutamente o melhor", não é? E quem não deixaria de assistir a um filme que fosse "o pior lixo que eu já vi"?

Algumas pessoas se expressam por meio de extremos não porque queiram controlar o comportamento dos outros, mas porque enxergam a vida desse modo. Os otimistas incluem aquelas pessoas que ficam sinceramente animadas por estar vivas e que expressam seu entusiasmo por qualquer coisa. Mas existem também pessoas que adotam uma atitude jovial numa tentativa de disfarçar um profundo desapontamento com a vida, ou num esforço de mudar, ou pelo menos ignorar, seu destino por meio de pura força de vontade. Elas dizem a si mesmas:

"Se eu agir como se estivesse feliz, ficarei feliz". Pode ser muito difícil distinguir entre uma pessoa que realmente esteja feliz e aquela que construiu uma fachada ensolarada. Às vezes a pessoa que está supercompensando irá abaixar a guarda, revelando sua ansiedade ou tristeza por meio de um comentário ou expressão facial. Mas muitas outras, só o tempo pode fazer essa distinção. Observando e ouvindo a pessoa, e às vezes fazendo perguntas, você acabará sabendo se sua disposição jovial é genuína.

As pessoas intensamente pessimistas e críticas são mais perturbadoras. Elas não estão felizes com a vida e são rápidas em lhe mostrar isso. O pior é que elas parecem querer contagiar a todos a seu redor com a própria tristeza. Existe uma inclinação natural de nos afastarmos desse tipo de pessoa, mas eu tento não fazê-lo. Ao falar com uma pessoa desse tipo, eu tento ser sensível ao motivo de ela ter escolhido tal forma de comunicação. Ela está tentando conseguir algum alívio para sua tristeza? Será que sofreu recentemente alguma perda trágica?

E este livro tem enfatizado sempre que os benefícios de decifrar as pessoas não se limitam a se proteger num mundo às vezes duro, competitivo e desonesto. Essas técnicas também possibilitam que você melhore um pouco o mundo para aquelas pessoas que estão perto de você. Quando você compreender o que motiva as pessoas e aprender como ouvi-las, será um amigo melhor, um chefe mais eficiente, até mesmo um estranho mais compassivo. Assim, embora o instinto lhe diga para se afastar dos Eeyores de sua vida, tente conectar-se com eles, uma ou duas vezes. Pelo menos, você aprenderá um pouco mais sobre a natureza humana.

Comportamento insinuante

A insinuação costuma ser interpretada como uma manipulação direta. Os sinônimos mais expressivos para este traço – adulador , puxa-saco para citar dois dos mais suaves –, confirmam o desprezo com que esse comportamento é normalmente visto. Mas existem momentos em que as pessoas se insinuam para as outras por motivos inocentes. Então, leve em conta o contexto, antes de julgar alguém como um adulador.

Uma pessoa pode tentar agradar por um desejo de fazer com que você se sinta à vontade, inteligente e aceito. Empatia é outro motivo possível. Se você recentemente passou por alguma dificuldade, seus amigos podem lhe dar um apoio tão incondicional que parece que eles aceitarão até a morte por você. As intenções deles são boas, quer você goste ou não de tal comportamento.

As pessoas que não confiam nas próprias idéias algumas vezes oferecem um apoio extremo àqueles a quem admiram. São seguidores, tímidos demais para fazer escolhas próprias. Suas ações podem parecer bajulação, mas não são realmente manipuladoras.

E existem também os verdadeiros bajuladores – aqueles que *são* manipuladores. Eles se dividem em duas categorias: os que se insinuam para obter uma vantagem pessoal, e os que o fazem para ter sua aprovação.

Lembro-me de uma entrevista com uma candidata a um cargo de pesquisa em meu escritório há alguns anos. A moça tinha qualificações excelentes, uma aparência agradável e um jeito cativante. Mas conforme a entrevista continuava, comecei a ter a desagradável sensação de que ela era boa demais para ser verdadeira. Quando lhe disse que o emprego incluía muito trabalho de campo, supervisionar os julgamentos simulados, realizar pesquisas de atitude na comunidade, e assim por diante, ela me assegurou que as tarefas que eu tinha descrito eram exatamente as que desejava fazer. Quando perguntei como ela se sentia por trabalhar numa empresa pequena, respondeu que isso se ajustava muito bem a seu temperamento. Não importava o que eu perguntasse, ela sempre dava uma resposta entusiástica. Ou aquilo era algo combinado nos céus, ou a mulher diria qualquer coisa para conseguir o emprego. Decidi descobrir qual era o caso.

Já tinha estabelecido que essa jovem supostamente não desejava mais nada além de me acompanhar em meu trabalho de campo, e assim perguntei como ela encarava as responsabilidades administrativas que acompanhavam o cargo. Ela respondeu rapidamente que adorava datilografar, organizar arquivos e atender telefones. Quando perguntei como ela se sentia com a perspectiva de minha pequena empresa vir a se fundir com uma grande empresa nacional, ela aparentemente esqueceu que apenas 20 minutos antes tinha dito que era extremamente importante para ela trabalhar num escritório pequeno e informal. Agora, disse que a fusão era "uma possibilidade incrivelmente empolgante"; ela "estava ansiosa pelas oportunidades que isso traria". Ela não conseguiu o emprego: esse comportamento insinuante era claramente um meio para chegar a um fim.

Para determinar se um aparente bajulador está tentando manipular você para obter alguma coisa, ou para receber aprovação, examine bem seus outros traços. As pessoas que usam a insinuação para controlar ou manipular normalmente demonstram algum dos outros traços controladores e manipuladores discutidos nos capítulos anteriores. Elas mostrarão sinais de egocentrismo que não aparecem na pessoa que simplesmente deseja aprovação. Essa pessoa tenderá a ser quieta e passiva, até mesmo nervosa. Se sua aparência, sua expressão e outras pistas indicam uma natureza tímida ou passiva, ela provavelmente não está tentando controlar você, mas sim conseguir sua aprovação.

Autocrítica

A habilidade de rir de si mesmo é uma qualidade admirável. Todos nós fazemos isso de vez em quando. Entretanto, um comportamento extremamente autodepreciativo é uma poderosa afirmação a respeito da auto-estima de alguém. Você deve imaginar qual seria o motivo, sempre que ouvir alguém fazendo mais que uma ou duas observações autocríticas durante uma conversa.

Em primeiro lugar, pergunte a si mesmo se os comentários são formas de quebrar o gelo ou gestos sociais de boa vontade. "Eu perderia minha cabeça, se ela não estivesse grudada" é claramente um comentário casual, a menos que a pessoa repita sentimentos similares tão freqüentemente que você se sinta obrigado a dar uma resposta. Entretanto, quando uma pessoa obesa diz: "Eu sou uma porca, não consigo resistir à comida", isto representa muito mais do que uma simples e leve autozombaria.

Em minha experiência, as pessoas que fazem observações autocríticas amargas são muito inseguras e (obviamente) têm baixa auto-estima. Seus motivos muitas vezes são complexos. Pode ser que esperem que você discorde delas, ou pode ser que busquem incentivo, apoio, ajuda ou simpatia. Alguns comentários autodepreciativos são um esforço para dar o primeiro golpe: elas abordam o assunto, e assim não precisam se preocupar se outra pessoa falará sobre ele. Algumas pessoas até usam observações autocríticas para deixar os outros à vontade. Elas esperam que rindo de alguma falha que tenham, estejam indicando que isso não é um problema para elas e não deve ser para ninguém.

O modo como alguém responde às observações dos outros sobre ela é um bom teste para saber se está apenas rindo de si mesmo ou se realmente é sensível ao assunto. Por exemplo, se um homem fica ríspido sempre que alguém comenta seus cabelos cada vez mais raros, e ao mesmo tempo faz piadas autodepreciativas sobre "os pobres carecas", isso me diz que esse deve ser um assunto muito melindroso para ele. Embora não seja uma indicação de baixa auto-estima geral, provavelmente indica que ele se sente desconfortável com sua aparência.

Se uma pessoa não lida bem com as críticas dos outros, mas critica a si mesma quando você está por perto, é seguro supor que ela quer se aproximar de você. As pessoas que fazem repetidamente esse tipo de comentário esperam por uma resposta. Elas estão observando cuidadosamente para saber se você concorda ou não, se as aprova ou não. Existem muitos modos de responder, mas tenha consciência de que evitar o assunto também é uma resposta, que provavelmente será interpretada como uma concordância com a autocrítica.

O disco quebrado

Todos nós temos temas favoritos de conversa, cordas que gostamos de tocar repetidamente. Temos histórias que gostamos de contar, bons momentos que gostamos de recordar. Entretanto, às vezes você encontra uma pessoa que volta a um assunto específico com uma regularidade cansativa, até que você diga "chega, já basta!". Ela pode estar se repetindo por causa de uma condição mental como senilidade, mas se este não for o caso, essa repetição pode ter dois significados. Ou ela está tentando nervosamente preencher o espaço na conversa em vez de sofrer com os silêncios estranhos ou está enviando um sinal alto e claro de que há algo em sua mente, e quer que você o reconheça.

Eu vi um exemplo muito claro disso durante a escolha do júri num caso da cidade de Los Angeles. Uma das juradas, uma mulher de meia-idade e bem acima do peso, tinha mencionado antes em seu questionamento que aproximadamente aos 18 anos tinha se tornado uma grande mestra num jogo de cartas semelhante ao bridge. Alguns minutos depois, ela nos disse que seu QI estava no "nível de gênio". Um pouco depois, fez outra referência a seu domínio do jogo de cartas e a seu elevado QI. O coeficiente de inteligência de uma pessoa raramente é mencionado durante a escolha de um júri, e quando o é, não se repete meia dúzia de vezes. Essa mulher estava claramente tentando nos impressionar com suas repetidas referências à própria inteligência. A repetição, especialmente quando associada a uma fanfarronice tão óbvia, revelou que ela era insegura, provavelmente por causa de seu peso, e estava buscando aceitação e respeito.

Procure o motivo sempre que você encontrar alguém obcecado com um assunto específico. O que está provocando ansiedade, trazendo alegria ou satisfação, ou parecendo engraçado? Seja o que for, pesa tanto na mente da pessoa que não existe espaço para mais nada. Normalmente, o problema não irá embora se você o ignorar. Não importa quão insignificante seja o assunto para você, a pessoa está ansiando por seu reconhecimento. Não espere que essa pessoa se concentre totalmente em outra coisa, até que você reconheça o assunto que ela quer abordar.

Fofoca

"Eu gosto mesmo da Diane, mas...". "Você já soube que Jim foi despedido?". "Você acreditaria no modo como Joe e Mary se comportaram na festa de ontem à noite?". A fofoca é o instrumento dos inseguros, infelizes, maldosos e manipuladores. Sempre que alguém tenta me atrair para uma conversa com fofocas, fico imaginando o que essa pessoa diz a meu respeito quando eu me afasto.

As pessoas que gostam de fofocar raramente admitem isso, e assim, muitas vezes disfarçam seus boatos como preocupação pelos outros ou como simples bate-papo. Não importa qual a embalagem, a fofoca tem algumas características distintivas. Primeiro, a fofoca é quase sempre negativa. Mesmo que a pessoa comece com um tom positivo, a conversa logo degenera numa crítica. Segundo, a pessoa que fofoca normalmente quer persuadir você de seu modo de pensar ou descobrir a opinião que você tem sobre a vítima da fofoca. Finalmente, a pessoa que instiga a sessão de fofoca normalmente está tentando levantar seu próprio ego, ao menosprezar outra pessoa.

O melhor modo de descobrir os motivos da fofoca é considerar o alvo e o contexto. Os ciúmes e o ressentimento provavelmente serão os motivos se o alvo for um competidor social ou profissional. Se o assunto for um conhecido em comum, o fofoqueiro está querendo descobrir o que você pensa da vítima, ou deseja influenciar sua opinião. Às vezes, a pessoa que está fofocando está estritamente caçando informações: a fofoca normalmente provoca mais fofoca. É também um modo de a pessoa se sentir importante e conseguir atenção.

Dar informações não solicitadas

Por todo o livro eu tenho enfatizado a importância de revelar informação sobre si mesmo. A auto-exposição faz com que os outros se sintam à vontade, incentiva-os a se abrir e os faz confiar em você. Mas existe uma diferença entre ser aberto durante o intercâmbio de uma conversa, e forçar informação sobre você no diálogo, especialmente em momentos não-apropriados. Ouça cuidadosamente sempre que alguém der uma informação espontaneamente. O que ele está lhe dizendo é importante para ele, e também deveria ser importante para você.

Uma coisa é uma pessoa me dizer que é uma alcoólatra em recuperação, se eu perguntei por que ela não bebe. Outra coisa é uma quase estranha se aproximar de mim num coquetel e dizer que está bebendo água com gás por que é uma alcoólatra em recuperação. Do mesmo modo, se pergunto a alguém se ele praticava algum esporte na faculdade e ele me diz que estava no time de futebol, não vou inferir as mesmas coisas que iria se ele me desse essas informações sem eu ter perguntado.

As pessoas normalmente dão informações sobre si mesmas para estabelecer uma conexão com você ao lhe contar aquilo que acham que você quer ouvir ou aquilo que acreditam que irá impressioná-lo. Durante a escolha de um júri, nós sempre estamos atentos às pessoas que falam longamente de como são justas e imparciais. Elas estão claramente tentando vender a si mesmas, o que sempre é um motivo para preocupação. Talvez realmente sejam justas, mas se forem, isto será revelado em suas atitudes em relação a diversas questões. Nós não vamos simplesmente acreditar na palavra delas. O fato de que deram espontaneamente a informação só aumenta as nossas suspeitas: qualquer pessoa que esteja ansiosa por servir como um jurado pode estar dizendo aquilo que pensa que *queremos* ouvir, não o que ela *realmente* pensa.

As pessoas também dão informações espontaneamente como um modo de ocultar aquilo que não querem revelar. Fique atento se a vendedora lhe disser como é religiosa ou ética. Ela pode estar falando isso para que você abaixe a guarda. Sempre me pergunto qual será a razão quando uma pessoa mostra qualquer aspecto de sua personalidade *sem que ninguém tenha perguntado*. A informação espontânea sobre as próprias crenças e hábitos muitas vezes é imprecisa ou exagerada. Essas afirmações de auto-exposição são como flechas de néon flamejante apontadas para áreas que você deve observar com cuidado.

Muitas vezes, as pessoas dão informação não-solicitada sobre suas realizações. Normalmente fazem isso porque estão se sentindo um pouco inseguras e precisam se vangloriar para reforçar o ego, ou talvez tenham a esperança de influenciar a sua opinião sobre elas. Sempre existe também a possibilidade de que estejam simplesmente tentando continuar a conversa.

Outra razão para as pessoas darem informações não solicitadas é avaliar a sua reação a um assunto delicado. Elas desejam evitar o desperdício de energia no relacionamento se aquilo que estão dizendo for criar algum problema. Há vários anos, quando a epidemia de Aids ocupava muito espaço nos noticiários, um amigo me revelou que era HIV positivo. Eu o observei cuidadosamente enquanto ele fazia isto. Ele não estava olhando para baixo nem tentando evitar meu olhar; ao contrário, estava me observando atentamente. Era claro que o modo como eu respondesse seria muito importante para ele. Ele estava me testando. Será que eu iria julgá-lo ou me afastar dele? De um modo similar, conheci várias mães divorciadas que revelavam seu estado civil e o fato de ter filhos em casa, logo no início do relacionamento com um homem. Abordavam o assunto no início, porque sabiam que não haveria futuro num relacionamento com alguém que não aceitasse suas obrigações para com as crianças.

Uma tática similar pode funcionar em situações profissionais. Por exemplo, ao me encontrar com novos clientes costumo informá-los de que tenho filhos pequenos. Ao expor isso, aprendo mais sobre o cliente, que quase sempre irá revelar se também tem filhos. Também comunico minha necessidade de agendar as reuniões com antecedência, pois as obrigações da maternidade não me permitem ter uma disponibilidade imediata. Se isso ficar claro desde o início, o cliente e eu podemos estabelecer regras que funcionarão para nós dois.

As pessoas podem fornecer informações sobre si mesmas para estabelecer limites, avaliar a sua resposta, vender-se ou criar intimidade. Sempre mantenha os ouvidos bem abertos para essas afirmações e lhes dê atenção especial.

Humor

O humor tem muitas faces. Pode ser mordaz e sarcástico, sutil, ofensivo, genuíno ou falso. Pode ser usado para aproximar as pessoas ou para manter a distância. Muitos livros já foram escritos sobre este assunto, e ainda existem alguns aspectos do humor que são subjetivos demais para serem explicados plenamente. Mas é essencial ter uma compreensão básica de como ele é usado na comunicação para poder entender as pessoas.

O humor pode ser usado como uma arma ou como um escudo. Pode ser um poderoso instrumento de agressão, usado para ferir e humilhar. Pode ser usado para escapar da crítica ou para dissipar uma crise. As pessoas freqüentemente usam o humor para disfarçar seus verdadeiros sentimentos; se não ousam fazer uma queixa séria, podem dizer algo engraçado, mas preciso. A mulher que brinca com sua altura pode estar evitando que outra pessoa a mencione, ou sugerindo aos outros que está à vontade com isso.

Sempre observe se o humor é dirigido para alguém em particular, e, se for, se tem algum elemento crítico. Se o empregado chega atrasado e encontra o supervisor, que lhe diz: "Estou feliz que você tenha se reunido a nós", ele deve levar esse comentário a sério, por mais que tenha sido dito em tom de brincadeira. Do mesmo modo, sempre observo quando ouço alguém fazer uma crítica e depois um comentário engraçado, seguido da frase "eu só estava brincando". Normalmente a pessoa não está brincando. Ela apenas está tentando disfarçar sua mensagem.

Se eu achar que o comentário humorístico não foi uma crítica velada, vou procurar por outras motivações prováveis:

- O humor mudou a direção da conversa? Se isso aconteceu, pode ser que esse seja o método predileto da pessoa para obter controle ou atenção. Ou talvez a pessoa esteja tentando distrair você e afastar um assunto que ela preferiria evitar.
- O humor abordou um tema sério e tentou transformá-lo num assunto casual ou leve? Considere a possibilidade de a piada ter sido uma tentativa de evitar o confronto.
- O humor reflete uma tentativa compassiva de mostrar empatia ou compreensão?
- O humor disfarça as emoções que a pessoa não desejava revelar – medo, desapontamento, ciúmes, raiva?
- O humor acrescenta significado ou divertimento à conversa? As pessoas que estão felizes e à vontade com a vida, freqüentemente usam o humor de um jeito natural. Elas não têm nenhum motivo específico. Mas neste caso, a piada não seria a respeito de nenhuma outra pessoa.

Normalmente você pode descobrir os motivos por trás da piada, ao avaliar a natureza da mesma (rude ou calorosa, por exemplo).

Sarcasmo

O sarcasmo é um dos modos mais poderosos de se comunicar. Ele pode assumir diversas formas, como o humor. Mas ao contrário daquele, raramente é inócuo. Quase sempre, as pessoas usam o sarcasmo para expressar uma opinião, uma crença ou uma emoção intensa, quando não desejam demonstrá-la diretamente. Estou sempre alerta para o sarcasmo, quer eu esteja selecionando um jurado ou escolhendo um amigo. O sarcasmo sempre diz muito sobre a pessoa que o usa, quer seja cortante e duro, ou suave e engraçado. Ele fala de raiva, hostilidade, amargura, ciúmes, frustração e insatisfação com a vida. Alguém que recorre a observações sarcásticas, mesmo que sejam ditas de modo encantador, está dizendo: "Cuidado, eu mordo". Ele quase sempre termina no no lado mais extremo de minha escala de "dureza pessoal".

É freqüente que as pessoas que optam por usar observações sarcásticas em vez de se comunicar diretamente sejam inseguras. As pessoas confiantes expressam diretamente seus sentimentos. Elas não precisam atacar pelos flancos. A pessoa sarcástica também é manipuladora; ela tenta influenciar a ação por meio de manobras indiretas, em vez de abordá-la diretamente.

O sarcasmo pode ser extremamente ofensivo. Normalmente ele é dirigido para uma pessoa, e não para um grupo ou acontecimento, e assim quase sempre existe alguém que se sente atingido pela farpa de qualquer observação sarcástica. Com pouquíssimas exceções, o sarcasmo é um modo cruel e insensível de conseguir uma risada ou marcar um ponto às custas de outras pessoa. Sempre esteja atento a alguém que prefira este método de comunicação.

8

As Ações Dizem Mais que as Palavras: A Natureza Reveladora do Comportamento

O julgamento da pré-escola McMartin me ensinou muitas coisas sobre o comportamento humano. Estranhamente, uma das lições que permaneceu comigo por mais tempo não se referia aos réus, às crianças ou ao circo de mídia que envolveu esse julgamento por anos. Em vez disso, ela se referia a um dos jurados, um homem asiático, calado e analítico, formado em engenharia. Quando nós o entrevistamos pela primeira vez, ele parecia ser a quintessência do engenheiro anônimo: roupas sóbrias, arrumadas e limpas; corte de cabelo conservador; voz baixa; gestos precisos e controlados. Enquanto eu o observava na área reservada aos jurados e ouvia suas respostas calmas e inteligentes, nada sugeria que ele seria algo mais que um seguidor tranqüilo quando estivesse no júri.

Mas o comportamento dele com os outros jurados lançou uma luz totalmente nova sobre esse homem. Ao entrar ou sair do tribunal, ele segurava gentilmente a porta para os outros jurados. Organizava grupos para o almoço, e, nas manhãs de segunda-feira, era sempre o primeiro a perguntar sobre o fim de semana dos demais. Além de ser inteligente, ele claramente cuidava dos outros. Pessoas inteligentes e que cuidam das outras assumem a responsabilidade. Ele se transformou no primeiro jurado.

Esta experiência enfatizou o fato de que temos de observar de perto o modo como as pessoas se comportam com os outros se quisermos obter uma impressão completa delas. Todos os outros fatores abordados neste livro – aparência, linguagem corporal, ambiente, voz, até as palavras que as pessoas usam – devem ser vistos em conjunto com seu comportamento real no mundo real. A vida não é apenas uma série de entrevistas individuais entre você e as outras pessoas. Para entender bem as pessoas, você precisa vê-las agindo e aprender a reconhecer quando as ações delas falam mais que as palavras.

A personalidade é revelada, em última instância, por aquilo que uma pessoa faz, não pelo que diz. Algumas pessoas muito evoluídas alcançam total coerência entre o que falam sobre si mesmas e o modo como se comportam, mas para a maioria de nós existe um abismo entre ações e palavras. Isto nem sempre é tão sinistro como pode parecer. É claro, existem momentos em que as pessoas fingem ter qualidades que não são confirmadas por suas ações. Mas também existem diamantes brutos cuja beleza real está oculta atrás de maneiras discretas e retraídas. É muito freqüente que os amigos mais leais, os trabalhadores mais dedicados e os pais mais devotados sejam aqueles que menos se vangloriam. E suas ações é que demonstram isso.

Honestidade, compaixão, confiança, egoísmo, comprometimento e muitos outros traços de personalidade importantes podem ser vistos no modo como as pessoas se comportam com você e com os outros. Algumas vezes, observar o comportamento das pessoas é o *único* modo de você descobrir alguns traços da personalidade delas. Este capítulo irá abordar alguns dos modos mais comuns pelos quais traços importantes são revelados pelas ações. Você saberá que está no caminho certo se o comportamento combina com o padrão cujo desenvolvimento observou. Caso o comportamento aponte numa direção diferente, sugiro que você acredite no comportamento.

COMO AS PESSOAS TRATAM OS OUTROS

Você encontra dezenas de pessoas todos os dias, a não ser que more numa fazenda distante. Os encontros podem ir de uma conversa íntima de três horas com sua namorada, a um aceno amigável ao homem que lhe dá passagem no trânsito, ou a um gesto irritado para alguém que lhe dá uma fechada de carro. Cada uma dessas interações revela um pouco de nossa personalidade. A maioria das pessoas atinge um surpreendente grau de consistência – no decorrer do tempo, e nas centenas de encontros que temos todas as semanas. Nós podemos assumir uma expressão especialmente educada num primeiro encontro ou numa entrevista para emprego, mas finalmente nossa personalidade real transparece e se mostra sem disfarces.

Ao encontrar pessoas novas, e tentar obter uma maior compreensão sobre seus velhos conhecidos, você terá muitas oportunidades de observar o modo como elas tratam as outras pessoas, além de você mesmo. Três grupos de pessoas são especialmente reveladores: colegas de trabalho, crianças e pessoas do "cotidiano".

Interação com colegas de trabalho

O local de trabalho é um pequeno reino, quer seja um grande edifício de escritórios ou um posto de gasolina. Existe sua majestade o patrão, os cavaleiros do reino e os servos. Isto quer dizer que, a menos que você esteja lá no alto ou bem embaixo da hierarquia, você lida diariamente com superiores, colegas de trabalho e subordinados. Freqüentemente essas interações são políticas, e sempre são delicadas. O modo como as pessoas lidam com elas reflete muitas facetas de sua personalidade.

O modo como um supervisor trata seus subordinados diz muito sobre ele. O poder embriaga, e muitas pessoas não sabem lidar com isso. O supervisor que é gentil, respeitador e amigável com seus subordinados tende a ser autoconfiante, compassivo, generoso, expansivo e preocupado com o modo como os outros o percebem. A supervisora que trata seus subordinados como empregados é insegura, dominadora, insensível e sem cuidados, não apenas no trabalho mas também nas outras áreas de sua vida. As pessoas não giram um botão e tratam os subordinados de um jeito, e a esposa e amigos de outro.

Quando nós selecionamos jurados, uma das perguntas mais importantes que fazemos é se eles são supervisores no trabalho, e se forem, quantos subordinados têm. As pessoas que passam muito tempo numa posição de controle e de responsabilidade sobre os outros tipicamente levam para casa essas atitudes do local de trabalho. Não é surpreendente que elas com freqüência sejam os primeiros jurados.

A atitude de um empregado com relação a seu patrão é tão reveladora quanto a atitude do patrão diante dos empregados. Alguns empregados são rabugentos e amargos, ressentidos, insatisfeitos com suas vidas, bravos, frustrados e até invejosos. Outros são ansiosos por agradar, às vezes até a ponto de bajular; isto indica falta de sinceridade, uma personalidade manipuladora e necessidade de aprovação. Outros ainda são respeitosos, responsáveis e cooperativos; isso reflete segurança, auto-estima elevada e aceitação de seu papel no trabalho. Normalmente, as pessoas que estão à vontade com sua posição profissional também estão satisfeitos em suas vidas, de modo geral.

Dê uma atenção especial ao modo como as pessoas tratam seus iguais no trabalho. Alguns são jogadores em equipe, que apóiam e cooperam. Outros parecem acreditar que seu sucesso no trabalho depende do fracasso dos colegas. São individualistas e críticos; tipicamente não estabelecem relações sociais com os colegas. Quanto melhor for o relacionamento entre uma pessoa e seus colegas, maior será a probabilidade de que ela seja autoconfiante, satisfeita com sua situação na vida e sensível aos outros. Por outro lado, se é competitiva, individualista, invejosa e egoísta no trabalho, por que você iria imaginar que pudesse ser diferente em casa?

Interação com crianças

As crianças chamam a atenção a seu próprio modo. Algumas pessoas ficam instantaneamente à vontade com elas, enquanto que outras, mesmo que também sejam pais, nunca pegam o jeito de se comunicar com crianças. Seria injusto supor que o último tipo é travado ou descuidado; em grande medida, a facilidade de lidar com crianças é um traço não-opcional. Mas o modo como as pessoas tratam e educam os próprios filhos pode ser muito útil quando você deseja avaliar seus valores e suas atitudes para com os outros.

Tenho amigos cujos dois filhos pequenos sempre são incluídos no início de qualquer jantar. Seus pais os apresentam a cada um dos convidados, que são saudados com um educado "boa noite, sra. Dimitrius" ou "boa tarde, sr. Mazzarella". Quando chega o momento de jantar, os adultos vão para a mesa de jantar. Enquanto isso, as crianças têm uma refeição especial, em separado dos adultos, que podem então conversar animadamente e sem interrupções. Meus amigos têm orgulho de seus filhos e são sensíveis à necessidade de eles serem incluídos – mas são igualmente sensíveis ao fato de que muitos convidados adultos aproveitarão mais a noite se o jantar não for dominado por crianças correndo, por copos derrubados e por descrições incompreensíveis do mais recente jogo de vídeogame.

Conheço um outro casal cujos três filhos têm permissão de correr não só pelo meio de suas festas, mas também nas casas onde os pais são convidados.

Essa insensibilidade para com os anfitriões e os demais convidados reflete egocentrismo e falta de consideração pelos outros. Também reflete dificuldade em assumir uma responsabilidade pessoal.

A maior parte das pessoas está entre esses dois extremos. Nós alertamos nossos filhos para não pegar os objetos de uma loja de *souvenirs*? Pedimos que fiquem quietos no cinema? Brincamos com eles? Nós os incluímos em nossas conversas, ou acreditamos que as crianças "só devem falar quando alguém falar com elas"? Respostas afirmativas a essas perguntas e a outras semelhantes podem revelar consideração, cuidado, sensibilidade aos outros, compaixão, paciência e até bom humor e tendência a ser brincalhão. Uma resposta negativa pode revelar exatamente o oposto. Existe muito a aprender, e sempre vale a pena dar atenção.

Interação com pessoas do "cotidiano"

Saí recentemente para jantar com uma amiga e seu novo namorado. Ela havia me dito por semanas como ele era uma pessoa envolvente, gentil, cheio de consideração. Ele a tinha deixado nas nuvens. Mas depois de alguns minutos, eu pensei: "Puxa, ele a está enganando direitinho". No restaurante, ele anunciou a reserva à *hostess*, sem nenhum lampejo de cortesia. Continuou interrogando o garçom sobre o menu como se estivesse realizando uma investigação criminal e depois olhou feio para o ajudante de garçom que esbarrou nele ao servir a água. Enquanto isso, despejava charme e graça para as pessoas em volta da mesa, que obviamente considerava dignas de sua atenção e de seu bom humor. Era claro para mim que ele só era uma pessoa agradável quando isso o favorecia. As "pessoas sem importância" obviamente não contavam.

Fiz esta mesma observação a respeito de muitos jurados no decorrer de minha carreira. Não é incomum que um jurado seja educado, solícito e respeitoso com os advogados e juízes, e seja totalmente rude com seus colegas jurados e com os empregados do tribunal. Ele pode deixar que a porta se feche atrás de si, mesmo que haja um outro jurado bem atrás, ou pode empurrar a multidão ao entrar ou sair do tribunal, ou pode chocar-se descuidadamente contra os joelhos dos outros jurados enquanto se dirige para seu lugar no júri. Eu presto atenção cada vez que vejo alguém agindo de modo descuidado ou rude, pois é muito importante avaliar a posição de uma pessoa na "escala de dureza pessoal" para entender sua personalidade.

Também é freqüente que os advogados tenham atitudes completamente diferentes com relação ao juiz e a outros empregados do tribunal. Algumas vezes, eles podem ser amigáveis e respeitosos com os empregados, com o repórter do tribunal e com o meirinho, se o juiz ou os jurados estiverem presentes. Mas se ninguém "importante" estiver olhando, eles passam a ser rudes. Se um advogado trata o pessoal do tribunal de modo desrespeitoso, ele está demonstrando sua arrogância, a natureza controladora e talvez sua insegurança. Isso também revela pouca autocrítica, pois na maioria dos tribunais, o juiz tem um bom relacionamento com sua equipe. E os abusos dos advogados chegam logo aos ouvidos do juiz – normalmente durante o próximo recesso.

Sempre que estou avaliando o caráter de alguém, dou atenção especial ao modo como ele se relaciona com o empregado da mercearia, com o caixa do banco, com o frentista do posto de gasolina, com o garçom do restaurante e com qualquer outra pessoa que ele encontre. A pessoa sempre passa pelo voluntário do Exército da Salvação sem dar nenhum trocado? É do tipo que sempre escreve bilhetes de agradecimento e envia cartões desejando melhoras de saúde, ou dá presentes? Ela olha brava para a funcionária que está tendo problemas com a caixa registradora, ou lhe dá um sorriso reconfortante?

Pessoas verdadeiramente gentis, com consideração e confiantes não tratam os outros de um modo muito diferente de acordo com seu estado de espírito ou de sua percepção do que alguém possa fazer por ela. Portanto, *se você observar como alguém age com as "pessoas do cotidiano", poderá ter uma idéia bastante boa a respeito do modo como ela agirá com você quando seu relacionamento estiver mais estabelecido.*

LENDO O GRUPO

Algumas situações são feitas sob medida para observar as pessoas. Nesses ambientes você pode observar como alguém lida com as pessoas de quem gosta, com as pessoas que não suporta, com a família, com colegas de trabalho e com estranhos. Você já participou muitas vezes dessas situações, mas da próxima vez, reserve um momento não só para observar as pessoas a sua volta, mas também para decifrá-las.

O jantar em família

Em muitos filmes famosos, a cena crucial acontece ao redor da mesa de jantar da família. Este é o lugar perfeito para os dramas, e além de ser divertido de observar, traz muitas informações, especialmente se não for a sua família.

O jantar em família pode ser extremamente revelador, especialmente se estiverem presentes os pais, a esposa ou esposo, os irmãos e os filhos de alguém. Uma coisa é certa, você pode ter uma impressão do histórico da pessoa. Como foi mencionado no capítulo 2, o histórico de uma pessoa é um fator chave para a previsão. O modo como a pessoa foi criada, e por quem, terá uma enorme influência no tipo de pessoa que ela é. Os psicólogos afirmam que as práticas de criação infantil costumam se perpetuar: aqueles que foram criados com críticas transformam-se em pessoas críticas, aqueles que foram criados com amor transformam-se em pessoas amorosas, e aqueles que foram criados com incentivos transformam-se em pessoas sustentadoras. Ao observar o modo como os pais de alguém tratam a ele e a seus irmãos, e o modo como ele os trata, você pode obter uma impressão acurada a respeito do modo como ele foi criado e como provavelmente irá tratar os outros.

O relacionamento de alguém com sua esposa também diz muito sobre ele. Ele espera ser servido ou se oferece para encher os copos vazios, arrumar e limpar a mesa e lavar os pratos? Ele dirige a conversa, ou senta-se passivamente, só observando? Ele é afetuoso ou distante?

A mesa do jantar é também um bom lugar para observar como uma pessoa trata seus filhos. Ela os inclui na conversa? Ela está atenta aos modos deles à mesa? É calorosa e afetuosa? Está relaxada e à vontade com seus filhos ou é crítica e tensa? É paciente ou tem pavio curto? Observe as sutilezas e o modo como os filhos se comportam com os pais. Eles são tímidos ou confiantes? São educados ou lhes falta respeito?

Mantenha seus olhos abertos se você passar algum tempo com a família antes ou depois da refeição. Existem risos e brincadeiras na casa? A família se senta imóvel na frente da televisão até que o jantar seja servido ou as pessoas conversam? Qual é o assunto da conversa? Você pode encontrar alguma evidência de projetos familiares – um quebra-cabeça, projetos de arte, um prato de biscoitos decorados pelas crianças? Existe algum animal de estimação? Como os membros da família interagem com ele?

203

É comum que da primeira vez em que você faz uma refeição com a família de alguém importante para você – um possível companheiro, um novo amigo, um sócio nos negócios – você esteja nervoso demais e tão preocupado em causar uma boa impressão que não consiga observar muito o que está acontecendo. Se puder focalizar sua concentração e realmente olhar a seu redor, você terá uma amostra muito valiosa do que o espera se seu relacionamento se desenvolver.

Um local de trabalho, que não seja o seu

Eu adoro ir ao consultório do meu dentista. Não é que eu tenha uma atração masoquista por Novocaína e por obturações. É que eu simplesmente me sinto revigorada nesse ambiente. Meu dentista, sua assistente e a recepcionista trabalham juntos há anos. Há risos constantes, piadas e perguntas amigáveis sobre os acontecimentos da vida de cada um. Eu me sinto inspirada pela competência, a boa vontade e a gentileza com que as pessoas do consultório interagem umas com as outras e com os pacientes. Num mundo perfeito, todos os consultórios de dentistas seriam assim.

Antes de conhecer mais sobre as personalidades individuais no consultório do meu dentista, eu pude adivinhar muito sobre elas apenas observando o ambiente que criaram juntas e o modo como tratavam umas às outras. O riso me diz que elas são amigáveis, abertas e que não levam a vida demasiado a sério. Ele também sugere que elas estão satisfeitas com seus empregos e com a vida em geral. Nunca as ouvi fofocando a respeito de ninguém. Todas são muito profissionais e competentes, e nenhuma parece estar oprimida ou presa, ou ser forçada a trabalhar demais em suas tarefas. A sensação geral é de igualdade, respeito e trabalho em equipe. Na verdade, se eu não soubesse que num consultório de dentista, o dentista costuma ser o chefe, eu provavelmente consideraria a recepcionista como sendo a liderança, pois é ela quem sempre dirige o andamento do trabalho.

O que posso supor a partir de tal ambiente de trabalho? Esse ambiente reflete mais intensamente o modo de ser do dentista. Ele contratou a equipe, e alimenta o ambiente. Embora os outros membros sejam igualmente dedicados e cooperativos, ele tem o crédito por criar e manter essa atmosfera, pois tem a maior parte do controle sobre ela. O fato de que sua equipe permanece com ele por muitos anos, não só indica que ele é uma pessoa agradável e um bom administrador, mas também que lhes paga um bom salário. Ele é generoso não só com os elogios, mas também com seu bolso – um traço bastante incomum.

Você pode descobrir diversas coisas importantes quando entra no local de trabalho de alguém. Primeiro, a atmosfera lhe dirá qual o tipo de pessoa que dirige o local. Esta pode ser uma pista importante sobre a pessoa que você está avaliando: por que ela escolheu este local de trabalho e este patrão? Será que gosta da atmosfera ou odeia ir trabalhar todos os dias? Os outros empregados são bem-humorados ou ranzinzas? Eles estão cansados e sobrecarregados, ou são cheios de energia? Depois de avaliar a atmosfera, dê uma olhada para ver como a pessoa que você está "lendo" se encaixa nela. Se for uma atmosfera saudável, ela parece estar contribuindo para isso, ou fica cinicamente de lado? Se for uma atmosfera tensa e desagradável, ela parece notar e se preocupar, ou dá de ombros e diz: "Esta é a vida na cidade grande"?

É essencial procurar as razões pelas quais alguém se dispõe a trabalhar numa atmosfera tensa e cheia de pressão. Por exemplo, muitos grandes escritórios de advocacia têm a reputação de ser "panelas de pressão". Os advogados, especialmente os jovens, têm jornadas de trabalho incrivelmente longas e pouco tempo para si mesmos ou para suas famílias. Se a única informação que possuo sobre alguém é que ele trabalha em um desses escritórios e está feliz e satisfeito lá, sei que ele provavelmente é agressivo, responsável, confiante, inteligente e tem força de vontade. Também posso supor, com certo grau de certeza, que sua família não é prioridade; ele é ambicioso e provavelmente autocentrado. Sempre existem exceções, mas este é meu viés, e ele tem sido reforçado muitas vezes à medida que conheço pessoas que vicejam em ambientes como esse.

O piquenique da empresa

Uma festa ou um piquenique da empresa é uma excelente ocasião para observar seus colegas de trabalho. Talvez você os veja todos os dias no bebedouro, ou em reuniões de equipe, mas acontecimentos festivos podem lhe dar uma visão diferente muitas vezes mais reveladora. É freqüente que nessas ocasiões todos estejam tão ocupados se divertindo que não passem muito tempo observando os outros. Mas onde mais você poderia ver alguém interagindo com o chefe, os colegas, subordinados, amigos, esposa e filhos (e com os filhos e as esposas dos outros também)?

Repare em quem organiza os jogos e quem participa deles. Quais são os sociáveis e quais são mais introvertidos? As pessoas passam seu tempo se misturando à vontade com superiores, colegas e subordinados, ou ficam com seus pares? Como elas se relacionam com as crianças? Como elas tratam as esposas? Quem fica junto com o companheiro e quem o deixa de lado?

Se você aplicar aquilo que aprendeu nos capítulo anteriores, poderá indicar os líderes, os seguidores e os solitários. Você descobrirá quem é confiante e quem é inseguro; quem está feliz e quem está descontente; quem é amigo de quem, e quem não tem amigos. Assim, não fuja do próximo acontecimento da empresa. Vá, observe e aprenda.

A sala cheia de gente

Se você nunca foi a uma festa, um casamento ou outro grande evento em que não conhecia quase ninguém, e ficou observando para tentar decifrar as pessoas, experimente fazer isso. É uma ótima oportunidade para tentar perceber diversos tipos de pessoas.

Encontre a pessoa com a voz mais alta, e observe como ela se move pela sala. Ela se aproxima das pessoas com quem fala? Senta-se perto delas? Domina as discussões? Observe a observadora. Veja como ela reage quando alguém se aproxima. Veja como segura o drinque, e se ela dá pequenos goles nervosos, ou bebe de modo lento enquanto circula pela sala. Observe a fila no bar ou na mesa do bufê, e veja quem empurra e quem dá espaço gentilmente para os outros. Identifique quem assume a liderança e organiza atividades, faz brindes, apresenta as pessoas, ou se assegura de que as necessidades das pessoas sejam satisfeitas.

Em essência, é isso que nós fazemos quando escolhemos os jurados. Nós não observamos apenas a aparência física, fazemos perguntas e ouvimos as respostas; nós observamos o modo como as pessoas interagem. Um ótimo exemplo vem de um caso em que o réu era acusado de um esquema de assassino de aluguel, que envolvia a religião Hare Krishna. A jurada era uma mulher branca, de meia-idade e séria. Nada em sua aparência, histórico ou respostas durante a escolha do júri, sugeria que ela seria simpática ao réu ou ao movimento Hare Krishna.

Mas ela olhava constantemente para o réu, de um modo quase maternal, com olhos gentis e calorosos, e sorria suavemente sempre que ele olhava para ela. Ao contrário da maioria dos jurados, ao entrar ou sair do tribunal, ela não se afastava ao máximo do réu, mas parecia quase tentar estabelecer um contato, caminhando perto dele.

As ações dessa mulher me diziam de modo bem claro que ela se conectava de algum modo com o réu. E no fim das contas, ela foi uma excelente jurada para a defesa. Na verdade, depois do julgamento ela ficou amiga do réu.

A prática de observações como esta irá revelar muito sobre as personalidades que você estudar numa sala cheia de gente. Algumas pessoas parecem tentar dominar o grupo. Elas se colocarão na cabeceira da mesa ou no lugar em que a maioria das pessoas está. Serão barulhentas e controlarão quase todas as conversas de que fizerem parte. Essas pessoas, que aparentemente são confiantes, podem na verdade ser as mais inseguras. Inegavelmente, estão buscando atenção.

Existem também os observadores. Normalmente eles se colocam numa posição na periferia da sala, de onde podem observar tudo. Falam com uma pessoa por vez, e enquanto isso continuam a examinar o ambiente. Os observadores podem se retirar para seus postos de observação porque não se sentem à vontade em grupos grandes. Entretanto, também é bem possível que eles estejam perfeitamente à vontade mas prefiram se sentar na periferia. Eu quase sempre posso discriminar qual é o caso: se alguém se aproxima de um observador, e se afasta na primeira oportunidade, revela que está pouco à vontade e que se entrincheirou em seu posto de observação por causa disso. Se, por outro lado, ele se envolve na conversa por um período de tempo razoável, mas depois se afasta gentilmente para encontrar outro posto reservado, demonstra que não está especialmente pouco à vontade com grupos grandes, mas que, por alguma razão, nessa noite optou por ficar nos cantos.

As pessoas que ficam pouco à vontade em grupos grandes tendem a mexer-se de modo nervoso e mudar com freqüência de lugar. Elas evitarão o contato com os outros. Irão resistir quando alguém tentar atraí-las para as atividades que estiverem acontecendo. Conheço um homem que sempre procura uma televisão que possa assistir, mesmo que seja um convidado na casa de outra pessoa. Outros disfarçam seu retraimento com uma excursão para olhar um quadro no hall ou ver o paisagismo do jardim. Esse tipo de reação em meio a um grupo pode revelar muitas coisas diferentes. Talvez a pessoa esteja preocupada com outros assuntos e simplesmente deseje ficar só por alguns instantes. Ela pode também estar muito deslocada e estar tentando fugir.

Conheço um advogado que tem o hábito desconcertante de olhar sobre os ombros das pessoas enquanto as cumprimenta numa sala lotada. Ele está avaliando se existe alguém em que valha mais a pena centrar sua atenção. Isso obviamente reflete arrogância e lhe dá uma posição baixa em minha "escala de consistência" pessoal.

Outras pessoas se apegam rapidamente a alguém e passam horas sem falar com mais ninguém. Talvez essas duas pessoas tenham muito a conversar. Mas se não for o caso, elas provavelmente se sentem desconfortáveis em grupos.

Outras, ainda, passam por toda a sala, indo de pessoa a pessoa, como se houvesse um prêmio para quem apertar mais mãos. De modo geral, as pessoas mais confiantes e expansivas serão muito mais sociáveis em grupos grandes, mas não sentirão a necessidade de passar de pessoa a pessoa.

Você nunca precisa avaliar essas interações isoladamente. As observações gerais que mencionei aqui podem ser confirmadas pela aparência física, a linguagem corporal, a voz e outras pistas. Mas se essas outras pistas o convencerem de que a interação da pessoa com um grande grupo não se encaixa em seu padrão geral, você pode dar pouco peso a essas observações. Assegure-se entretanto de levar isso em conta.

VOCÊ OBTÉM AQUILO QUE VÊ?

Todos nós gostaríamos de acreditar nas pessoas quando elas nos dizem como são honestas, gentis e responsáveis. Nós podemos até nos sentir um pouco culpados por duvidar daquilo que as pessoas dizem sobre si mesmas, especialmente se elas são amigas próximas ou membros de nossa família. Entretanto, a experiência pessoal nos ensinou que nem sempre podemos acreditar nas aparências.

Algumas características básicas são importantes independente de qual seja sua relação com a pessoa. A honestidade comumente está bem no alto da lista. Quer você esteja procurando um companheiro ou um carpinteiro, você quer saber se vai obter aquilo que vê. Aqui estão algumas áreas que devem ser levadas em conta quando você estiver avaliando como uma pessoa é realmente.

Honestidade consistente

É surpreendente como uma pessoa que se diz honesta, e que até acredita em si mesma, irá revelar muitas vezes um certo grau de "flexibilidade na honestidade" de suas ações cotidianas. É fácil perceber uma falta de honestidade básica se você mantiver olhos e ouvidos bem abertos.

A pessoa liga para o emprego e diz que está doente quando deseja ter um dia de folga para fazer compras ou esticar o fim de semana? Ela exagera nos fatos quando está tentando provar algo? Ela reconhece que está atrasada porque se enganou ao marcar seus compromissos, ou conta uma pequena mentira sobre o trânsito ruim, problemas com o carro ou abdução alienígena? Ela inventa histórias sobre suas realizações passadas para impressionar os outros? Avisa a caixa do supermercado que recebeu troco demais? Observo muito cuidadosamente esses comportamentos.

Do mesmo modo que nós queremos que as outras pessoas acreditem que somos honestos, queremos acreditar que os outros são honestos conosco. Mas por que deveríamos acreditar que alguém que mente para os outros quando lhe é conveniente ou favorável não iria se comportar do mesmo modo conosco? *A verdadeira honestidade, como os outros traços de caráter, é marcada pela consistência.*

Se alguém é desonesto com você, fará tudo para disfarçar esse fato. Mas, surpreendentemente, não se dará ao trabalho de esconder sua desonestidade para com os outros! É como se a desonestidade não importasse se fosse dirigida para outra pessoa. Não seja tolo a ponto de pensar que você é tão diferente e especial que ninguém iria sonhar em enganá-lo. *Uma pessoa será exatamente tão desonesta com você quanto é com os outros.*

Falar é fácil: como reconhecer os valores e as prioridades das pessoas por meio de suas escolhas

A vida está cheia de escolhas: tempo livre *versus* sucesso na carreira, família *versus* amigos, compromisso *versus* liberdade. Costumo dar mais peso às escolhas de uma pessoa do que às crenças que ela diz possuir. Se ela diz acreditar em uma coisa, mas suas escolhas mostram algo bem diferente, observo os valores refletidos em suas escolhas. *As escolhas refletem os valores de uma pessoa; as palavras refletem aquilo que ela quer que você acredite a respeito de seus valores – ou os valores que ela gostaria de ter.*

Falar é fácil. Se possível, aquilo que é dito deve ser confirmado pelas ações. Se você quer saber se o seu marido realmente coloca o casamento à frente do trabalho, você pode se perguntar qual a freqüência em que planos para o jantar, idas ao cinema, férias, ou assistir aos jogos dos times das crianças são sacrificados em favor das exigências do trabalho. Se você quiser saber se realmente está na lista de clientes preferenciais de seu fornecedor mais importante, não confie apenas no que o vendedor diz, lembre-se do que aconteceu da última vez que o estoque de um produto estava baixo e ele teve de decidir qual de seus muitos clientes iria receber a entrega. Se você quiser saber se sua melhor amiga ainda se sente tão ligada a você como você a ela, deixe de lado aquilo que ela diz, e se pergunte qual a freqüência de seus telefonemas. Ela convida você para atividades que costumavam fazer juntas? Ela agora está passando seu tempo livre com outras pessoas?

Antes que você comece a avaliar qualquer ação, assegure-se de que não existam circunstâncias exercendo pressão. As pessoas *normalmente* fazem escolhas com base naquilo que desejam, precisam ou valorizam, mas às vezes elas agem movidas pelo medo, raiva, falta de informação ou sob pressão. Se responsabilizar alguém por suas escolhas, sem levar em conta as circunstâncias, você pode fazer um julgamento severo demais, ou mesmo totalmente errado.

Uma, duas, três chances – você está fora

Quantas chances você normalmente dá a seus amigos e às pessoas a quem ama? As segundas chances chegam facilmente a dez ou onze chances? Você não é a única pessoa a fazer isto. Mas esse hábito pode fazer com que você permaneça envolvida com pessoas que nunca irão viver conforme o que você espera delas. Todos cometem erros, mas quando alguém faz as mesmas coisas repetidamente, não está mais cometendo erros; está fazendo escolhas conscientes que refletem um provável comportamento futuro. Pode ser justificável deixar passar uma única ação questionável, mas não é uma coincidência quando esse comportamento se repete. Isto é como uma bússola e deveria guiar suas ações.

Não faz muito tempo, eu não consegui segurar o impulso de dizer a uma amiga como ela estava sendo incrivelmente ingênua. Ela estava saindo com um homem que dizia que queria um relacionamento sério e lhe garantia que não estava saindo com mais ninguém. Ela queria saber se eu achava que ele a estava enganando.

Quando ela me contou que ele nunca deixava que ela atendesse o telefone na casa dele, e que fechava a porta antes de ouvir as mensagens da secretária eletrônica, eu pensei: "Isso não soa bem". Então ela continuou dizendo que ele tinha mudado diversas vezes o número de seu telefone durante os quatro meses em que ela estava saindo com ele. Minha reação foi: "Piorou". E depois eu descobri que ele freqüentemente dava longas caminhadas sozinho – mas levava o telefone celular! Pensei: "Está piorando ainda mais". Ela acrescentou que ele sempre era cuidadoso ao pegar suas correspondências e que as guardava antes de ela poder vê-las. Quando ela me contou que ele saía sempre à noite e não lhe contava aonde tinha ido, eu pensei: "Qual é a próxima?". Havia ainda uma outra coisa, quando viajava sozinho, ele pedia para não receber ligações telefônicas no quarto durante a noite.

Ou ele estava saindo com outra pessoa, ou era um criminoso. Seja o que for, não era bom. Uma ou duas ações poderiam ser compreensíveis, mas não existia uma explicação inocente para o padrão completo.

Do mesmo modo, pode ser possível que um empregado responsável perca a hora uma ou duas vezes. Mas se um empregado chega atrasado no trabalho várias vezes por mês, é justo supor que ele é o oposto de trabalhador e responsável. Se quiser incluir as ações de uma pessoa na análise de seu caráter, em algum ponto você tem de reconhecer o que está vendo e dizer: "Basta".

O que eu ganho com isso?

A entrevista segue mais ou menos assim:

CHEFE: Estou procurando alguém que trabalhe em equipe e que passe seu tempo no trabalho pensando na empresa e não concentrado em si mesmo.

CANDIDATO: Sempre trabalhei em equipe. Acredito que se você se concentrar no que é melhor para a equipe, tudo o mais irá se acertar.

CHEFE: Você tem alguma pergunta a respeito da empresa ou das responsabilidades envolvidas no trabalho?

CANDIDATO: Bem, eu estava curioso a respeito de quando poderei tirar férias, e quantas semanas de férias poderei ter a cada ano.

Deixando de lado que o chefe provocou uma primeira resposta distorcida por seu modo de formular a pergunta, o candidato revelou uma personalidade do tipo "o que eu ganho com isso?". As pessoas que realmente trabalham em equipe não se centrariam imediatamente em si mesmas. Não há nada de incomum em procurar seus próprios interesses; todos nós temos um instinto natural para a sobrevivência. Na verdade, alguém que constantemente sacrifica seus interesses em benefício dos outros e se transforma num capacho está mostrando uma auto-estima muito baixa. Mas algumas pessoas levam longe demais o próprio interesse, e perseguem seus objetivos com firmeza, excluindo tudo e todos.

Esse tipo de pessoa mantém registro dos favores prestados e nunca dá nada sem esperar algo em troca. Ela persegue as oportunidades pessoais à custa da família, dos amigos e dos colegas de trabalho. Muitas vezes o tipo "o que eu ganho com isso?" critica os outros e tem inveja do sucesso alheio. Estranhamente, é freqüente que seja a pessoa que mais proclama seu compromisso com a equipe. A última coisa que ela quer fazer é admitir seu egoísmo: fazer isso iria impedi-la de atingir seu maior objetivo, que é o ganho pessoal. Além disso, muitas pessoas do tipo "o que eu ganho com isso?" parecem não perceber o fato de possuir esse traço, ou então, o consideram positivo.

É relativamente fácil perceber uma pessoa do tipo "o que eu ganho com isso?". Essa pessoa nunca dá nada que ache importante sem exigir o mesmo tipo de pagamento em retorno, seja emocional, financeiro ou de outro tipo? Quando ela fica sabendo de uma boa oportunidade, quer se trate de entradas para um jogo ou de uma chance de se envolver num projeto de trabalho interessante, ela tenta ocultar a informação, ganhar algo com isso, ou tenta incluir outras pessoas em sua boa oportunidade? Está sempre procurando uma brecha, e faz perguntas relativas ao modo como poderia se beneficiar de uma situação? Se você observar um padrão como esse, é provável que esteja lidando com uma personalidade "o que eu ganho com isso?".

Lembre-se, o nível de compaixão é um dos traços chaves para a previsão. As pessoas do tipo "o que eu ganho com isso?" normalmente não são compassivas nem têm consideração. Elas podem fingir ser, para atingir seus objetivos, mas sua preocupação normalmente é apenas aparente. A pessoa "o que eu ganho com isso?" tende a ser egoísta, invejosa, insegura, mesquinha, excessivamente competitiva e egocêntrica.

Quando estou escolhendo um júri, observo todas as vezes em que um jurado expressa uma preocupação incomum com coisas como o número de dias que precisará faltar ao trabalho, se terá uma justificativa pelo dia inteiro, quando esteve no tribunal apenas por meio dia, ou se receberá almoço. Essa pessoa não está concentrada na oportunidade de participar como jurado e cidadã, ela está pensando no que pode ganhar com isso. Provavelmente seria um jurado de mente fechada e preconceituoso. Quase sempre sugiro que seja dispensado.

Desempenho sob pressão

É relativamente fácil ser gentil, generoso, suave e bem-humorado quando tudo está indo bem no mundo. É muito mais difícil fazer isso quando você está passando por uma crise, estressado, doente ou sobrecarregado física ou emocionalmente. Alguns psicólogos acreditam que apenas uma fina camada de socialização impede que nosso id – a criança interior impulsionada por instintos dentro de nós – agarre o que queremos e faça birra quando não conseguimos que as coisas sejam do nosso jeito, como fazíamos quando éramos pequenos.

O trabalho no sistema judicial me deu a possibilidade de ver como as pessoas reagem sob circunstâncias extremamente estressantes. Algumas se comportam à altura da situação, com o animal interno dominado pelo autocontrole, os bons modos e a força de caráter. Outras se quebram, ficam agressivas ou perdem todo o senso de ética e se tornam abusivas e desonestas. Você não sabe como alguém irá se comportar até vê-lo agir sob pressão.

Nos meios militares, as pessoas que se saem bem sob pressão são reconhecidas e promovidas. Nos negócios, o empregado que enfrenta a crise causada por uma situação mais ampla e inesperada é igualmente respeitado por seu chefe. Na vida particular, o homem que sofre uma perda financeira ou pessoal sem culpar os outros e com honestidade, dignidade, força e resolução para superar a adversidade e continuar em frente, também deveria ser respeitado e admirado. A maioria das pessoas não enfrenta a tempestade de modo tão nobre.

É tentador desculpar o comportamento ruim atribuindo-o ao estresse, à doença ou à raiva temporária. Algumas vezes essas desculpas são válidas. Mas pela mesma razão, são as situações altamente carregadas de vida que revelam a força de caráter de uma pessoa. Se você tiver a oportunidade de conviver com alguém que esteja passando por uma crise, por estresse ou doença, observe cuidadosamente essa pessoa. As ações dela podem não lhe dizer exatamente como ela se comporta nos ambientes cotidianos, mas você *ficará sabendo* como ela provavelmente irá reagir no futuro quando pressões semelhantes vierem a ocorrer. Essa é uma informação valiosa se você estiver ligado a essa pessoa, seja no trabalho ou num relacionamento pessoal. A mãe de uma amiga minha costumava dizer para a filha: "Nunca se case com um homem sem antes vê-lo quando ele estiver doente, estressado ou bravo". Esse é um bom conselho.

"Ele não é assim"

Este livro enfatiza que vale a pena notar qualquer desvio da norma. As pessoas são criaturas de hábitos: elas desenvolvem rotinas, têm um determinado repertório de respostas ante os desafios cotidianos da vida, e tendem a agir repetidamente do mesmo modo. Quase sempre existe uma razão para que o comportamento de alguém se afaste dramaticamente do usual. Às vezes, o desvio pode ser atribuído a uma das exceções das regras discutidas no capítulo 9. Mas o mais freqüente é que o desvio tenha uma importância específica. Você deve dar atenção a isso, mesmo que a pessoa negue sua importância. O desvio pode ser o primeiro sinal de que está para acontecer uma mudança importante.

Por exemplo, suponhamos que um vendedor de café sempre ligue para o Le Coffee Beanery no primeiro dia do mês e receba o pedido imediatamente. Então um mês, quando o vendedor telefona, o gerente diz: "Eu ligo de volta para você". Embora seja tentador aceitar a palavra do gerente, existe uma grande possibilidade de que algo esteja acontecendo. O Beanery está tendo problemas financeiros? O gerente está comprando de outro fornecedor? Ele está pensando em sair da empresa e por isso não está tão atento aos negócios como costumava estar? Qualquer que seja a explicação, o fato de que houve um desvio da norma é importante, mesmo que o gerente diga: "Não se preocupe, está tudo bem".

Eu não estou sugerindo que exista uma razão sinistra sempre que o comportamento de alguém se afasta do normal. Talvez sua amiga íntima tenha desistido da caminhada costumeira dos sábados de manhã simplesmente porque não está se sentindo bem. Assim, não seja paranóico – só fique atento.

As pessoas mudam – às vezes

Toda uma geração de *hippies* dos anos 60 se transformou nos *yuppies* dos anos 80. As crianças das flores, do amor livre e do baseado vestem seus ternos de três peças e os relógios Rolex e correm até seus escritórios em Wall Street.

As pessoas mudam, especialmente num longo período de tempo. Mas existe uma diferença entre a evolução de décadas de uma personalidade e as mudanças radicais que nós muitas vezes desejamos inspirar em alguns amigos e conhecidos. Na situação típica, alguém deseja intensamente que seu companheiro mude da noite para o dia – que se torne mais comprometido com o relacionamento, um pai melhor, mais romântico ou trabalhe mais. Muitos psicólogos lhe dirão que qualquer pessoa pode mudar "se realmente quiser". Mas como você pode saber se alguém mudou realmente, e se a mudança é permanente?

Primeiro, considere por quanto tempo a pessoa se comportou de um modo que reflete crenças específicas. Voltemos ao exemplo de *hippie* a *yuppie*: uma pessoa que passou quatro anos numa fase *hippie* em Berkeley tem menos probabilidade de manter esses valores do que alguém que viveu 12 anos numa comunidade. *Quanto mais tempo a pessoa se envolve num tipo específico de comportamento, mais provável é que esse comportamento reflita uma característica ou crença centrais, e não apenas uma fase ou estado de espírito temporário.*

Outro critério importante é se a pessoa exibiu esse comportamento recentemente ou há muito tempo. Se eu descubro que há 30 anos um jurado ajudou seus colegas estudantes a invadir o escritório do diretor, mas desde então ele tem levado uma vida conservadora, não vou concluir que ele é contra o governo. Mas se descubro que ele participou de um piquete em frente à mansão do governador no ano passado, irei supor que ele ainda sente alguma hostilidade, ou pelo menos insatisfação, em relação ao governo. *Quanto mais distante no passado uma ação tiver ocorrido, menos importância ela tem para a previsão do comportamento futuro.*

Se as ações passadas de alguém conflitam com o modo como você o está lendo hoje, você deve considerar quanto tempo a mudança demorou e por que aconteceu. Algumas pessoas realmente mudam o comportamento da noite para o dia, mas normalmente existe uma razão muito forte: os alcoólatras param de beber, os abusadores deixam de cometer abusos, alguns incrédulos realmente encontram a religião. Entretanto, o mais freqüente é que a mudança genuína seja um processo evolutivo; ela leva tempo. Por essa razão, quando estiver avaliando alguém cujo comportamento mudou radicalmente, tente descobrir porque ele mudou e quanto tempo o processo demorou.

É natural querer dar às pessoas o benefício da dúvida e acreditar que elas não irão repetir ações desagradáveis. Mas essa generosidade pode custar caro.

Se você quer ter uma visão clara a respeito de alguém, tempere sua boa vontade com um pouco de ceticismo saudável. Pergunte a si mesmo:

- Por quanto tempo ele demonstrou esse comportamento?
- Ele teve esse comportamento recentemente ou há muito tempo?
- Se ele mudou de comportamento, essa mudança foi repentina ou foi um processo evolutivo?
- Por que ele mudou?

POR QUE VOCÊ FEZ ISSO?

A maioria dos traços e dos comportamentos são bem fáceis de entender desde que você comece a prestar atenção e aprenda o que procurar. Os comportamentos discutidos nesta seção não são exceção. Por que sua namorada faz promessas que não cumpre? Por que sua secretária está evitando uma tarefa simples que alguém com metade de sua capacidade poderia fazer em uma hora? O que você deveria fazer com os "pregadores" – aquelas pessoas irritantes que se sentem obrigadas a fazer palestras sobre qualquer assunto, desde como ser pai a planejamento financeiro? E o que dizer das pessoas que agem como se qualquer ato de gentileza delas fosse um grande feito? Por que o dinheiro às vezes inspira grandes gestos – atos de generosidade assombrosa ou de mesquinharia horrorosa? Finalmente, o que dizer das desculpas? É possível discernir entre uma desculpa sincera e uma vazia? Todas essas ações exigem sua atenção, e todas elas podem lhe ensinar algo útil sobre uma pessoa.

Promessas quebradas

Todos nós fazemos promessas que não cumprimos. Nós podemos dizer que iremos acompanhar aquele pedido de um cliente que perdemos ontem, e não nos mexermos para fazer isso. Podemos prometer ligar para alguém mais tarde no mesmo dia, ou fazer uma visita a ele logo, e isso simplesmente não acontecer. Na maior parte do tempo, nós temos intenção de cumprir nossas promessas, mas a vida interfere. Uma criança fica doente, o carro quebra ou nós simplesmente esquecemos. Isso é normal, e não tem muita importância se acontecer de vez em quando.

Entretanto, quando alguém se esquece constantemente, sempre "algo aconteceu", ou negligencia os compromissos, isso tem algum significado – ele diz aquilo que parece soar bem no momento, sem pensar ou se importar se conseguirá cumpri-lo. Isso não quer dizer necessariamente que ele seja desonesto ou que tenha algum motivo maldoso; pode apenas não levar em conta o que seria necessário para manter a promessa. Mas qualquer que seja o motivo, você não pode contar com ele – e não deve esperar que ele mude.

Algumas pessoas que vivem quebrando promessas têm um motivo maldoso. Elas lhe dizem o que for necessário para conseguir aquilo que desejam, e depois só cumprem a promessa se lhes for conveniente ou proveitoso. Algumas vezes elas não têm nenhuma intenção de cumprir aquilo que estão prometendo; estão apenas dizendo aquilo que precisam dizer como parte de alguma estratégia mais ampla para atingir seus objetivos pessoais. O truque é saber a diferença entre a pessoa que faz uma promessa sem pensar cuidadosamente, e aquela que faz uma promessa sem intenção de cumpri-la.

Ao avaliar uma pessoa que quebra promessas, eu acho útil fazer quatro perguntas:

- Aconteceu algo inesperado que explique por que a pessoa não cumpriu a promessa?
- A promessa foi feita rapidamente – talvez rápido demais para que a pessoa pensasse sobre ela?
- Esse é o tipo de promessa que a pessoa fez e quebrou freqüentemente no passado?
- Essa pessoa tem qualquer razão para me aquietar com uma promessa que não tem intenção de cumprir?

Alguém que sempre quebra suas promessas, mas que não parece ter nada a ganhar com elas provavelmente é apenas alguém que quer agradar às pessoas e que tem dificuldade de dizer não. Uma vez que você tenha percebido isso, não espere que ela mantenha suas promessas, mas não a julgue severamente demais. Mas você pode identificar alguma razão para que ela se comprometa e não cumpra – e novamente, observe com cuidado se isso acontecer com freqüência. Esse comportamento conscientemente distorcido indica um caráter egocêntrico, insensível e desonesto.

Algumas vezes aquilo que você não faz é mais importante do que aquilo que você faz

Se você foi a algum dos muitos cursos sobre como reduzir o estresse em sua vida, provavelmente recebeu o seguinte conselho: faça uma lista de todas as tarefas que está evitando e realize-as uma por uma. É muito estressante evitar obrigações ou negligenciar seus compromissos. As pessoas normalmente só ficam bem com o estresse de deixar coisas por fazer quando descobrem que a tarefa é ainda mais desagradável do que o estresse.

As coisas que as pessoas evitam podem ser extremamente reveladoras. É claro, existem muitos procrastinadores crônicos que deixam de lado quase tudo. Mas é importante procurar a causa quando alguém que normalmente é confiável empaca como uma mula com um trabalho específico, especialmente quando faria mais sentido realizar a tarefa.

Primeiro, antes de supor que uma pessoa está evitando uma tarefa propositadamente, assegure-se de que não exista outra explicação. Talvez ela esteja somente abordando o trabalho por outro lado, ou esteja sobrecarregada por outras tarefas e não esteja especificamente evitando nada. Entretanto, se as circunstâncias indicarem uma fuga intencional, pergunte a si mesmo qual poderia ser o motivo. Normalmente, é um dos seguintes:

- Ela não tem confiança e teme fracassar.
- Ela está pouco à vontade com a tarefa mas não deseja reconhecer isso.
- Ela está envergonhada.
- Ela ficou ofendida ou desanimada com algum aspecto da tarefa.
- Ela não está se relacionando bem com as outras pessoas envolvidas na tarefa.
- Ela não está interessada pessoalmente nem motivada.
- Ela está evitando revelar algo que seria exposto se agisse.
- Ela está tentando evitar confrontos.

Num caso de fraude em que trabalhei há alguns anos, o sócio não-executivo num restaurante suspeitava que o sócio que realmente dirigia o negócio não fazia corretamente a contabilidade de toda a receita e das despesas. Ele pediu um relatório contábil e recebeu uma resposta longa, detalhando a história do restaurante e de todos os esforços do sócio administrador. A resposta também relembrava os sucessos passados do restaurante, inclusive reportagens elogiosas nos jornais, e previa glórias ainda maiores no futuro. Mas em essência não continha a única coisa que o sócio externo desejava: um relatório contábil.

A resposta evasiva do sócio administrador apenas aumentou a suspeita e a resolução do sócio externo. Por que esconder a bola? Depois de uma longa batalha, o sócio externo finalmente obteve todos os registros necessários. Sem nenhuma surpresa, constatou que o sócio administrador o estava roubando há anos.

No tribunal e na vida cotidiana, descobri que posso aprender muito sobre o modo como uma pessoa está pensando e se sentindo, se eu souber aquilo que ela está tentando ativamente evitar. Se um empregado está adiando um projeto, a maior probabilidade é que ele se sinta sobrecarregado ou intimidado por ele, que não deseje lidar com as outras pessoas envolvidas naquilo, ou que esteja chateada com a tarefa. Mas haverá uma razão específica, a menos que ele seja um procrastinador habitual. Do mesmo modo, existe uma razão se um homem prometeu a sua namorada que irá pedir que uma antiga paixão não ligue mais para ele, mas nunca parece achar o momento correto ou a oportunidade adequada. Ele pode estar envergonhado ou ofendido pela exigência, ou pode ainda estar apegado de algum modo à namorada antiga. Nesses casos, como na maioria, depois de ter percebido que a pessoa está evitando a tarefa, você estará a caminho de descobrir o motivo.

Pregadores

Algumas pessoas são rápidas em lhe dizer aquilo que você deveria pensar, como você deveria se sentir e como deveria se comportar. Elas podem fazer um discurso exaltado a respeito de ética, agressividade, simplicidade, compaixão, atenção aos detalhes, ou sobre qualquer outra coisa. Proferem a mensagem com tanta intensidade que parece razoável supor que possuem aquele valor pelo qual estão lutando.

Infelizmente, muitas pessoas pregam valores que lhes são totalmente estranhos. Pregar a bondade não torna alguém bom; pregar o trabalho duro não o torna diligente; e pregar compaixão não o torna gentil. As ações dele o fazem. Não se engane com a paixão com que a pessoa possa proferir seu sermão, e com o fato de ela genuinamente acreditar que pratica aquilo que prega. Concentre-se nas ações, não nas palavras, quando estiver avaliando o caráter de alguém e tentando prever seu comportamento.

E mesmo que a pessoa pareça praticar aquilo que prega, eu sempre fico imaginando por que esse alguém sente o impulso de divulgá-lo? Ele está "vendendo" a si mesmo? Está tentando me controlar? Ou simplesmente deseja chamar a atenção? É importante ter em mente que o pregador sempre tem um objetivo. Se você quiser entendê-lo melhor, procure bem esse motivo. Normalmente você o encontrará, e quando o encontrar, terá uma outra pista importante sobre a pessoa.

Por que tanto alarde?

Uma noite, eu estava sentada num pequeno café, quando ouvi um homem anunciar orgulhoso: "Deixe este por minha conta". Olhei para ele e vi um casal bem vestido, ambos com mais ou menos 50 anos. O braço dele estava em torno da cintura dela, de um modo nervoso e animado que indicava estarem saindo pela primeira ou segunda vez. Aparentemente ele teve medo de que ela não tivesse ouvido a oferta generosa, e virou-se para ela, dizendo novamente: "Deixe este por minha conta". Ele cumpriu a palavra e pagou o café dela. Eu fiquei pensando: "Por que tanto alarde por uma xícara de cappucino?".

Vejo esse tipo de exagero não apenas nas relações pessoais, mas em todas as áreas da vida – no homem que faz um grande alarde quando pega seu talão de cheques, em vez de passar seu cartão de crédito silenciosamente para o garçom; no chefe que faz alarde no escritório ao entregar os cheques de bônus para seus empregados, como se estes devessem beijar sua mão e se inclinar ao sair da sala; e na mulher que faz questão de deixar bem claro para sua amiga o quanto foi inconveniente fazer um desvio para prestar-lhe um favor.

Quando alguém insiste em fazer alarde de alguma coisa que acabou de fazer por você, ele está enviando uma mensagem: "Eu acabei de fazer algo bom para você. Devo receber o crédito por isto. Você deveria estar agradecido, e fazer algo bom para mim em retribuição". É um modo de dar esperando algo em troca. Em alguns casos, as pessoas não se satisfazem com a atenção que recebem no momento, e continuam a lembrá-lo do gesto generoso ou de quanto se sacrificaram por você.

A pessoa que insiste em fazer alarde de seus atos sente que precisa comprar seu afeto, e pensa que fez isso. É insegura e não acredita que você apreciaria adequadamente o que ela fez, se não fosse incentivado. Para garantir que você se sinta grato, ela se assegura que você perceba que está em dívida para com ela. Você provará o quanto se importa no momento em que pagar essa dívida de gratidão.

Agora, considere aquelas pessoas despretensiosas que pegam silenciosamente o cheque, saem de seu caminho para lhe fazer um favor, cobrem seu plantão no trabalho, trazem canja quando você está doente – tudo isso sem pedir reconhecimento, e muito menos retribuição. Mesmo que você agradeça, elas são rápidas em dizer: "Não por isto!". Elas não estão tentando conseguir nem comprar sua aprovação. Suas ações provêm de uma natureza generosa e cuidadosa, e elas confiam o suficiente em seu próprio valor e no relacionamento de vocês, a ponto de não se preocupar com o quanto você apreciou o gesto delas.

Observe da próxima vez que uma pessoa fizer algo gentil para você ou para outra pessoa. O teste do alarde é muito confiável para avaliar confiança, autoestima e uma natureza amorosa.

Esbanjadores e avarentos

Há alguns anos trabalhei num caso de disputa entre os beneficiários de uma mulher idosa que tinha falecido recentemente. A mulher era parcialmente cega e vivia uma vida simples e muito isolada na mesma casinha em que tinha morado por 25 anos. Quando ela ia ao mercado comprava aquilo que estivesse em oferta. Se pudesse usar um cupom de desconto era ainda melhor. Seus amigos e sua família sabiam que ela tinha comprado uns poucos apartamentos no decorrer dos anos, e que depois da morte de seu marido, fazia 20 anos, ela havia administrado sozinha os apartamentos. Eles pensavam que isso tinha sido mais um *hobby* que uma profissão.

Ela deixou propriedades que valiam mais de 33 milhões de dólares.

Um tipo de personalidade muito mais comum é o esbanjador. Qualquer coisa que ele faça, faz em grande estilo: compra roupas caras, come em restaurantes caros, hospeda-se apenas em hotéis cinco estrelas ou sempre voa na primeira classe. Os esbanjadores nem sempre são ricos; pessoas com rendimentos modestos podem ser proporcionalmente esbanjadoras. Os esbanjadores sempre compram os presentes mais caros, dirigem carros que custam mais do que os de seus amigos, e têm guarda-roupas e jóias que podem comer metade de seus salários.

O que leva as pessoas a esses extremos – simplicidade que chega ao autosacrifício ou extravagância que chega ao ponto da ruína financeira?

A maioria das pessoas que são exageradamente econômicas já foram pobres. Como foi dito no capítulo 2, o histórico sócio-econômico é um traço-chave para a previsão, e provavelmente terá um grande impacto na aparência e no comportamento da pessoa. Muitas pessoas viram seu mundo, ou o mundo de seus pais, se despedaçando durante a Depressão; essas pessoas viveram por uma década sem nenhum luxo. Para muitas delas, qualquer extravagância pessoal é inaceitável, ela viola sua necessidade de acumular suprimentos para o inverno que certamente virá de novo. Algumas pessoas extremamente avarentas têm também uma auto-estima muito baixa, e não sentem que mereçam gastar dinheiro consigo.

O esbanjador muitas vezes também tem uma auto-estima baixa, como o avarento, mas a expressa de modo oposto. Ele tem uma necessidade de impressionar as pessoas, e portanto gosta de garantir que todos fiquem sabendo quanto ele gasta de seu dinheiro. Ser visto como uma "pessoa de classe" é vitalmente importante para ele, pois pensa que ter classe lhe trará a credibilidade e o respeito que um estilo de vida despretensioso não traria. Muitos esbanjadores não podem verdadeiramente arcar com suas extravagâncias mas sentem-se obrigados a continuar gastando, porque pensam que isso lhes garante a aprovação dos outros.

Um bom teste ao avaliar por que alguém é um esbanjador é perguntar se ele se vangloria do mesmo modo quer os outros percebam ou não. A maioria dos esbanjadores será rápido em explicar que eles simplesmente gostam das coisas boas da vida e podem comprá-las. Se mandam a mãe ao Havaí todos os anos sem fazer alarde, têm uma cara coleção de moedas sem que ninguém saiba, ou se envolvem em outra atividade cara, mas em segredo, sua auto-indulgência não reflete uma necessidade de impressionar os outros. Mas se eles só gastam enquanto os outros estão olhando, estão tentando comprar mais do que apenas coisas; eles estão comprando aprovação. É uma grande vantagem saber a respeito disso quando você estiver tentando prever o comportamento deles.

"Eu não posso evitar – fui criado assim" – e outras desculpas comuns

É raro ouvir desculpas sinceras e honestas. O que nós recebemos mais freqüentemente depois que alguém se comportou de modo inadequado é um envergonhado "desculpe", seguido por uma desculpa: "Eu estava com raiva" (ou "bêbado", "perturbado", "estava fora de mim", "confuso", "magoado", "com ciúmes"). "Eu não sabia como agir". "Eu simplesmente sou assim". "O diabo me fez agir assim".

Nosso comportamento, inclusive nosso comportamento inadequado, normalmente é uma questão de escolha. Quando alguém dá desculpas por aquilo que claramente foi um comportamento voluntário, eu sempre tento determinar se a desculpa sugere que o comportamento foi um incidente isolado, que não se repetirá. Muitas vezes esta situação é bem difícil. Pode haver um confronto se você não aceitar as desculpas de alguém; podem ocorrer ultimatos, e o conflito pode estourar. Assim, antes de decidir que não é possível aceitar a desculpa de alguém, pergunte a si mesmo:

- O comportamento reflete um lapso de julgamento, uma perda temporária das inibições, ou uma falta mais profunda de valores básicos?
- O comportamento continuou por um tempo longo?
- A pessoa tentou ocultar o comportamento?
- O comportamento foi inconsistente com o padrão normal da pessoa?
- O comportamento foi totalmente voluntário, ou houve algum outro fator em jogo?

Se alguém tem controle sobre o próprio comportamento, suas desculpas são muito menos persuasivas. Uma coisa é um empregado explicar que chegou atrasado ao trabalho porque um acidente impediu a passagem durante uma hora. Ele não tinha como evitar isto. Outra coisa é culpar a falta de gasolina no carro por seu atraso. Ele podia ter evitado isso se tivesse planejado um pouco. O mesmo pode ser dito em relação à maioria das desculpas. Alguém que não assume a responsabilidade pelos próprios erros ou falha de julgamento, e se esconde atrás de desculpas furadas, não está sendo honesto, nem com você, nem consigo mesmo. Ouça atentamente; *a qualidade do verdadeiro caráter de alguém muitas vezes está intimamente ligada às desculpas que ele usa.*

A REGRA DE OURO DO COMPORTAMENTO HUMANO

"Faça aos outros o que você gostaria que eles fizessem a você". A Regra de Ouro, com algumas pequenas modificações, é o último segredo deste capítulo. A versão revisada é: *"Os outros fazem a você aquilo que esperam ou desejam que você faça a eles"*. As pessoas querem ver-se refletidas, e portanto validadas, naqueles que as rodeiam.

Todos nós queremos ter uma boa imagem de nós mesmos. Em conseqüência, tendemos a dar mais importância a nossas forças e a desvalorizar nossas fraquezas. As pessoas muito inteligentes, mas pouco atraentes, geralmente valorizam a inteligência e não a aparência. Os atletas valorizam a destreza física. Os artistas valorizam o bom gosto. Aqueles que se orgulham de ser pontuais valorizam a pontualidade nos outros. Os que trabalham duro no escritório irão valorizar os esforços e não os resultados, enquanto que aqueles que conseguem atingir seus objetivos sem muito esforço darão mais importância ao produto final e pouco crédito ao trabalho duro realizado.

Essa equação é surpreendentemente confiável em todos os aspectos da vida. Se você conhece alguém que adora dar flores, você provavelmente acertará se supuser que ela realmente gosta de ganhar – você adivinhou – flores. Se ela gosta de dizer "eu te amo" no fim de cada conversa telefônica, ela também gostará de ouvir isso. Tenha em mente esse princípio simples, e você estará bem encaminhado para entender aquilo que os outros desejam e esperam de você.

9

Algumas Vezes as Coisas Não São o que Parecem: As Exceções às Regras

Estava ficando cada vez mais difícil lidar com Josh. Tudo começou na pré-escola, onde a professora dele apontou problemas de comportamento e baixa tolerância à frustração. No ano seguinte, as coisas só pioraram; algumas vezes ele despejava sua raiva nos professores, e em muitas outras os ignorava totalmente. Ele se comportava melhor em casa, mas também lá demonstrava ter pavio curto. Quando estava para iniciar a primeira série, seus pais estavam perturbados e prestes a levá-lo a um psicólogo para ser testado quanto a deficiências. Felizmente, o programa de audição da prefeitura foi até a escola de Josh a tempo de descobrir o problema real: Josh não ouvia bem. Quem não ficaria frustrado se não conseguisse ouvir metade do que estava sendo dito?

Embora pais e professores atualmente estejam mais atentos aos sinais de problemas auditivos, essa cena ainda se repete milhares de vezes por ano, e é um bom exemplo do que pode acontecer quando todas as peças exceto uma se encaixam num padrão específico, e essa peça crítica passa despercebida. A maioria das pessoas que você encontra e que mostram um padrão específico de traços não lhe trará surpresas. Mas tome cuidado para não deixar de fora essa peça crítica do quebra-cabeça.

Existem algumas características que podem trazer uma luz totalmente diferente àquilo que você pensava ser uma imagem clara como cristal. Penso nelas como exceções às regras, porque se não levá-las em conta você pode chegar a conclusões distorcidas ou erradas, mesmo que tudo o mais pareça se encaixar.

Encontrei nove exceções que são mais freqüentes que outras. Algumas são completamente involuntárias. Outras são opcionais, e muitas vezes representam uma tentativa de manipulação.

- A pessoa "elástica" que tenta se moldar para cumprir exigências.
- A pessoa que ensaiou cuidadosamente sua representação.
- O mentiroso.
- A pessoa com pensamento ilusório.
- A pessoa que tem deficiência mental ou física.
- A pessoa que está doente, cansada, estressada, ou que por outra razão "não é ela mesma".
- A pessoa que está sob influência de drogas ou álcool.
- A pessoa que é muito influenciada por sua cultura.
- Coincidências – elas realmente acontecem.

A PESSOA "ELÁSTICA"

Os engenheiros usam a palavra "elasticidade" para se referir à tendência de um material para se deformar sob pressão e depois voltar ao estado natural quando a pressão termina, como uma tira de borracha. As pessoas são naturalmente elásticas, e de vez em quando, a maioria de nós consciente ou inconscientemente altera a aparência, o comportamento ou as palavras para cumprir os desejos ou expectativas dos outros. Mas a pessoa que de hábito se molda ao que ela pensa que você deseja dela está, essencialmente, lhe dando uma pista falsa. Se você não tiver as informações corretas, não poderá fazer um julgamento confiável.

Por algum tempo, pessoas negligentes com a higiene podem parecer limpas, se estiverem motivadas para isso. Preguiçosos podem parecer esforçados – temporariamente. Pessoas teimosas podem demonstrar ter uma mente aberta, e pessoas egoístas podem aparentar generosidade. Mas essas pessoas tenderão a "mudar" com o passar do tempo, conforme o relacionamento amadurece e diminui o desejo de agradar. O novo namorado gentil, atencioso e compreensivo se transforma num ser insensível, opressor e ciumento. O empregado dedicado e útil se torna preguiçoso e não-cooperativo à medida que se estabelece no emprego.

Na verdade, o namorado e o empregado nunca foram realmente do modo como pareciam ser. Eles sempre foram insensíveis e não-cooperativos. Estavam demonstrando os princípios da elasticidade: uma vez que a pressão ou a motivação que os fez mudar diminuiu ou desapareceu, eles voltaram a sua forma verdadeira.

Não suponha que as tentativas de agradar sempre vêm de um desejo consciente de manipular. Elas podem ser uma tentativa inconsciente e bem-intencionada de obter aceitação ou aprovação. Naturalmente, nós usamos nossas boas maneiras quando encontramos pela primeira vez os pais de nosso amado, ou quando vamos jantar fora com o chefe. Mas quaisquer que sejam os motivos de alguém, seria um erro vê-lo apenas nessas circunstâncias e supor que ele sempre tem maneiras impecáveis. Você precisa vê-lo várias vezes e em diversas situações diferentes antes de poder discernir entre os comportamentos reais e os elásticos.

Depois do amadurecimento de um relacionamento pessoal ou profissional, quando as pressões que provocaram o comportamento elástico já desapareceram, a pessoa voltará a seu estado normal, bom ou ruim. Até esse momento, é mais sábio evitar julgamentos.

A REPRESENTAÇÃO ENSAIADA

Tenho visto muitas testemunhas que são articuladas, vigorosas e equilibradas enquanto passam pelo exame direto do advogado que as conduziu ao banco, mas que desabam quando o advogado adversário as interroga. Algumas vezes isso acontece porque um advogado especialmente habilidoso realiza um interrogatório brutal, mas em muitos casos é simplesmente a exposição do ator que ensaiou um papel. Na vida cotidiana, você corre o risco de avaliar alguém erroneamente, se não estiver alerta para a representação ensaiada. Você pode considerá-lo mais articulado e inteligente – ou menos imaginativo, criativo ou flexível – do que ele realmente é.

Não é de surpreender que seja mais provável encontrar uma apresentação ensaiada quando alguém estiver tentando lhe vender algo. Não precisa ser um carro ou uma sociedade. O "vendedor" pode estar tentando persuadir você a "comprar" uma idéia, um ponto de vista, outra pessoa ou ele mesmo. Provavelmente existe uma "abordagem de vendas" que ele considera mais efetiva, e assim, ele a repete a fim de atingir o melhor resultado possível.

Algumas vezes também acontece de as pessoas terem um desempenho ensaiado porque estão tentando causar uma boa impressão e não têm confiança suficiente para falar espontaneamente. A pessoa insegura ou nervosa muitas vezes acha mais fácil praticar um discurso antecipadamente, como o garoto de ginásio que escreve uma lista de coisas a serem ditas para a garota a quem ele vai ligar pela primeira vez. As pessoas tendem também a repetir as mesmas histórias que lhes trouxeram experiências positivas no passado. Os outros riram, foram persuadidos, ou ficaram encantados com a história. Elas esperam que isso também aconteça com você.

Não é muito difícil perceber esse tipo de comportamento. Muitas vezes, a representação parece perfeita demais e nada espontânea. As pessoas se sentem à vontade quando estão dizendo uma fala preparada antecipadamente. Se você quiser descobrir como elas se comportam quando não têm a oportunidade de se preparar, retire esta vantagem delas. Tire-as de sua zona de conforto e coloque-as em seu campo.

Se alguém estiver usando uma "abordagem de vendas", faça uma pergunta direta que ele terá de responder de modo improvisado. Se ele continuar enrolando você, repita a pergunta, até que ele responda ou deixe claro que não pode ou não quer responder, o que já lhe dirá algo. Se alguém que você acabou de conhecer estiver tentando impressionar você com sua inteligência discutindo política mundial, veja se ele só tem esse argumento preparado. Assim que a conversa permitir, faça perguntas sobre os filmes mais recentes. Veja se ele sabe algo a respeito de esportes. Não importa o assunto que você escolher. O seu objetivo é ver como a pessoa reage quando você tenta tirá-la da zona de conforto. Ela fala com desenvoltura sobre outras coisas? Ela está à vontade e é articulada mesmo se conhecer pouco a temática? Faz perguntas inteligentes? Ou sempre tenta puxar o assunto em que se sente à vontade e no controle?

No decorrer dos anos ouvi conversas das mais engraçadas no tribunal, quando os advogados, ocupados em proferir uma apresentação cuidadosamente preparada sobre o que acreditavam ser argumentos inspirados, eram interrompidos por um juiz que desejava respostas para outras questões. Até mesmo um observador casual do tribunal sabe que esse é o campo do juiz: o que ele quer saber tem precedência sobre qualquer coisa que o advogado prefira dizer. Mesmo assim, não é incomum ver advogados tentando permanecer em sua zona de conforto, e dizendo ao juiz que eles vão "chegar lá", ou que "esta não é a questão", ou mesmo "eu não creio que isso seja relevante". Posso garantir que a relutância de um advogado em se desviar da apresentação que havia preparado não aumenta sua credibilidade aos olhos do juiz. Afinal de contas, se estivesse realmente confortável em sua posição, ele se disporia a examiná-la por qualquer perspectiva.

Nas conversas cotidianas, nós temos de ser um pouco mais cuidadosos a respeito do modo como fazemos alguém sair da zona de conforto. As pessoas tentam permanecer naquilo que conhecem porque é seguro e familiar. Pode ser desconcertante ser obrigado a sair de seu próprio território, e assim você deve ser gentil ao prosseguir em sua missão. Faça a transição com tato e diplomacia, não abruptamente. O objetivo é conhecer a outra pessoa quando ela não está apenas dizendo uma fala ensaiada, e você não conseguirá isso se colocá-la na defensiva. Em vez disso, você verá como ela age quando se sente brava e ofendida.

AS INCÓGNITAS: OS MENTIROSOS

Se todas as pessoas fossem honestas umas com as outras, seria muito mais fácil percebê-las. O problema é que as pessoas mentem. Não estou falando sobre aqueles que estão errados mas que acreditam sinceramente que estão certos, ou sobre aqueles iludidos que genuinamente não conseguem discernir entre realidade e fantasia. Estou me referindo à característica mais importante de qualquer relacionamento: veracidade. E tome cuidado, se você acreditar que essa característica existe e ela não existir!

Grande parte da informação que reunimos sobre uma pessoa vem diretamente das palavras dela. Se ela estiver mentindo, a informação estará errada, e nós provavelmente iremos julgá-la erroneamente. É por isso que é tão crucial identificar os mentirosos, o mais cedo possível, e se você tiver alguma razão para duvidar da honestidade de alguém, continue testando-a até ficar totalmente à vontade com sua conclusão.

Descobri que a maioria dos mentirosos se encaixa em uma dentre quatro categorias básicas: o mentiroso ocasional, o mentiroso freqüente, o mentiroso habitual e o mentiroso profissional.

O mentiroso ocasional

O mentiroso ocasional, como a maioria de nós, irá mentir de vez em quando para evitar uma situação desagradável ou porque não deseja admitir que fez algo errado ou vergonhoso. E como a maioria das pessoas, ele não gosta de mentir e se sente muito desconfortável quando o faz. Por não estar à vontade, normalmente revela sua mentira por meio da aparência, da linguagem corporal e da voz.

É freqüente que o mentiroso ocasional pense um pouco em sua mentira, e assim ela pode ser lógica e coerente com o resto de sua história. Por ser bem pensada, você provavelmente não conseguirá descobrir a mentira por seu conteúdo ou contexto, ou pela informação de terceiros. Na verdade, o mentiroso ocasional raramente irá mentir sobre algo que possa ser facilmente verificável. Conseqüentemente, ao lidar com um mentiroso ocasional, você precisará se concentrar nas diversas pistas visuais e verbais que ele lhe dará.

O mentiroso freqüente

O mentiroso freqüente reconhece o que está fazendo mas não se importa tanto quanto o mentiroso ocasional, e assim mente com muito mais regularidade. A prática traz a perfeição: o mentiroso freqüente tem uma probabilidade muito menor de revelar sua mentira por meio da aparência, da linguagem corporal e da voz. Além disso, os sintomas relacionados ao estresse não serão óbvios, pois ele não se incomoda muito com a mentira. Qualquer pista na aparência, na voz e na linguagem corporal pode ser bem sutil. Muitas vezes o melhor modo de detectar um mentiroso freqüente é se focar na consistência interna e na lógica de suas afirmações. Como o mentiroso freqüente mente mais vezes, e tende a pensar menos em suas mentiras do que o mentiroso ocasional, ele pode ficar descuidado.

O mentiroso habitual

O mentiroso habitual mente com tanta freqüência que perdeu a noção do que faz na maior parte do tempo. Na maioria dos casos, se ele realmente pensasse sobre o assunto, perceberia que estava mentindo. Mas ele não se importa se está dizendo algo verdadeiro ou falso. Simplesmente diz o que lhe vem à cabeça. O mentiroso habitual lhe dará poucas ou nenhuma pista física ou verbal de que está sendo desonesto, pois não se incomoda com as mentiras. Mas como o mentiroso habitual não consegue seguir as próprias mentiras, pois pensa muito pouco sobre elas, e as diz de modo rápido e impensado; muitas vezes elas são incoerentes e óbvias. Assim, embora seja difícil perceber pistas verbais e físicas num mentiroso habitual, é fácil perceber suas inconsistências. Ouça cuidadosamente e pergunte a si mesmo se o mentiroso está se contradizendo e se há sentido no que ele diz. Você também pode perguntar a uma terceira pessoa sobre as histórias do mentiroso para confirmar suas suspeitas.

O mentiroso habitual é bem incomum, e assim, a maioria de nós acredita nele temporariamente. Uma conhecida me contou ter trabalhado vários meses com uma mulher até que suas suspeitas de que a colega fosse uma mentirosa habitual se confirmasse por meio de uma mentira óbvia e quase ridícula. A mentirosa, uma mulher morena, de olhos e cabelos castanhos, foi trabalhar um dia usando lentes de contato azuis, com uma cor quase alienígena. Quando minha amiga comentou sobre as lentes, a mentirosa disse: "Não são lentes de contato, essa é a verdadeira cor de meus olhos. Antes é que eu estava sempre usando lentes de contato castanhas".

Quando um cliente me diz que seu adversário está mentindo o tempo todo e que sem dúvida irá mentir no banco das testemunhas, aconselho-o a não se preocupar: o mentiroso habitual é o alvo mais fácil num processo legal. Na vida real, o mentiroso pode passar de uma pessoa para outra, de uma situação para outra, mentindo o tempo todo, e ninguém comparará anotações. Não existem repórteres de tribunal nem transcrições do depoimento; ninguém revelará aquilo que uma testemunha disse para outra testemunha, e ninguém examinará detalhadamente tudo que o mentiroso escreveu sobre o assunto para ver se existe coerência. Mas é exatamente isso que acontece num processo – e repentinamente o mentiroso habitual é exposto. É muito gratificante ver isso acontecer.

O mentiroso profissional

O mentiroso profissional é o mais difícil de identificar. Ele não mente indiscriminadamente, como o mentiroso habitual; ele mente com um objetivo. Por exemplo, um mecânico que rotineiramente engane os motoristas a respeito de seus câmbios "com defeito" irá preparar cuidadosamente seu diagnóstico. Um corretor de imóveis que não deseje reconhecer um telhado com vazamentos responderá rapidamente a uma pergunta sobre as marcas de água no teto com uma afirmação ensaiada, que soará muito espontânea: "Esse foi um dano antigo causado por um vazamento de água no sótão. Só é necessário um pouco de tinta".

O mentiroso profissional pensou cuidadosamente em sua mentira e sabe exatamente o que vai dizer, como dirá, e se o cliente terá como verificar a resposta.

Uma mentira bem ensaiada não será revelada pela voz, aparência ou linguagem corporal do mentiroso. A mentira será coerente, interna e lógica. O único modo seguro de detectá-la é checar as afirmações do mentiroso com fontes totalmente independentes. Faça com que o telhado seja inspecionado. Consiga uma segunda opinião com outro mecânico. Não aceite nada na base da confiança.

Antes de chegar a uma conclusão definitiva sobre alguém que realmente seja importante para você, sempre pergunte a si mesmo se a informação que você tem sobre ele é confiável. Ele está sendo honesto? Você não pode pular este passo, se seu objetivo é avaliar com precisão uma pessoa.

A PESSOA COM PENSAMENTO ILUSÓRIO

De vez em quando, eu vejo-me olhando fixamente para uma pessoa, com um olhar de descrença e boquiaberta, pensando: "Como ela pode não perceber?". Todos nós encontramos pessoas que perderam o contato com a realidade, mesmo que apenas numa área específica. Este é um ponto cego, como em "ela simplesmente tem um ponto cego com relação à irmã". Algumas pessoas têm um ou dois pontos cegos; outras têm o suficiente para fazer um conjunto completo de pontos cegos.

Se você pensa que está imune, considere isto: depois de participar do questionamento de mais de 10 mil jurados, posso contar nos dedos de uma mão (bem, talvez das duas) aqueles que admitiram ter qualquer preconceito racial. Não preciso recorrer a nenhuma pesquisa para dizer, sem medo de errar, que mais de uma pessoa em cada mil tem algum preconceito racial. Mas parece que apenas uma em mil está disposta a admitir isso abertamente no tribunal. Algumas simplesmente estão mentindo; sabem que são racistas mas não vão dizer isso num tribunal. Entretanto, a maioria realmente acredita não ter preconceito, e para muitas pessoas isto chega a ser uma pensamento ilusório. Se eu aceitasse a palavra de cada jurado em potencial que declarou "eu não tenho nenhum preconceito", muitos racistas teriam sido jurados nos casos em que trabalhei no decorrer dos anos. Mas não aceito esse tipo de informação apenas por sua aparência, porque não posso. É importante demais para meu cliente.

Pela mesma razão, quando uma questão específica for importante para você ao avaliar alguém, *mesmo que você acredite que ele seja fundamentalmente honesto,* não suponha que pode aceitar tudo o que ele diz. Pergunte a si mesmo: existe qualquer evidência de que ele possa estar enganando a si mesmo? Será que eu toquei num ponto cego?

O pensamento ilusório pode ser resultado das sugestões de outra pessoa, ou nós podemos desenvolver pontos cegos por nós mesmos. Enquanto eu trabalhava no caso da pré-escola McMartin e em outros casos de abuso sexual infantil, vi como as crianças podem ser facilmente persuadidas de que lhes pediram para participar em atos sexuais – não só com as pessoas que cuidavam delas, mas num caso famoso, com animais grandes e que nem caberiam numa sala. A realidade das crianças foi alterada pelas sugestões – elas sofreram lavagem cerebral. De modo semelhante, alguns dos pontos cegos que vi em adultos provavelmente eram resultado de idéias estranhas implantadas por seus pais desde tenra idade.

Entretanto, o mais freqüente é que os adultos façam lavagem cerebral em si mesmos. Alguns se comportam de modo desonesto e, em vez de admitir isso, criam justificativas elaboradas para suas ações. Outros assumem o crédito pelas idéias ou realizações de outras pessoas. Conforme o tempo vai passando, contam a história de sua realização várias vezes; a cada vez eles ficam mais à vontade com ela, até que finalmente se iludem e passam a acreditar naquilo.

Esse tipo de pensamento ilusório pode ser difícil de perceber. Mas você não pode se dar ao luxo de deixá-lo passar despercebido. Você pode ter concluído corretamente que na maioria dos casos uma pessoa é bastante honesta e confiável, e pode ter deixado de lado o potencial dela para enganar você intencionalmente, mesmo que a história dela pareça errada ou não acrescente nada. A possibilidade de ela estar mentindo não faz sentido, tendo em vista sua honestidade passada: como poderia essa mulher essencialmente honesta ter inventado tal história? Em casos como este, considere a possibilidade de você ter tocado o ponto cego dela – a pessoa está tendo um surto de pensamento ilusório.

OS DEFICIENTES FÍSICOS

Há alguns anos, tive um cliente que sofria de um tique nervoso. O tique ficava pior quando ele estava sob estresse: ele fazia caretas e virava a cabeça para os lados. Seu advogado decidiu explicar isso durante a escolha do júri, de modo que os jurados não entendessem seu problema neurológico como sendo uma resposta psicológica de um homem desonesto a perguntas difíceis.

Sempre que você estiver avaliando alguém que seja deficiente, é essencial identificar a deficiência e o modo como ela o afeta. As pessoas com deficiências podem não demonstrar o padrão que você esperaria delas. Não faça suposições sobre o impacto da deficiência. Ele é completamente diferente de pessoa para pessoa, e muitas vezes depende da deficiência ser de nascença, ou ter se desenvolvido na infância ou na vida adulta, e em quanto apoio a pessoa deficiente teve para lidar com isso.

Em meu trabalho vejo muitas pessoas deficientes. Elas estão envolvidas em processos legais relativos a suas deficiências, e muitas vezes são jurados, testemunhas, advogados e juízes. Vejo como as pessoas lidam de modos diversos com a perda de um membro ou de uma função corporal. Num extremo do espectro está uma mulher que tinha sofrido um ferimento grave e debilitante nas duas pernas num acidente de carro. Ela vinha de uma família muito rica, e era brilhante, atraente, expansiva e bem educada, mas por causa de seus ferimentos, tornou-se surpreendentemente amarga e raivosa. Aparentemente, ela sentia que algo vital lhe tinha sido tirado injustamente, e desenvolveu um senso de direito. Seria muito difícil entendê-la verdadeiramente e prever seu comportamento sem reconhecer a importância da deficiência física na vida dela. A deficiência mostrou ser o traço que predominava sobre todos os outros.

No outro extremo do espectro está um jurado num caso em que trabalhei recentemente. Ele tinha nascido com o braço direito deformado, com apenas 30 centímetros; sua mão não era maior que uma noz grande. Essa deficiência física óbvia deve tê-lo tornado vítima de brincadeiras brutais na infância.

Depois de saber as coisas básicas sobre esse homem – seu histórico educacional, profissional, familiar e experiências de vida –, eu estava bem confiante de que ele seria um bom jurado para a defesa, no caso em que eu estava trabalhando. Entretanto, estava um pouco preocupada porque ele poderia ter alguma amargura e hostilidade, por causa de sua deficiência, e isso geralmente não é bom para o réu num caso criminal. Além disso, por causa da gravidade de sua deficiência e do esforço inegável que ele havia feito para superá-la, eu pensava que ele poderia não ser especialmente simpático ao pedido de compreensão e indulgência por parte do réu. Devido a essas preocupações, prestei ainda mais atenção, durante o questionamento, a sua linguagem corporal e voz, além de suas respostas.

Tudo que eu via e ouvia me sugeria que ele era um homem muito bem ajustado, compassivo, e de mente aberta: um bom jurado para aquele caso. Nós o mantivemos. Senti-me ainda melhor com esta decisão quando o vi levantar seu pequeno braço direito e sua mão no juramento como jurado. Esse grau de conforto com a deficiência reafirmou minha fé nele. Claramente, ele havia chegado a um acordo com sua deficiência, e ela não coloria negativamente sua visão de mundo.

Prestando bastante atenção, você pode determinar o impacto que a deficiência de uma pessoa provavelmente tem em sua visão de mundo. Como ele se refere à deficiência? Ele fala livremente e confortavelmente sobre isso? Excesso de piadas a esse respeito pode revelar um profundo desconforto, mas a capacidade de rir um pouco de si mesmo é sempre um bom sinal. Observe para ver como ele se movimenta entre as outras pessoas e como lida com obstáculos físicos como escadas e portas. Quanto mais alguém domina seu ambiente, maior será a probabilidade de haver integrado a deficiência em sua vida em vez de deixar que ela o dominasse. Fique atento também para sinais de que a pessoa valoriza a independência e tenha trabalhado tanto quanto lhe foi possível para alcançá-la. Se ela parece confortável consigo mesma e é tão independente quanto possível, provavelmente sua deficiência não influencie sua visão de mundo de modo negativo.

No entanto, muitas vezes a deficiência de uma pessoa colore muitos aspectos de seu comportamento e de suas crenças. Você pode identificar essa pessoa por diversas pistas. Muitas vezes ela se retrai mesmo em atividades que poderia realizar. Ela pode esperar um tratamento especial além do que seria adequado para ajustar-se a sua deficiência. E ela pode usar a deficiência como desculpa para seus fracassos ou infelicidade. Lembre-se, a satisfação com a vida é um traço chave para a previsão; se alguém acredita que não alcançou o que deveria ter por causa de sua deficiência, o impacto desta será muito maior. Nesses casos, a deficiência pode se sobrepor a outros traços da pessoa e pode ser a força impulsionadora de seu caráter.

Qualquer deficiência física importante – quer seja um problema cardíaco, paralisia, epilepsia ou gagueira, – precisa ser considerada com cuidado especial. Seria pouco sábio supor que uma deficiência define uma pessoa, mas pela mesma razão, seria ingênuo ignorar a influência que uma deficiência séria pode ter sobre as experiências de vida e atitudes de uma pessoa.

"EU NÃO SOU EU MESMO HOJE":
OS EFEITOS DE DOENÇA, CANSAÇO E ESTRESSE

Se você tivesse me encontrado no inverno de 1979, no outono de 1981 ou no outono de 1987, teria me considerado lenta, sem senso de humor, sem imaginação, fraca, carente, chorosa e bastante debilitada. Minha aparência, a linguagem corporal, a voz, as palavras e as ações teriam sido completamente inconsistentes. Eu era uma confusão só.

Mas se dois meses depois eu encontrasse uma amiga sua, com quem você tivesse falado sobre a minha triste condição, ela pensaria que você estava louco. Eu teria lhe parecido muito independente, expansiva e feliz.

Então, o que aconteceu? Como muitas mulheres, depois do nascimento de cada um de meus três filhos, eu sofri de grave depressão pós-parto. Toda a minha personalidade foi alterada pelas mudanças fisiológicas que aconteciam em meu corpo. Sem saber o que estava acontecendo, você teria interpretado de modo totalmente errado quem eu era e como eu reagiria sob circunstâncias "normais".

As personalidades das pessoas podem ser severamente afetadas por depressão pós-parto, tensão pré-menstrual, estresse crônico e condições semelhantes. A personalidade também pode ser afetada por um resfriado, uma tosse inoportuna, uma dor de dente ou um estômago embrulhado. Mas é fácil deixar passar os sinais de que uma pessoa está doente ou sob estresse, pois a maioria das pessoas tenta não reclamar demais sobre seu mal-estar. Se você não souber que ele está nauseado, você poderia perceber alguém que está sofrendo com um resfriado leve como sendo calado, desatento e talvez até rude. De modo semelhante, você poderia pensar que alguém exausto está entediado, irritado, não é muito inteligente, ou que talvez esteja sob influência de drogas ou álcool.

Alguns problemas de saúde são mais óbvios e duram mais tempo que outros, e normalmente não é difícil ver seu impacto sobre o comportamento da pessoa. Quando alguém quebra uma perna ou tem uma pneumonia, você provavelmente atribuirá muitos de seus momentos de irritação à condição física. Mas é fácil deixar passar condições temporárias ou menos óbvias, como estresse ou cansaço. No entanto, você precisa estar atento a elas pois o bom humor e a habilidade social de quase todas as pessoas sofrem um abalo sob essas circunstâncias.

Meu amigo Robert recentemente quase tomou uma decisão catastrófica porque não tinha percebido que um de seus sócios estava sob um forte estresse. Robert é advogado num pequeno escritório, cujos sócios sempre tiveram fortes amizades pessoais, além de laços profissionais, durante vários anos. Mas recentemente, um dos sócios, Gary, repentinamente ficou frio e distante. Ele e

Robert tinham tido algumas discordâncias sobre alguns assuntos pouco importantes nas semanas anteriores, mas essas diferenças de opinião jamais haviam ameaçado a amizade deles, e Robert não entendia por que deveriam ameaçar agora.

Depois de duas semanas de situações cada vez mais tensas, o embaraço transformou em hostilidade explícita numa reunião de trabalho. Enquanto Robert se sentava zangado em sua sala, Gary bateu à porta. Ele começou pedindo desculpas por seu comportamento, e disse a Robert quanto valor dava à amizade deles. Desabando na cadeira, Gary soltou uma bomba: ele e sua esposa estavam se divorciando. Gary estava arrasado.

Robert tinha deixado de procurar as explicações possíveis para o comportamento estranho de seu sócio, muito embora existissem fortes indícios de que estava acontecendo uma das exceções às regras. As ações de Gary estavam tão fora de seu caráter – e depois de todos aqueles anos de amizade, Robert conhecia bem o caráter de Gary –, que Robert deveria ter percebido que aquilo que estava incomodando seu amigo não tinha nada a ver com sua interação normal.

Quando você vir uma mudança repentina no comportamento de alguém, procure sinais de estresse, fadiga ou doença; se você achar que o comportamento dele está sendo influenciado por um desses fatores, tente descobrir exatamente o que está errado. Você poderá descobrir isso se prestar muita atenção na linguagem corporal e na voz – e, se você tiver intimidade com ele, simplesmente perguntando.

O IMPACTO DAS DROGAS E DO ÁLCOOL

Muito do que foi dito sobre doença, fadiga e estresse também se aplica a drogas e álcool. Eles podem produzir sintomas de depressão, ansiedade ou hiperatividade. No caso de algumas pessoas, o abuso de drogas ou de álcool é uma doença, e pode ser considerado não-opcional. Outras pessoas são bebedores sociais, e neste caso a situação é totalmente opcional. Ao avaliar pessoas que às vezes parecem estar sob esta influência, tente determinar duas coisas: qual a freqüência do uso? E como isso afeta o comportamento da pessoa?

As drogas e o álcool sempre afetam o comportamento, mas a menos que você saiba como a pessoa é quando está sóbria, será bem difícil conhecer exatamente qual é o efeito. Portanto, é bem tolo chegar a alguma conclusão sobre alguém que você acabou de encontrar em cima de uma pilha de garrafas de champanhe vazias, numa festa de réveillon. Você precisa de mais informações.

O mais importante é descobrir se a pessoa tem um problema de abuso de substâncias. Se tiver, será um erro crítico ignorar o impacto que isso tem em seu comportamento. Algumas vezes é difícil aceitar que uma pessoa normalmente trabalhadora, gentil e inteligente não seja confiável porque abusa de drogas ou de álcool. Mas em muitos casos, mesmo que tudo o mais aponte em uma direção, se esta pessoa for dependente de drogas ou de álcool, uma das exceções às regras estará em funcionamento. Se você quer saber a importância dessa exceção, apenas converse com os familiares, amigos, colegas de trabalho e empregados de pessoas dependentes de drogas ou de álcool.

Por outro lado, se alguém é simplesmente um bebedor social, o mais importante é ter em mente que aquilo que você vê quando ele bebe não é necessariamente o que você veria sob circunstâncias normais. O álcool pode deixar as pessoas alegres ou briguentas, agressivas ou passivas. A pessoa expansiva que é a alma da festa, e o bêbado briguento e barulhento podem ter personalidades bem semelhantes quando estão sóbrios. A menos que reconheça que as drogas e o álcool podem alterar substancialmente o comportamento, você pode julgar de modo totalmente equivocado os traços que vê quando alguém está sob a influência dessas substâncias.

INFLUÊNCIAS CULTURAIS

Muitas pessoas pensam apenas em raça e etnia quando consideram o "histórico cultural" de alguém. Na verdade, o histórico cultural é muito mais que isso, é a influência de qualquer grupo sobre os iguais. Certamente a raça, a etnia e o país de origem nos influenciam, mas o mesmo acontece em relação a nosso histórico religioso, idade, origem regional, condição econômica e orientação sexual. Existem até influências profissionais – entre atletas, médicos, caminhoneiros, atores, militares, acadêmicos e quase qualquer outro grupo identificável.

A atribuição de alguns traços a determinados grupos cria estereótipos. É verdade que muitos estereótipos têm alguma base nos fatos, e que *alguns* estereótipos podem refletir de modo preciso as características de *alguns* membros do grupo: alguns franceses são românticos, alguns ingleses são espirituosos e alguns escoceses são frugais. Mas decifrar as pessoas com base nos estereótipos é extremamente incerto. Posso garantir que quando estou trabalhando para a defesa não me inclino a aceitar jurados escoceses com base na teoria de que eles darão indenizações menores.

Como foi indicado no capítulo 2, "A Descoberta dos Padrões", você precisa enxergar além dos estereótipos para ver como as experiências culturais de alguém podem tê-lo influenciado. O peso que você deve atribuir ao histórico cultural de alguém depende de quanto a pessoa esteve ligada àquela cultura. Qual o papel que a cultura teve em sua juventude? Que nível de contato ela teve com a cultura desde aquela época?

- Ela foi à escola com outros membros da mesma cultura (por exemplo, escola judaica, católica, ortodoxa grega?)
- Ela ia regularmente aos serviços religiosos?
- Ela foi criada, e ainda vive, numa comunidade em que a maioria das pessoas são membros dessa cultura?
- Os amigos da família eram predominantemente da mesma cultura?
- Seus amigos atuais têm a mesma vivência cultural?
- Ela prefere médicos, advogados, comerciantes e outros que tenham o mesmo histórico cultural?
- Ela usa palavras ligadas a essa cultura?
- Ela assiste programas de TV e a filmes em sua língua nativa?
- Ela fala a língua nativa em casa?
- Ela usa roupas e penteados que refletem sua cultura?

A mesma linha de perguntas é útil ao avaliar as influências de *qualquer* grupo social. Imagine como alguém poderia ter sido influenciado por uma vida inteira com ênfase em esportes. Seu novo namorado cresceu respirando esportes? Ele passa grande parte do tempo jogando com os amigos? Ele é um torcedor fanático? O resto do mundo (inclusive você) desaparece quando ele está assistindo ou participando de um esporte? Se as respostas forem afirmativas, a imersão nos esportes pode ser uma força impulsionadora no comportamento dele. Mesmo que as outras características não sugiram isto, ele provavelmente será competitivo, durão, machista, e concentrado. Eu conheço recrutadores de escritórios de advocacia que dão boa pontuação a candidatos – homens ou mulheres –, que sejam atletas bem-sucedidos: os traços valorizados na cultura esportiva freqüentemente se traduzem em sucesso no tribunal.

Se seu novo cunhado foi militar, ele ainda usa o cabelo bem curto mesmo que tenha deixado a ativa? Anos depois de passar para a reserva, ele ainda diz "sim, senhor" ou "sim, senhora"? Ele ainda tem uma postura corporal de militar? Se as respostas forem afirmativas, o padrão mental militar sem dúvida teve um profundo impacto sobre o modo como ele vê o mundo. Ele provavelmente é disciplinado, autoritário e conservador.

Sempre que estou envolvida na escolha de um júri, presto muita atenção ao modo como a experiência cultural de alguém pode ter afetado as demais características. Um bom exemplo disso envolve um homem que esteve imerso em duas culturas poderosas. Estava trabalhando num caso em que um antigo policial era o réu. A equipe da defesa estava procurando jurados que não tivessem preconceito contra policiais ou dificuldades em lidar com figuras de autoridade. O jurado em questão tinha aproximadamente 30 anos e havia sido fuzileiro naval. Depois de deixar a Marinha, ele havia conseguido o grau de mestre em ciências da computação, e agora trabalhava para o Ministério da Marinha. Ele ainda usava o cabelo bem curto e mantinha seu corpo de halterofilista tão tenso e ereto como se ainda fosse fuzileiro naval. Suas respostas típicas eram "sim, senhor" e "não, senhor". Tudo nesse homem indicava uma mentalidade de lei-e-ordem, de bom senso e de apoio ao departamento de polícia local. Entretanto ele era afro-americano. E a triste realidade é que no sul da Califórnia, e talvez em todos os Estados Unidos, a maioria dos jovens afro-americanos tiveram uma experiência desagradável com a polícia, ou conhecem alguém que teve.

Nosso questionário para os jurados perguntava sobre confrontos com a polícia. O jurado tinha respondido simplesmente: "Eu fui parado uma vez pela polícia quando estava com alguns amigos". Quando lhe pediram para explicar mais detalhadamente a situação, durante o interrogatório oral, ele respondeu: "Você se refere ao incidente em que eu fui detido". Quando ele disse "detido", seu maxilar se endureceu; ele soltou a palavra entre os dentes. Se nós não soubéssemos que ele obviamente acreditava que a polícia o havia tratado injustamente, nós poderíamos tê-lo deixado no júri. No fim das contas, acreditei que essa experiência pessoal negativa com a polícia poderia ter superado todos os outros traços que indicavam uma mentalidade simpática à polícia.

O reconhecimento das influências culturais também foi um fator para que eu recomendasse a dispensa da jurada hispânica no julgamento dos quatro policiais acusados de espancar Rodney King, em Simi Valley, mencionado no capítulo 5. Embora ela parecesse não ser tendenciosa, reconhecia que seu marido considerava os policiais culpados e que eles deveriam ser severamente punidos. Jamais suporia que todos os casamentos hispânicos sejam dominados pelo homem, mas certamente tenho consciência de que muitos o são (e isso não acontece apenas nas culturas hispânicas). Depois de mais algumas perguntas, concluí que o marido da jurada era o dominante no relacionamento deles. Por essa razão, acreditei que ela não deveria ser mantida como jurada, apesar de qualquer outro traço positivo que ela pudesse ter da perspectiva da defesa, pois seria difícil para ela superar sua tendência a ser induzida.

Não agi baseada num estereótipo cultural em nenhum desses exemplos. Testei o estereótipo. Só depois de ter conseguido verificar que o fuzileiro negro realmente tinha tido uma experiência desagradável com a polícia, e que a mulher hispânica realmente tinha um casamento patriarcal tradicional, é que concluí que essas influências culturais poderiam dirigir o comportamento deles.

Em alguns casos, a investigação revela que tais conclusões seriam infundadas. Por exemplo, participei recentemente de um programa da Associação de Direito de Ontário, em que um de meus colegas no painel de debates era uma juíza de meia-idade muito respeitada. No início, ela parecia totalmente profissional – confiante, direta e sensata. No pódio, era uma típica representante da cultura profissional dura e sem senso de humor, na qual muitas mulheres profissionais estão imersas, especialmente no campo do direito.

Depois do programa, jantei com a juíza, e descobri que embora sua aparência e seu comportamento no painel tivessem indicado uma forte "influência social de mulher profissional", isso não estava mais presente depois de ela ter descido do pódio. Ela era calorosa, amigável, discreta, e divertida. Falou sobre os filhos, não sobre seu sucesso profissional. Não era nem um pouco tensa nem egocêntrica, indo ao ponto de dar uma tragada no cigarro de um outro juiz durante o coquetel. Isso não seria nada esperado de um mulher tensa e totalmente voltada para a carreira.

Os exemplos de influências culturais e sociais são abundantes na vida cotidiana. Aqui estão alguns, inspirados por acontecimentos que testemunhei nos últimos meses. Todos demonstram como é importante considerar a cultura quando você estiver lendo as pessoas.

Se você visse dois homens se abraçando e se beijando no rosto, você pensaria que eles eram gays? Se você soubesse que eles eram fortemente influenciados por uma cultura européia na qual é típico que os homens demonstrem afeição desse modo, você perceberia que sua conclusão provavelmente estaria errada.

Se você visse uma jovem usando uma saia curta, sapatos de plataforma, uma blusa de alcinhas que deixa ver o umbigo e as alças do sutiã, batom escuro, e unhas longas e multicoloridas, você concluiria que ela era descuidada, na melhor das hipótese, e que provavelmente seria uma prostituta? Não, se você conhecesse os padrões da moda contemporânea. Se todas as garotas que se vestissem assim fossem prostitutas, essa categoria incluiria metade das jovens do sul da Califórnia entre 15 e 21 anos. Mesmo as "moças direitas" se vestem assim atualmente.

Recentemente – com apenas dois dias de intervalo –, eu ouvi um homem branco idoso e uma mulher branca idosa se referirem aos afro-americanos como "pretos". Eles são racistas? Sem respeito? Não, ambos cresceram durante uma época em que esse era o modo educado e respeitoso de os brancos se referirem aos afro-americanos – e a palavra "negro" era considerada um insulto.

Você vê um casal jovem exibindo orgulhosamente diversas tatuagens e *body piercings* exóticos. Eles são malucos? São marginais? Roqueiros? Não, eles são membros da geração MTV. Provavelmente daqui a dez anos eles estarão ensinando cálculos a seus filhos ou atendendo você na mercearia.

As influências culturais e padrões sociais são extremamente complexos e muitas vezes difíceis de reconhecer. Ainda assim, existem algumas regras simples que podem ajudá-lo a identificar corretamente quando eles estão agindo.

- Lembre-se de que raça e país de origem não são as únicas influências importantes. Considere também a religião, a idade, a origem geográfica, a orientação sexual, o histórico econômico e a profissão, bem como os outros grupos de que a pessoa participa.
- Nunca tome decisões baseadas em estereótipos culturais. Sempre teste esses estereótipos a partir das experiências de vida da pessoa que você está avaliando.
- Quando alguém parecer sujeito a uma influência cultural específica, descubra a natureza e a extensão dessa influência, e com base nessa informação tente avaliar sua importância para a visão de mundo da pessoa.

COINCIDÊNCIAS ACONTECEM

Algumas vezes alguns acontecimentos aparentemente importantes não têm nenhum significado. Embora seja essencial ter um ceticismo saudável para poder efetivamente decifrar as pessoas, é igualmente importante manter a mente aberta para a possibilidade de que algo seja apenas uma coincidência inocente.

Num capítulo anterior eu contei a história da jurada que usou luvas pretas no tribunal durante todo o julgamento dos quatro policiais acusados de espancar Rodney King. Se a mulher fosse branca e se o julgamento não se referisse a um espancamento supostamente motivado por racismo, eu poderia ter concluído que a mulher sentia frio ou que ela simplesmente gostava de usar luvas. Certamente ninguém na equipe dos advogados teria imaginado que ela pudesse estar fazendo uma afirmação racial. O fato é que o histórico racial das pessoas envolvidas no caso era uma mera coincidência.

Só porque você viu alguém na ópera isto não significa que ele seja culto ou sofisticado, e nem mesmo que ele goste de ópera. Talvez um amigo tenha lhe dado as entradas e ele tenha se sentido obrigado a ir. Do mesmo modo, embora seja natural supor que alguém que vai a um jogo de beisebol goste de beisebol, talvez ele esteja acompanhando alguém da empresa, ou agradando um cliente que goste do jogo. Em qualquer um desses casos, encontrar essa pessoa nesse ambiente seria apenas uma coincidência.

Se alguém tem uma mancha óbvia na gravata, você pode supor que ele seja sujo? Talvez. Por outro lado, pode ser que um garçom tenha derramado um pouco de sopa nele, há 20 minutos, e ele não tenha tido tempo de trocar de roupa. Ele pode ser a pessoa mais obsessivamente arrumada que você já encontrou. A mancha na gravata pode não ter nenhum significado – ou ainda pior, pode lhe dar uma falsa impressão.

No processo contínuo de reunir e avaliar as informações, você encontrará alguns ponto estranhos. Não suponha nada; procure os padrões, e saiba que existirão coincidências de vez em quando.

10

Ouvindo sua Voz Interior:
O Poder da Intuição

O réu era um afro-americano que pesava mais de 100 quilos e agia como se tivesse uma postura rude. Ele parecia ameaçador mesmo usando terno e gravata. Por outro lado, a jurada em potencial era uma mulher branca, jovem, pequena e bem-educada, vinda de uma família rica. Era um caso de assassinato, por isso os advogados entrevistaram a mulher detalhadamente. Nós a questionamos durante horas, e nesse tempo todo ela não disse nada que indicasse que seria especialmente condescendente com nosso cliente. Na verdade, quanto mais nós sabíamos do histórico dela, mais ela parecia se encaixar no perfil de uma pessoa que provavelmente iria votar a favor da prisão perpétua – ou pior.

No fim do dia, o advogado chefe de nossa equipe virou-se para mim e disse, encolhendo os ombros: "Bem, ela está fora, não é?".

Respondi: "Não tenho certeza. Nós podemos querer mantê-la. Algo ainda me diz que ela pode ter uma mente aberta". Eu sabia, pelo olhar cético do advogado, que ele precisaria de uma boa razão para colocar a mulher no júri. Ele não iria apostar a vida de seu cliente num mero palpite.

Ao me deitar, à noite, tentei descobrir por que minha intuição sobre a mulher parecia tão mais forte do que os fatos objetivos que eu soubera sobre ela no tribunal. De onde vinha o meu palpite? Por que eu tinha uma sensação tão poderosa a respeito disso?

É claro, as avaliações de jurados que faço para os meus clientes são importantes demais para depender de adivinhação. *Eu nunca adivinho* quem deve se sentar no júri. Mas a intuição não é adivinhação, e tem tido sempre um importante papel em meu trabalho. No decorrer dos anos, aprendi a dar bastante atenção a meus sentimentos mais profundos a respeito das pessoas e das situações. Muitas vezes, *flashes* repentinos de intuição me levaram a conclusões sobre as pessoas que no início pareciam estar totalmente contra o funcionamento racional de minha mente. E, na maioria das ocasiões, essas conclusões intuitivas se mostraram corretas.

Em conseqüência disso, estou totalmente convencida de que a intuição é *muito* real e *muito* poderosa, e sei que ela pode ser muito útil na leitura das pessoas. Ao mesmo tempo, estou convencida de que não há nada realmente misterioso no modo como a intuição funciona. Ao contrário do que muitas pessoas lhe dirão, acredito que a intuição é parte normal de nosso equipamento mental, que a maioria das pessoas simplesmente não entende muito bem. Se nós a entendêssemos melhor, poderíamos usá-la com mais freqüência e de modo mais efetivo.

Aos olhos de muitas pessoas, a intuição é algum tipo de dom místico especial dado apenas a pessoas escolhidas. Mas acredito que *todos* nós temos habilidades intuitivas naturais – e que podemos melhorar muito nossa intuição se a usarmos.

Fiquei orgulhosa há alguns anos quando *The American Lawyer* me chamou "a vidente", por causa de minha habilidade de entender os jurados e prever como eles irão agir. Algumas vezes eu gostaria de fato de ter uma segunda visão, isso tornaria meu trabalho muito mais fácil, para não falar das outras áreas de minha vida.

Mas certamente não sou uma clarividente. Minha habilidade de prever o comportamento humano não está baseada em nenhum sexto sentido misterioso que só eu possuo, mas no *uso que faço dos cinco sentidos que todos os seres humanos possuem*. Não é "segunda visão", mas curiosidade, foco, observação e dedução que me tornaram bem-sucedida no tribunal.

O QUE É A INTUIÇÃO?

A própria palavra "intuição" carrega uma forte carga de misticismo, sugerindo algum vudu mental que desafia a análise ou a descrição. É dito que os paranormais profissionais realizam feitos surpreendentes, desde prever que alguém irá se casar até antecipar o destino do mundo. Admito que algumas das coisas que os paranormais fazem parecem impressionantes à primeira vista.

Mas o que exatamente *fazem* esses paranormais? Quando você afasta toda a produção do show, *qual é o processo* que os leva a conclusões aparentemente tão surpreendentes? Quando você examina de perto, pode ver que os paranormais são simplesmente pessoas com talento para ler pessoas. Eles se treinaram para ser especialmente sensíveis aos sinais que as pessoas enviam sobre si mesmas. Com o tempo, reúnem muita informação sobre a natureza humana, e se acostumam a correlacionar certos tipos de sinais humanos com determinados tipos de comportamento humano.

A informação que eles reúnem fica guardada no cérebro de duas formas diferentes. Parte dela continua sendo conhecimento *consciente*, que eles utilizam com total consciência do que estão fazendo. Mas a maior parte desse conhecimento vai para a mente *subconsciente*, e os paranormais a utilizam sem estar totalmente conscientes do processo que lhes permite usá-la.

É por isso que alguns paranormais são realmente sinceros em sua crença de que existem "vozes" falando com eles quando fazem previsões intuitivas. Eles simplesmente não estão totalmente conscientes de que a informação que lhes permite tomar decisões acuradas sobre as pessoas foi reunida originalmente por sua própria mente consciente e guardada em seu subconsciente. Seu "dom" é a habilidade natural para reunir e guardar informação, e para recuperá-la do subconsciente.

A pessoa média não dá tanta atenção a suas percepções e experiências. Nós nem notamos a maior parte delas. Conseqüentemente, a maioria de nossas experiências sobre a vida e as pessoas são depositadas atrás da cortina opaca de nosso subconsciente alguns dias, ou mesmo momentos, depois de termos sido expostas a elas.

Mas mesmo que não percebamos conscientemente essas experiências, elas se tornam parte de nosso conhecimento acumulado. Se determinados acontecimentos nos levaram a uma experiência má ou boa, algo dentro de nós pode levantar a bandeira do que chamamos intuição quando eventos semelhantes voltarem a acontecer novamente. Essa bandeira pode vir com vários disfarces: *déjà vu*, ansiedade generalizada, um aperto no estômago que nos diz que algo parece errado, ou animação quando algo parece certo.

Portanto, *aquilo que chamamos intuição é quase sempre a parte aparente de uma memória submersa*, um acontecimento quase não percebido, ou alguma combinação dos dois. A "sensação" não vem do éter cósmico, mas emerge de nosso próprio subconsciente. Isto significa que tudo que temos de fazer para ampliar nossas habilidades intuitivas é encontrar novas formas de reunir informação, guardá-la e recuperá-la do subconsciente.

PROCURANDO EM SUA MENTE

Nosso subconsciente guarda milhares de experiências e de observações, de um modo semelhante ao que um computador usa para guardar informação em seu disco rígido. Entretanto, quando usamos um computador, podemos clicar no botão "localizar" e recuperar instantaneamente qualquer informação que desejemos. O acesso ao nosso subconsciente é muito mais ao acaso, especialmente se não estávamos prestando muita atenção no momento em que a informação foi recebida.

Sempre fui muito atenta e observadora, e sempre me senti fascinada pelo modo como aspectos específicos da aparência, das ações, da voz ou do comportamento de uma pessoa antecipam seus pensamentos e atos. Como resultado disso, reuni um grande banco de dados subconsciente a respeito de várias características humanas e do que elas provavelmente significarão em diversas pessoas sob diversas circunstâncias. Esse grande banco de dados é a base de minhas respostas intuitivas a pessoas e situações.

Normalmente formo uma impressão inicial de cada jurado no momento em que eles entram no tribunal, são chamados para o lugar do júri e se aprontam para responder à primeira pergunta. Conforme os observo mais de perto e ouço suas respostas às perguntas dos advogados, essa impressão quase sempre é confirmada. Não há nada de paranormal nisto. É simplesmente o modo como cada um desses jurados se parece, fala e age que se encaixa num padrão de uma ou mais categorias de milhares de outros jurados que já vi passando pelas portas de centenas de outros tribunais. Algumas vezes tenho dificuldade em dizer o que me deu essa impressão específica sobre uma determinada pessoa. Mas na maioria dos casos, quando chega o momento de tomar uma decisão quanto a aceitar ou rejeitar o jurado, já descobri a fonte de minha intuição e posso dar uma explicação lógica para os outros advogados.

Voltemos por um momento para a jurada mencionada no início deste capítulo. O advogado chefe concordou em pedir que ela voltasse para um segundo dia de interrogatório, embora deixasse bem claro que não seria fácil convencê-lo. Meu palpite de que aquela jovem branca seria boa para nosso cliente permaneceu inabalável – embora ainda misterioso –, até o recesso da tarde do segundo dia, quando percebi o que havia notado subconscientemente nela.

O tribunal tinha uma disposição comum aos tribunais de todo o país. O lugar do júri ficava de um lado da sala. A mesa dos advogados, onde o réu ficava sentado comigo e com seus advogados, localizava-se quase no meio da sala, apenas alguns centímetros à frente das portinholas de acesso à passagem entre os espectadores e que leva à saída da sala. Todas as vezes em que um jurado entra ou sai, ele precisa passar pela mesa dos advogados. A maioria dos jurados passa longe do réu, especialmente quando ele é um homem grande, de aparência rude, acusado de assassinato. De modo geral, esse júri não era uma exceção. Alguns jurados pareciam tentados a saltar a divisória baixa que separava o lugar do júri para evitar passar perto do acusado.

Mas a jovem que havia chamado minha atenção e me frustrado nos dois últimos dias não se afastava de nosso cliente. Ela parecia se desviar de seu caminho para passar perto dele – tão perto que ele poderia estender a mão e segurá-la. Além disso, ao contrário dos outros jurados, ela não afastava os olhos dele, mas parecia pretender examiná-lo de modo "próximo e pessoal". Esse era um comportamento verdadeiramente extraordinário sob essas circunstâncias.

Já tinha observado milhares de jurados passando longe – ou melhor, evitando –, os réus acusados de crimes violentos, e meu arquivo subconsciente estava cheio dessas imagens. Embora eu não tenha registrado conscientemente que o comportamento dessa mulher era drasticamente incomum, meu subconsciente tinha dado um sinal. O comportamento dela deixava claro que ela não tinha medo do homem, como a maioria dos jurados teria se já o tivesse considerado culpado de assassinato. Além disso, ela era claramente inquisitiva e não tinha formado uma opinião rígida sobre o réu. Seu olhar atento ao passar por aquele homem revelava que ela queria saber se ele realmente tinha cometido o crime, e que queria reunir o máximo de informações possíveis sobre ele se lhe fosse pedido para tomar uma decisão quanto a essa questão. O que mais poderíamos pedir a um jurado?

CONSTRUINDO SEU BANCO DE DADOS

O primeiro passo é claro, pois a sua intuição depende da qualidade e da quantidade de sua informação: *aumente o banco de dados*. Um banco de dados valioso está cheio de informação útil, não de impressões aleatórias. Os capítulos 1 e 2, "Prontos para Decifrar" e "A Descoberta de Padrões", lhe mostraram como reunir informação e discernir os traços importantes dos inconseqüentes. Outros capítulos ilustraram como interpretar as diversas características. Se você praticar sempre essas técnicas, irá preencher automaticamente seu banco de dados com informações úteis.

Você irá acumular dados muito mais rapidamente se der atenção a todas as pessoas que encontrar, e não só às pessoas que lhe são mais importantes. Você estará bem adiantado neste jogo se for naturalmente curioso sobre pessoas, mesmo estranhos ou conhecidos casuais. Não seja tímido, faça perguntas gentis sobre a roupa, as jóias ou o cabelo. Se não se sentir à vontade perguntando, simplesmente observe. Sua curiosidade será útil.

Quanto mais de perto observar a todos com quem entrar em contato, mais rapidamente você irá construir seu banco de dados. Posso ilustrar este ponto com um modismo que proliferou no país nos últimos anos: o brinco de sobrancelha. O primeiro que vi na rua, no centro de Los Angeles, estava sendo usado por um jovem que se parecia com o guitarrista de alguma banda de rock *grunge*. Meu primeiro pensamento foi "que estranho". Meu segundo pensamento foi "nossa, isso deve ter doído". Minha curiosidade foi despertada, e comecei a notar outras pessoas usando brincos de sobrancelha. Eu prestava atenção, quer a pessoa fosse um funcionário do supermercado, um caixa do banco, ou estivesse num grupo de jovens num café. Estava curiosa para saber por que cada pessoa em particular tinha escolhido colocar um *pierce* na sobrancelha. Observei cada um, quer parecesse conservador, artista, meio selvagem, inteligente, bem educado, repugnante, respeitoso, sujo ou qualquer outra coisa.

Desde essa época, já vi centenas de brincos de sobrancelha. Não são usados por garotos adolescentes de aparência suja, mas por mocinhas que de outro modo pareceriam meninas de classe média. Ao contrário das tatuagens, os brincos de sobrancelha podem ser facilmente removidos, e assim indicam uma natureza menos rebelde. A maioria dos jovens com *piercing* nas sobrancelhas parece ser de tipos artísticos, individualistas e expressivos que estão fazendo uma afirmação de moda, mais do que uma afirmação política ou cultural.

Nos últimos anos, acumulei informações substanciais sobre as pessoas que usam brincos de sobrancelha, não espero ter de usá-los com muita freqüência; na verdade, grande parte desse conhecimento pode permanecer para sempre no meu subconsciente. Mas se uma jovem com um brinco na sobrancelha entrar amanhã no meu escritório para se candidatar a um emprego de arquivista, minha intuição provavelmente me dirá para manter a mente aberta – pode parecer estranho, mas se tudo mais parecer em ordem não há razão para alarme.

Não espere muita ajuda de sua intuição para avaliar corretamente alguém que use um desses brincos, se você sempre se retraiu ante pessoas que usam brincos de sobrancelha, supondo que todas são desempregadas e drogadas. Você simplesmente não terá acumulado um banco de dados suficiente para alertá-lo a ver além do estereótipo.

Da próxima vez em que você for cortar o cabelo, esperar por um cliente, ou estiver andando na rua, pare, olhe e ouça. Esteja atento. Envolva-se com as pessoas, ou pelo menos olhe para elas. Observe qualquer característica particular. Para desenvolver sua intuição, você precisa continuar olhando e ouvindo até chegar a uma impressão da pessoa como um todo, até que um padrão se desenvolva. Cada vez que fizer isso, você estará enchendo seu banco de dados com informações valiosas.

SINTONIZE E AMPLIE SUA INTUIÇÃO

Não importa o quão distraído você tenha sido no passado, ainda assim o seu banco de dados guardou milhares de experiências. Aumentar a qualidade e a quantidade de informação no seu arquivo inconsciente irá ajudá-lo a usar com mais freqüência a sua intuição, mas você também pode utilizar os dados que já tem. Pode começar a sintonizar e ampliar sua intuição seguindo quatro passos:

1. Reconheça e respeite sua intuição.
2. Identifique aquilo que sua intuição está lhe dizendo.
3. Revise as evidências.
4. Confirme ou não sua teoria.

Reconheça e respeite sua intuição

Antes de poder ouvir sua voz interior, você tem de ligar seu receptor. Você precisa acreditar que seu subconsciente está se manifestando para lhe dizer se está no caminho certo ou indo para um precipício. Quando você se pegar pensando "isto é um aviso", ou "algo está errado", ou "tenho uma boa sensação a respeito dela", pare e ouça. Normalmente você terá tempo suficiente para se afastar um pouco da situação e refletir sobre ela antes de tomar qualquer decisão.

Se tiver um palpite, *não* siga simplesmente seu instinto. Por mais que eu valorize a intuição, ela não é um conhecimento puro e impecável vindo de dentro. A intuição pode ser influenciada por lembranças incompletas. Você precisa saber por que está reagindo de determinado modo antes de permitir que o palpite dirija suas ações. Alguma coisa relacionada à situação presente pode estar puxando uma lembrança, mas quem sabe qual? Você pode ter uma reação negativa em relação a um homem chamado Ralph apenas porque seu vizinho de infância era um briguento chamado Ralph – e você não conheceu nenhum outro Ralph desde aquela época. Essa não é uma boa razão para não trabalhar com alguém chamado Ralph, ou deixar de levar o carro num mecânico chamado com esse nome.

Assim, o primeiro passo no processo de aprender com sua intuição é simplesmente reconhecê-la e respeitá-la. *Não a ignore nem a subestime, mas também não a siga cegamente.* Pense em si mesmo como um cachorro que ouve um barulho à distância. Você pára, fica atento e volta suas orelhas para a direção do barulho. Ao fazer isso, estará ligando seus receptores de intuição.

Identifique aquilo que sua intuição está lhe dizendo

Apenas reconhecer que você tem uma sensação engraçada não é muito útil se o seu objetivo for tomar decisões inteligentes. Um pouco de autoquestionamento pode torná-lo capaz de identificar não só que você tem um palpite, mas também qual é esse palpite.

Se, por exemplo, uma mulher tem uma sensação desconfortável quando está saindo de uma entrevista para um emprego de caixa, para trabalhar com um homem que tem um comércio de autopeças, ela deve tentar identificar sua preocupação. Está com medo de que ele a assedie sexualmente? Está preocupada com a quantidade de horas extras que ele espera que ela trabalhe? Tem medo de que os negócios não estejam indo bem, e de ter de procurar outro emprego logo depois de começar naquele? Se um homem acabou de conhecer uma mulher e decide convidá-la para sair porque tem uma sensação a respeito dela, qual é exatamente essa sensação? Acha que ela será divertida? Sua intuição está lhe dizendo que ele encontrou a futura mãe de seus filhos? Se uma mulher sente aversão pelo novo contador depois de ter cruzado com ele no corredor pela primeira vez, o que poderia ter causado essa reação? Ele lhe pareceu arrogante? Hostil? Fraco?

Para identificar o seu palpite normalmente é suficiente refazer a cadeia de eventos que o levou a ele. Nesse ponto, você não está tentando descobrir uma evidência factual que sustente sua sensação, você está apenas tentando identificar qual é a sensação. Se puder, tente identificar a primeira vez em que pensou que algo estava errado, ou certo. Faça livre associação. Pergunte a si mesmo quem essa pessoa ou lugar lhe lembra, e depois reflita sobre a primeira imagem que aparecer em sua mente, por mais absurda que ela possa parecer. Em algum ponto você sentirá o clique do reconhecimento:

"Acho que o dono da loja sente-se atraído por mim."

"Aposto que essa mulher tem muito senso de humor."

"Aquele novo contador me parece um cara bem estúpido."

É importante focar-se exatamente naquilo que sua intuição está dizendo, seja racional ou não, porque sem o foco você não poderá dar os próximos passos do processo e testar a validade de seu palpite.

Revise as evidências

Depois de identificar qual é o seu palpite, o próximo passo é usar sua intuição para examinar as evidências – isto é, toda a informação que já esteja a sua disposição. Reveja mentalmente o encontro e passe por ele novamente em câmera lenta, avaliando cuidadosamente a aparência física, a linguagem corporal, o ambiente, a voz, as palavras e as ações. Ao rever aquilo que aconteceu enquanto sua resposta intuitiva estava se formando, você estará sintonizando sua fonte.

No caso do homem que tem uma boa sensação a respeito da mulher que acabou de conhecer, ele pode se lembrar de ter visto um calendário na mesa dela, feito por seu desenhista predileto. Será que ele pode confiar apenas nisso para concluir que se divertirão muito juntos? Não. Mas pelo menos ele identificou a evidência que o levou a essa sensação inicial.

E a mulher, que sentiu uma aversão instantânea e aparentemente inexplicável em relação ao contador, pode lembrar que ele usava a mesma loção após barba que o canalha com quem sua mãe saía. Assim que a mulher percebe que sua aversão pelo novo contador é simplesmente uma associação entre essa loção após barba e o ex-namorado da mãe, pode considerar seu alarme intuitivo como um alarme falso. Ela pode acabar não gostando, ou gostando do contador por outras razões, mais racionais, mas pelo menos não vai se afastar dele apenas por causa de um instinto falso.

Se a mulher entrevistada pelo proprietário da loja de autopeças identificou seu palpite como uma preocupação com a possibilidade de assédio sexual, ela agora precisa examinar toda a evidência disponível para ver se ela sustenta sua suspeita. Conforme revê a entrevista, pode se lembrar de que o homem se aproximou dela com um ar afetado e um sorriso sedutor, e manteve apenas um breve contato ocular antes de examiná-la de alto a baixo. Ao indicar-lhe a cadeira, ele a tocou no braço e depois na parte de baixo de suas costas. Ao começar a entrevista, ele abaixou a voz como se fosse um disc-jóquei da madrugada numa estação de jazz. Esse padrão, reforçado por alguns comentários sugestivos como "eu realmente estou muito ansioso para trabalhar com você", cria um sólido corpo de evidências indicando a possibilidade de assédio.

Conforme for se familiarizando com as pistas ao ler as pessoas, você será capaz de avaliar melhor a evidência disponível. Por exemplo, se você sabe que uma tentativa de entrar no espaço pessoal de alguém (tocando o braço e as costas) muitas vezes significa um interesse sexual, isso reforçará sua intuição. Sem saber isso, você poderia duvidar de seus instintos e culpar-se por ser tão travada em relação ao contato físico. Ao avaliar os eventos que produziram sua resposta intuitiva, lembre-se de que a autocensura é um obstáculo quando você está tentando sintonizar a sua intuição. Não sabote a si mesmo por insegurança ou por ser politicamente correto. Nesse ponto do processo, deixe que sua resposta intuitiva ante a aparência, o ambiente e a voz de um pessoa seja o seu guia.

Confirme ou não sua teoria

Quando você tiver reconhecido que o seu subconsciente está tentando lhe dizer algo, tiver identificado o que ele está tentando lhe dizer, e revisado todas as evidências disponíveis, você provavelmente terá formado uma teoria a respeito da origem de sua resposta intuitiva. Algumas vezes você não precisa levar o processo adiante, como no exemplo da mulher que tinha lembranças ruins associadas à loção após barba do contador. Mas se não chegou a uma conclusão satisfatória, o passo final é testar sua teoria.

Talvez você não tenha pistas suficientes para fazer uma acusação. Ou pode haver muitas pistas, mas você não as observou tão cuidadosamente como desejaria agora que sabe de sua importância. Quando encontramos alguém pela primeira vez somos bombardeados com novos dados, e é fácil deixar de lado os detalhes. Existe também a possibilidade de você ter encontrado a pessoa num dia ruim, ou você pode desconfiar que seja este o caso, e deseje verificar se suas preocupações se confirmam. Agora, depois de ter refletido cuidadosamente sobre sua primeira impressão, você pode se aproximar da pessoa novamente, concentrando sua atenção na informação adicional específica de que precisa para testar sua intuição.

O homem que quer saber se sua nova conhecida realmente tem senso de humor poderia iniciar sua investigação com uma conversa casual. Ele poderia começar perguntando algo sobre o calendário que viu sobre a mesa dela. Uma conversa de dez minutos poderia dizer-lhe se existe uma base racional para acreditar que ambos podem se entender.

A mulher que está pensando no emprego na loja de autopeças pode concluir que não precisa de mais informações para saber que o proprietário pode assediá-la se ela aceitar o emprego – há muitas evidências indicando essa direção. Mas se ela realmente precisar do emprego e não desejar recusá-lo desnecessariamente, pode pedir uma segunda entrevista. Desta vez, ela pode concentrar-se conscientemente nos aspectos da aparência e do comportamento do homem que poderiam indicar uma natureza devassa. Ela deve conseguir informação suficiente para fazer uma acusação agora que está concentrada no possível problema. Pode examinar detalhadamente o ambiente procurando itens como calendários, pôsteres e cartazes que poderiam trazer pistas sobre os gostos do proprietário. Pode procurar fotos da família ou outros itens que lancem alguma luz na vida pessoal dele. Também pode conversar com outras funcionárias e, com o máximo de tato possível, perguntar como o patrão as trata. Desta vez ela deve observar o olhar dele ainda com mais cuidado; se ele a tocar, ela estará alerta para a possibilidade de ele fazer isso de um modo sexualmente sugestivo.

Planeje com antecedência quando você for testar sua teoria. Prepare algumas perguntas relevantes e pergunte-se que traços de caráter poderiam revelar mais sobre a questão com que está preocupado. Desta vez, esteja alerta pois essa segunda chance pode ser tudo o que você terá para basear sua decisão.

O PROCESSO DE QUATRO PASSOS EM AÇÃO

Lembro-me nitidamente de uma experiência no julgamento criminal de O. J. Simpson na qual segui os quatro passos deste processo. Uma jovem hispânica tinha sido escolhida para fazer parte do júri. Nossa pesquisa pré-julgamento, os questionários e o interrogatório verbal nos levavam a acreditar que a mulher seria receptiva à teoria da defesa no caso e não seria atraída especialmente pelas teorias da promotoria, especialmente por sua ênfase no abuso conjugal.

Na manhã seguinte à escolha do júri, a jovem chamou minha atenção. Eu tinha uma forte sensação de que algo estava muito errado. Sabia bem que não devia ignorar minha intuição, muito embora ninguém se animasse com a idéia de avaliar novamente o júri que tinha sido escolhido depois de meses de esforço.

Depois de pensar um pouco, percebi que estava preocupada com a possibilidade de ela ter sofrido abuso. Depois de ter identificado aquilo que minha intuição estava tentando me dizer, pude me concentrar no que tinha soado esse alarme. Identifiquei muito rapidamente a base de minha preocupação.

Anteriormente, essa jurada tinha estado muito atenta no tribunal. Ela olhava muito para os advogados, o juiz e para o sr. Simpson. Absorvia tudo no tribunal. Estava envolvida. Mas nessa manhã ela se sentou com o rosto virado para o outro lado, olhando para o espaço vazio. Quando a observei mais cuidadosamente, vi uma pequena contusão em seu rosto, que ela estava tentando esconder, consciente ou inconscientemente. Quando chamei a atenção da equipe da defesa para esse fato, os alarmes de todos soaram bem alto.

Existem muito modos de ficar com uma contusão no rosto, além de um namorado ou um marido abusador. Mas minha intuição, baseada em anos de experiência e em conhecimento acumulado, estava me dizendo que se a contusão tivesse sido causada por outros meios, a mulher não estaria tão preocupada. Além disso, se ela simplesmente tivesse dado um encontrão inocente, ela não teria virado o rosto: ela estava envergonhada, ou tentava esconder a evidência de uma vida familiar que provavelmente faria com que fosse dispensada do júri, ou ambos.

A última coisa que qualquer um de nós queria era envergonhar ou ofender a jurada pedindo ao juiz que permitisse um interrogatório adicional, especialmente numa questão tão pessoal. Mas finalmente a equipe da defesa concordou que tínhamos de correr o risco. Durante o questionamento, que aconteceu na sala do juiz Ito, a jurada admitiu que seu namorado tinha batido nela na noite anterior. O juiz Ito a dispensou do júri.

Desta vez, a minha intuição era coerente com a interpretação mais óbvia dos fatos. Mas nem sempre é assim. Muitas vezes a intuição fica abalada diante de evidências mais óbvias. Quando isso acontece, é crucial que você saiba como pensar sobre seu palpite considerando os fatos subjacentes a ele. Passei por essa experiência muitas vezes em minha carreira, e freqüentemente sou a voz solitária tentando convencer uma equipe de advogados que relutam em manter ou dispensar um jurado. Um dos casos mais memoráveis aconteceu no julgamento de um motorista de táxi inglês acusado de matar quatro pessoas, cujos corpos nunca foram encontrados.

A equipe da defesa do caso incluía o réu, que estava ativamente envolvido no processo de escolha dos jurados. Todos nós ficamos desconfiados quando um dos jurados revelou que tinha acompanhado a polícia em diversos casos, pegando carona em seus carros. Será que ele não seria parcial a favor da polícia, pois tinha pedido para ir com eles? A reação mais comum seria dispensá-lo. Os advogados e o réu supunham que qualquer um que quisesse ver a polícia em ação era um apoio leal para a força policial. Mas algo me dizia que o homem seria um jurado favorável.

Uma das principais defesas do motorista de táxi era que a polícia não tinha seguido um procedimento adequado nas investigações e que em resultado disso, as conclusões a que ela havia chegado não eram confiáveis. Uma segunda linha de defesa era que tanto a polícia quanto a promotoria tinham concluído que o homem era culpado sem avaliar objetivamente a evidência.

Quando perguntei a mim mesma o que a minha intuição estava dizendo, concluí que ela estava indicando que esse jurado criticaria a polícia *se* a defesa conseguisse provar que a investigação não tinha sido conduzida adequadamente. Se o trabalho policial negligente tivesse sido causado pelo pré-julgamento dos detetives antes do término da investigação, esse jurado provavelmente criticaria a polícia.

Sabendo o que a minha intuição estava dizendo, avaliei cuidadosamente a informação de que dispunha sobre esse jurado em potencial. Primeiro, estava claro que ele tinha algum conhecimento do procedimento policial normal e da importância de segui-lo. Isso queria dizer que ele entenderia por que um desvio do procedimento adequado poderia distorcer a investigação e, conseqüentemente, o caso da promotoria. Além disso, mesmo que ele tivesse acompanhado o carro de patrulha em algumas ocasiões, ele não era um policial voluntário ou auxiliar, e não tinha aspirações de se tornar um. Ele simplesmente tinha curiosidade sobre o processo e queria experienciá-lo por si mesmo. Isso sugeria que ele tinha uma natureza inquisitiva e que teria uma mente aberta para nosso caso, mesmo que nós criticássemos a investigação policial.

Por último, e ainda mais importante, ele era abertamente gay. Acreditava que um homem abertamente gay, que sem dúvida já tinha sido julgado com base apenas em sua orientação sexual, criticaria a polícia se nós pudéssemos provar que ela havia pré-julgado o réu. No início eu não tinha focalizado esta questão, mas ela foi vital para minha análise final.

Nós esperávamos nesse julgamento que o júri visse que a promotoria tinha feito um julgamento infundado, e que eles não estavam dispostos a reavaliá-lo apesar das evidências que o contradiziam. Essa recusa teimosa a avaliar objetivamente as provas não aconteceu somente com os detetives, mas também com a promotoria: na verdade era a terceira vez que o réu era julgado pelo suposto crime. O primeiro julgamento tinha resultado num júri sob suspeita, o segundo tinha sido anulado. Entretanto, o promotor estava acusando o réu pela terceira vez, com perseverança canina.

Ao considerar essa informação, eu gostei ainda mais de saber que o jurado iria avaliar a investigação com uma mente aberta e analítica. Acreditava que ele também seria receptivo ao argumento de que o réu era vítima de pré-julgamento, desde que nós conseguíssemos provar isto.

Nós decidimos "aumentar" o volume de minha intuição e fazer mais perguntas sobre a experiência do homem como uma pessoa gay e sua opinião sobre o possível pré-julgamento do réu pela polícia. Quanto mais o questionávamos, mais certa eu ficava de que ele seria bom para o nosso lado. A equipe da defesa, inclusive o réu, estava extremamente relutante em deixá-lo no júri, mas finalmente eles concordaram com o meu julgamento. O homem foi um participante ativo nas deliberações do júri que resultaram na absolvição de nosso cliente.

PRESTANDO ATENÇÃO NAS SEGUNDAS IMPRESSÕES

Não é incomum ter uma forte sensação sobre alguém desde o momento em que você o encontra pela primeira vez. Mas algumas vezes, uma sensação visceral só irá emergir semanas ou meses depois, como resultado das informações que você reuniu nesse período. O capítulo "A Descoberta de Padrões" o alertava para testar constantemente sua primeira impressão com as novas informações.

Uma resposta intuitiva ante uma pessoa sempre deve ser encarada como uma nova informação e nunca deve ser ignorada, independente do momento em que ela surgir. Prestar atenção a suas segundas impressões pode ser a diferença entre perder uma oportunidade e tomar uma decisão inspirada.

Um exemplo disso aconteceu durante o julgamento da pré-escola McMartin. Todos os jurados em potencial tinham preenchido questionários detalhados semanas antes do início da escolha dos jurados. Uma jurada, uma mulher afro-americana, fez diversos comentários em seu questionário escrito que sugeriam fortemente que ela ficaria a favor da promotoria. Ela reconhecia que tinha lido ou ouvido grande parte da cobertura da imprensa que precedera o julgamento. Admitia que, com base em tudo que tinha lido e ouvido sobre o caso, acreditava que os réus eram culpados. Todos na equipe da defesa, inclusive eu, a tinham riscado da lista de jurados potenciais.

O questionamento verbal aconteceu duas semanas depois dos questionários escritos terem sido entregues. Quando se sentou na nossa frente, respondendo às perguntas dos advogados, essa mulher reviu muito daquilo que tinha escrito duas semanas antes. Ela afirmou ter refletido mais sobre o caso, e que achava que os réus tinham direito a um julgamento justo. Pediu desculpas por ter sido tão crítica e nos garantiu que manteria a mente aberta. Normalmente eu nem teria pensado na possibilidade de escolhê-la. Essas palavras e ações sugeriam que ela desejava ser jurada num caso famoso e que estava tentando nos vender sua capacidade de ser justa. Mas, por algum razão, eu acreditava nela. Algo estava me dizendo que ela realmente manteria a mente aberta.

Depois de chegar a essa conclusão, comecei a reexaminar tudo que ela tinha dito, o modo como ela agia e sua aparência. Observei que quando ela falava conosco, fazia contato ocular muito direto. Ela se inclinava levemente para a frente em sua cadeira. Freqüentemente ela suspirava ao admitir os comentários que tinha feito no questionário; expressou seu arrependimento por ter sido tão dura ao julgar. Parecia estar lutando com a percepção de que tinha julgado os outros, do mesmo modo como tantas pessoas a tinham julgado por ser negra. Falava lentamente, com sinceridade, com um ritmo constante. Era como se estivesse procurando em seu coração e em sua alma a verdade absoluta sobre como se sentia.

Até esse momento em minha carreira, eu já tinha visto muitas pessoas se mostrarem de modo diferente da realidade, apenas para participar do júri de um caso famoso. Eu sabia como era a aparência delas, e o modo como agiam quando estavam tentando vender a si mesmas para o juiz e os advogados. Sua linguagem corporal, o tom de voz e os padrões de fala estavam guardados no meu banco de dados subconsciente. A sensação visceral que eu tinha sobre essa mulher estava baseada no fato de ela não se encaixar nesse padrão. Nós a deixamos no júri, que acabou considerando meu cliente inocente.

AS MULHERES SÃO MAIS INTUITIVAS QUE OS HOMENS?

Nós terminamos este capítulo com uma pergunta, cuja resposta valida nossa visão de intuição.

Todos nós conhecemos alguém que realmente parece ter um dom para entender as pessoas ou até prever o futuro, e normalmente essa pessoa é uma mulher. Quando digo às pessoas minha definição de intuição – que é basicamente uma mensagem subconsciente emergindo do arquivo de informações reunidas por nossos cinco sentidos – freqüentemente sou desafiada a explicar os poderes paranormais da avó, tia ou mãe de alguém: "Ela sabia quando uma de suas amigas ia pegar um resfriado dois dias antes disso acontecer" ou "Ela previu o acidente de carro que matou o pequeno Jimmy Smith" ou "Ela sempre sabia quando eu estava mentindo".

Talvez existam algumas pessoas, em algum lugar, que realmente *sintam* vibrações, possam descrever o caráter de alguém que não conhecem e prever o futuro. Nunca encontrei ninguém assim. Como expliquei antes neste capítulo, atribuo esses poderes à observação e ao raciocínio dedutivo. Entretanto, observei que como diz a sabedoria popular, as mulheres tendem a ser mais intuitivas que os homens. Existe uma razão direta para isso, e é tão óbvia como a razão pela qual sua mãe sempre sabia quando você estava mentindo.

Nas gerações anteriores isso era ainda mais verdadeiro, mas ainda hoje, a maioria das mães passa mais tempo que os pais observando de perto o comportamento e os gestos de seus filhos. Quase todo mundo fica diferente quando está mentindo, mesmo que a diferença seja tão sutil que um estranho não perceberia. Quando você era criança, a menor mudança em sua expressão era instantaneamente visível para sua mãe. Ela não era paranormal; ela apenas tinha uma enorme banco de dados sobre *você*. O subconsciente dela percebia quando você fazia um movimento diferente de seu padrão "honesto" habitual. Talvez fosse algo tão pequeno como o ângulo em que você ficava de pé. Talvez até mesmo ela não pudesse dizer exatamente como sabia que você estava mentindo. Mas o fato é que o seu padrão estava diferente. Conforme você foi crescendo e passou a ficar menos tempo com sua mãe, os poderes intuitivos dela provavelmente começaram a declinar – pelo menos em relação a você.

Hoje, essa disparidade dramática entre os papéis de homens e mulheres diminuiu muito, e até desapareceu totalmente em muitas famílias. Mas as mulheres ainda assumem com mais freqüência o papel de cuidar, comunicar, observar e pacificar a família. E normalmente as mulheres são criadas para serem mais sensíveis aos próprios sentimentos e aos sentimentos dos outros. Elas também são socializadas mais para reparar em roupas, cortes de cabelos, sapatos, jóias e em outros aspectos da aparência pessoal. Lêem revistas de moda muito mais que os homens e se ligam em quem fez cirurgia plástica, quem está usando uma aliança e quem engordou cinco quilos. Observam. Notam. Se você tiver alguma dúvida, pesquise entre os homens e as mulheres com quem trabalha quem se lembra o que a esposa do chefe (ou o chefe) vestiu na festa de Natal do ano passado. Eu ficaria muito surpresa se as mulheres não ganhassem. Um banco de dados maior traz uma intuição melhor.

Essa é uma generalização? Claro. Todos nós conhecemos homens que são mais atentos, observadores e sensíveis que a maioria das mulheres. E eu apostaria que eles também são mais intuitivos. O abismo da intuição diminuiu à medida que os papéis femininos na sociedade foram se igualando aos dos homens. O sr. mamãe, não sua esposa que trabalha fora de casa, é agora quem sabe intuitivamente quando o pequeno Johnny não está se sentindo bem, ou quando o cachorro precisa ir lá fora. E é assim que deve ser, considerando a natureza da intuição. A experiência pessoal e social, e não os cromossomos, é que alimenta a intuição.

E o que dizer da mulher que sabia quando suas amigas estavam doentes, ou daquela que previu um acidente de carro? Se eu tivesse tempo, adoraria investigar essas histórias. Aposto que essas amigas quase doentes tinham uma aparência diferente, ou um cheiro diferente, ou pediam uma xícara de chá em vez do café habitual. Também desconfio que a esquina em que o pequeno Jimmy morreu tinha sido uma armadilha mortal por muitos anos. Uma aposta que eu certamente faria é que a maioria dessas tias e avós paranormais tinham ótimas memórias, grande visão e um agudo interesse nos assuntos das outras pessoas.

11

Olhando-se no Espelho:
O Modo Como os
Outros Vêem Você

O meu trabalho como consultora de júri freqüentemente me coloca no papel de consultora de imagem: aconselho meus clientes, seus advogados e testemunhas sobre como se apresentar sob a melhor luz possível. Os jurados e juízes examinam detalhadamente a aparência e a conduta de todos os envolvidos num caso, especialmente aqueles que estão no banco das testemunhas. Mas a necessidade de projetar a melhor imagem possível não começa nem termina aqui, e é por isso que antes do julgamento eu tenho uma pequena conversa com todos os que estão no caso. Ela é mais ou menos assim: "Sempre que você se aproximar do tribunal, os olhos de alguém estarão sobre você a cada segundo. A pessoa que observa você pode ser o juiz, um jurado, um funcionário do tribunal, outro advogado ou uma testemunha. Mas a cada momento, alguém estará examinando você. Aquilo que o juiz ou o júri enxergar em sua linguagem corporal e aparência, o que ouvir na entrada, perceber no banheiro ou no final do dia pode ser ainda mais importante do que aquilo que acontece no tribunal. Alguém sempre estará observando você, assim sendo, prepare-se para ser visto".

A mesma coisa acontece em reuniões de vendas, na sala de reunião, na mercearia, no local de trabalho ou num jogo de bola. Algumas vezes você sabe que isso acontecerá, como numa entrevista para emprego ou num encontro às escuras. Outras vezes, você não espera. Mas não se engane – quase sempre existe alguém olhando-o e ouvindo-o.

O modo como as pessoas vêem você fará uma enorme diferença em sua vida. Todas as pistas que nós lhe demos sobre como decifrar os outros, e todos os traços que descrevemos também se aplicam a você, bem como às pessoas que você estiver decifrando. *O que você aprendeu nestas páginas é igualmente valioso se o aplicar aos outros ou a si mesmo, e é ainda mais efetivo se você fizer as duas coisas.* Este capítulo irá lhe dar algumas dicas para realizar uma "sintonia fina" na impressão que você dá: como se preparar para ser lido; avaliar sua audiência; planejar sua abordagem; e reagir à mudança das circunstâncias. Pense nisto como um exercício de autoconsciência – um compromisso que você faz conscientemente para deixar uma boa impressão.

PREPARE-SE PARA SER LIDO

O processo de preparar-se para ser lido não precisa ser complexo. Ele pode ser tão simples como lavar o carro antes de ir buscar um cliente ou a nova namorada, ou gastar alguns minutos a mais para trocar de roupa para uma mais adequada antes de sair para jantar ou ir a uma reunião. Pode envolver apenas pensar em algumas perguntas inteligentes a serem feitas numa entrevista para emprego.

A preparação é um hábito valioso porque, como diz o ditado, "você só tem uma chance de deixar uma primeira impressão". E primeiros encontros importantes muitas vezes acontecem quando menos se espera. Você nunca sabe quando vai encontrar alguém que poderia mudar sua vida. Um homem que tenha esperança de encontrar a mulher de seus sonhos deveria pensar duas vezes antes de sair de casa usando calças velhas e folgadas e uma camiseta desbotada. Quando ele finalmente encontrar essa mulher perfeita, ela pode dar uma olhada para ele e suas roupas desleixadas e mudar de direção. E quem irá parar e dizer olá para uma mulher no supermercado se ela estiver correndo como se estivesse atrasada para pegar um ônibus e usando bobes no cabelo? E se aquele dia em que você decide usar aquela roupa batida, porque não teve tempo de lavar a roupa suja, for o dia em que seu chefe a convidará para uma reunião com o maior cliente da empresa?

Sempre estou muito consciente de como as pessoas podem me ver, sempre estou consciente da impressão que darei – não apenas quando encontro alguém pela primeira vez, mas mesmo enquanto meus relacionamentos se desenvolvem. Ter um bom começo é importante, mas mesmo as ótimas primeiras impressões podem desaparecer se não forem mantidas. Com o tempo esse processo se transforma numa segunda natureza. Mas se você não está acostumado a esse tipo de atenção, faça uma lista do que pode fazer para se apresentar da forma mais positiva possível em qualquer situação. Você pode começar com as seguintes perguntas a si mesmo:

- Quem eu verei?
- Qual é o meu objetivo?
- Que aparência eu devo ter?
- Como chegar e sair de lá?
- Onde eu devo ir e o que devo fazer?
- Como devo agir?
- O que devo dizer?

Quem eu verei?

Comece por considerar sua audiência para ser visto sob uma luz mais positiva. Não estou sugerindo que você se transforme, como um camaleão, para se adaptar aos outros. Estou simplesmente recomendando que você pare um pouco para descobrir exatamente com quem estará lidando e leve isso em conta.

Antes de sair correndo para comprar um terno novo para uma entrevista de emprego, descubra quem o entrevistará e aprenda tudo o que puder sobre a empresa em que ele trabalha. A empresa é formal ou informal? É moderna ou conservadora? Você vai se encontrar com um homem ou com uma mulher? Ele é jovem ou velho? Há quanto tempo ele trabalha na empresa? Essa pessoa será seu supervisor direto, aquele que vai contratá-lo, ou simplesmente é a primeira etapa de uma série de entrevistas? Talvez você tenha falado com o entrevistador no telefone. Você percebeu algum sotaque que indique uma região geográfica ou país? Existe um folheto de informação sobre a empresa?

Vamos supor que você descobriu que a pessoa com quem vai se encontrar é uma mulher com educação universitária, com trinta e poucos anos, com um sotaque do sul, e que você vai trabalhar diretamente com ela. Você também descobriu que a empresa é dirigida por dois irmãos, com trinta e tantos anos, que são muito informais e modernos. Quando você preencheu a ficha para emprego, observou que todos no escritório estavam vestidos de modo informal. Como isso afetaria sua preparação?

Como você se prepararia se descobrisse que o entrevistador é um homem de 65 anos que está na empresa há 35 anos? Ele é encarregado do departamento pessoal e não o supervisionará quando você for contratado. Ele tem um forte sotaque de Nova York. Você também descobriu que a empresa é antiga, com negociações na bolsa de valores, e conservadora, e que seu diretor já dirigiu a General Motors.

No primeiro exemplo você deveria estar especialmente atento à impressão pessoal que deixar. O modo como se relacionará com seus colegas de trabalho e com a mulher que o entrevistará, e o modo como você se encaixa no ambiente do escritório pode ser tão importante quanto sua experiência profissional. No segundo exemplo, você poderia concluir que seu terno mais conservador seria apropriado e que a ênfase da entrevista estará em seu currículo, não em sua personalidade ou ambições.

Qualquer que seja a situação, o tempo gasto pensando em sua audiência é um tempo bem gasto. Mesmo que se vá apenas buscar os filhos na escola, deve-se lembrar que os professores, a equipe e as outras crianças o estarão vendo . Pode-se aparecer sujo ou despenteado, ou pode-se passar um pente no cabelo e trocar aquela blusa velha. Tudo isso ajuda.

Qual é meu objetivo?

Há vários anos fui a uma festa anual de gala organizada por um grupo de advogados com quem eu trabalhava regularmente. A organização tinha várias centenas de membros, e talvez uns 400 estivessem presentes.

No caminho, parei para dar carona a uma amiga, que também trabalhava com advocacia. Quando ela chegou à porta, eu me surpreendi pois ela estava usando uma roupa de noite bastante insinuante. Ela sobrava na roupa. Era solteira e obviamente estava tentando parecer o mais sexy possível na esperança de atrair os homens que estariam na festa. O que ela tinha esquecido é que a maioria desses homens tinha esposa ou namorada.

Quando chegamos à festa, notamos imediatamente que minha amiga tinha sido a única a querer causar essa impressão específica. As outras mulheres estavam usando roupas conservadoras, conjuntos ou vestidos sofisticados. Elas obviamente queriam parecer o melhor possível, mas não estavam tentando impressionar ninguém com sua sexualidade.

Os homens com quem minha amiga trabalhava – e de quem dependia para ganhar a vida – a evitaram como se fosse o diabo. A última coisa que queriam fazer na frente das esposas e namoradas era dar atenção a uma mulher de vestido justo demais com quem freqüentemente trabalhavam até tarde da noite. A festa foi um desastre para minha amiga. Embora para ela fosse importante parecer sexy, ela logo se arrependeu por sacrificar seu profissionalismo nessa situação. Aprendeu a lição do jeito mais difícil.

Quase todos os acontecimentos são uma oportunidade para deixar diversas impressões diferentes. No piquenique da empresa, você pode manter sua imagem composta usual, ou soltar-se e deixar que as pessoas vejam o seu lado mais brincalhão. Se houver alguém no escritório por quem você esteja romanticamente interessado, você pode usar o piquenique da empresa como uma oportunidade para chamar a atenção dele. Ou esta pode ser sua grande chance de conhecer melhor seu chefe de modo mais pessoal. *Aquilo que você espera obter num encontro deveria ditar o modo como você se prepara para ele.*

O seu esforço de planejar para deixar uma boa impressão não deve se restringir a encontros cara a cara. Lembre-se, as pessoas também nos lêem quando escrevemos cartas, enviamos fax ou e-mails, ou fazemos telefonemas. Ainda assim a maioria das pessoas não pensa muito sobre essas comunicações. Nós enviamos cartas mais extremas ou mais confrontadoras do que qualquer coisa que diríamos pessoalmente ou pelo telefone. A sua mensagem não tem menos impacto de choque, ofensa ou raiva, porque você não vê a reação do destinatário. Na verdade, erros gramaticais muitas vezes podem causar mais danos do que a mesma afirmação feita pessoalmente, porque você não tem a oportunidade de responder espontaneamente se a reação da outra pessoa não for aquela que você tinha previsto ou desejado.

A maioria das pessoas passa mais tempo pensando sobre o que fazer para o jantar do que sobre a impressão que deseja causar na pessoa com quem está jantando. Não cometa esse erro se você quiser colher o máximo possível do encontro. E não pense que causar uma boa impressão é difícil e trabalhoso. Não é.

Que aparência eu devo ter?

A maioria das pessoas dá *alguma* atenção à aparência pessoal na *maior* parte do tempo. Mas muitas vezes nós cometemos o mesmo erro que a minha amiga de vestido justo: nós não pensamos em todos os detalhes. O capítulo 3 abordou os diversos aspectos da aparência pessoal que podem afetar o modo como você é visto. Talvez você penteie cuidadosamente o cabelo, mas será que se lembra de engraxar os sapatos? Talvez você pense um pouco em suas roupas, mas esqueça da maquiagem. Talvez você coloque suas botas de caubói da última moda, e sua melhor camisa, mas se esqueça de que precisa cortar o cabelo.

Você deve considerar todos os detalhes de sua aparência se deseja projetar a melhor imagem possível. Lembre-se, um desvio significativo de um padrão geral impecável pode ser aquele traço a que alguém dê maior importância. Se você estiver tentando criar uma imagem profissional conservadora e de homem de negócios, esqueça aquela gravata com personagens de desenho animado.

Só você pode determinar quanta energia está disposto a colocar em sua aparência, mas o ponto crítico é que você deve pensar sobre isto. Reflita sobre o que se espera de modo geral das pessoas com posição semelhante a sua no trabalho. Uma mulher pode achar que fazer as unhas a cada duas semanas é um desperdício de tempo e de dinheiro, mas ela pode decidir que isso vale a pena se trabalhar em uma profissão em que unhas impecáveis sejam importante. Se você estiver indo a um evento, quer seja uma reunião política ou um rodeio, pense: como você reagiria a alguém que fosse do jeito que você está indo? Estabeleça um padrão para si mesmo, e tome uma decisão consciente ao segui-lo.

Se durante o dia você for encontrar pessoas diferentes, a quem deseja causar impressões diferentes, leve uma muda de roupa. Talvez você não possa cortar ou pentear o seu cabelo entre a reunião da hora do almoço e seu encontro à noite, mas há muito que você possa fazer para se apresentar com uma aparência adequada nas duas situações. Use sua roupa conservadora de trabalho na hora do almoço, e depois coloque uma roupa mais ousada antes de sair do trabalho para o encontro. Não existe nenhuma razão pela qual alguém, que trabalhe num escritório abafado o dia inteiro, precise usar as mesmas roupas conservadoras quando sair para dançar à noite. E não há nenhuma razão para vestir roupas inadequadamente informais para trabalhar, antes de ir a uma festa noturna. Planeje com alguma antecedência a aparência que você quer ter durante o dia, e poderá dar a melhor impressão sempre.

Como chegar e sair de lá?

A fada madrinha providenciou um transporte adequado para a grande noite de Cinderela. Você também deve pensar sobre a impressão que vai causar com seu veículo. O seu carro é grande o bastante para todos que irão nele? Você pode limpá-lo para não causar uma impressão ruim? Se não, pode pegar o carro de outra pessoa emprestado?

Não estou sugerindo que você alugue uma limusine a cada vez que quiser impressionar uma garota ou um cliente, nem estou querendo dizer que as pessoas que não dirigem uma Mercedes novinha deveriam manter seu carro na garagem. Mas muitas vezes as pessoas julgam as outras por seus carros, e não quero dizer apenas pelo modelo. Algumas pessoas enfatizam muito o fato de o carro ser novo e caro, mas elas também olham muito o modo como ele é mantido. Aparecer num evento importante num carro que esteja sujo e cheio de lixo causa uma impressão ruim. É quase como uma espiada em sua casa, ou um vislumbre em sua psique. Um carro sujo manda uma mensagem de que embora você possa ter se arrumado para essa noite, o resto do tempo você provavelmente dá tanta atenção a sua roupa quanto ao carro. Se duvida de que as pessoas o julguem por seu carro, pergunte a si mesmo o que *você* pensa de alguém que sempre dirige um carro sujo e empoeirado. Pode não ser um modo justo ou preciso de julgar alguém, mas todos nós o fazemos. Tenha consciência disso, e lembre-se do endereço do lava-rápido mais próximo.

Onde devo ir e o que devo fazer?

Pense na última vez em que você deu uma festa: você folheou os livros de receitas, planejando a comida. Você pensou sobre o local: na sala de jantar?, no alpendre dos fundos?, sob as árvores, no quintal? Você planejou a música, a luz, o modo de colocar a mesa. Nós planejamos cuidadosamente os eventos que acontecem em nosso território. Você pode conseguir muita coisa nos outros eventos se aplicar o mesmo tipo de pensamento antecipado a eles.

Há vários anos Robert Shapiro foi o advogado de Christian Brando na acusação de assassinato do namorado da irmã. O sr. Shapiro realizou uma conferência de imprensa com o pai de Christian, Marlon Brando, num ambiente ao ar livre muito informal e amigável. O cenário parecia cuidadosamente planejado. Presumo que o sr. Shapiro desejava conversar com Marlon Brando ao ar livre, sob luz natural, em vez de num ambiente fechado sob luzes fluorescentes, e queria plantas e céu no fundo – elementos que personalizaram o ator. A escolha de um ambiente natural em vez de um outro frio e estéril fez com que Marlon

Brando parecesse ser uma pessoa comum, um pai pesaroso, por quem as pessoas poderiam sentir compreensão e compaixão.

O mesmo conceito se aplica a nossos encontros cotidianos. Se você tiver um cliente importante a quem deseja impressionar, pense em todos os lugares possíveis em que vocês poderiam almoçar ou ter uma reunião. Locais diferentes – um café ou um restaurante sofisticado, uma grande sala de reuniões ou seu próprio escritório – irão causar impressões diferentes. Você deveria até mesmo considerar qual será a sua aparência diante das outras pessoas nesse ambiente.

Isto me foi trazido há alguns anos por uma amiga que me contou sobre uma reunião que ela teve com um grupo de empresários japoneses. Havia aproximadamente 12 pessoas almoçando num restaurante muito caro. O chefe de minha amiga reservou uma mesa com uma maravilhosa vista das montanhas próximas. Quando o grupo se dirigia para a mesa, minha amiga ficou surpresa ao ver seu chefe guiar o coordenador do grupo japonês para a cadeira de costas para a janela, de onde ele não poderia ver nada. Mais tarde, o chefe de minha amiga explicou a ela que no Japão a pessoa mais importante da mesa deve ser emoldurada pela vista, de modo que todos a vejam contra um belo fundo. O planejamento detalhado realizado pelo chefe me impressionou – e sem dúvida também impressionou os empresários japoneses.

Sempre considere como o ambiente que você escolheu para encontrar alguém se reflete em você. Se deseja causar uma boa impressão, não entreviste um empregado em potencial nem fale com um cliente estando atrás de uma mesa desorganizada cheia de pilhas de papéis. Se deseja que a pessoa relaxe e o veja de modo mais informal, desligue a luz fluorescente e acenda o abajur que tem uma luz mais quente e mais estimulante. Se o mundo todo é um palco, você é o diretor, o ator e o produtor de sua vida. Estabeleça seu palco de um modo que o favoreça.

Para garantir que não acontecerão surpresas no tribunal, os advogados geralmente evitam demonstrações de que não puderam ensaiar com antecedência. Christopher Darden demonstrou claramente ao mundo por que é uma boa idéia planejar antecipadamente quando pediu a O. J. Simpson para colocar a luva manchada de sangue na frente do júri. Não cometa o mesmo erro. Se você realmente não puder estabelecer o palco e escolher a produção para o seu encontro com alguém, pelo menos descubra o suficiente sobre o ambiente para garantir que não aconteçam surpresas.

Ainda me divirto com a história que um amigo advogado me contou há alguns anos a respeito de uma noite que ele havia planejado para um novo cliente em potencial. O cliente e sua esposa eram muito conservadores, formais, religiosos e voltados para a família. Sem nenhuma investigação criteriosa, meu amigo planejou um jantar num restaurante local bastante famoso, e uma ida a um dos melhores teatros da cidade.

O jantar correu muito bem. A conversa foi ótima e a comida maravilhosa; tudo estava saindo exatamente como planejado. Conforme a noite passava, as primeiras impressões de meu amigo eram confirmadas: o cliente e a esposa eram conservadores e um pouco críticos, mas eram basicamente tipos amigáveis e simples.

Depois do jantar, o grupo foi para o teatro. A peça tinha sido anunciada no jornal como uma interpretação moderna de um drama grego clássico. O anúncio não dizia nada que sugerisse que algo estranho poderia acontecer durante a noite. Então chegou a hora da cena de orgia, com duração de cinco minutos, e com nudez frontal completa.

Mesmo meses depois, quando meu amigo me contou a história, ele ainda balançava a cabeça e dizia: "Foram os cinco minutos mais longos da minha vida". Ele certamente não queria que seus convidados pensassem que ele gostava de uma peça de nudismo de vez em quando. Se tivesse planejado um pouco mais, poderia ter escolhido alguma outra peça e ter conseguido controlar melhor a noite. Teria valido a pena gastar um pouco mais de tempo para ler uma sinopse ou conseguir uma recomendação de um amigo.

Como eu devo agir?

Não é difícil planejar como você vai se comportar. Se estiver indo a um casamento, você pode decidir conscientemente como irá se relacionar com as pessoas que estarão lá. Se quiser usar a ocasião para consertar as coisas com uma prima com quem você anda estremecida, decida antecipadamente se será mais confortável tratá-la com educação mas inicialmente manter distância, ou ir direto a ela e dizer: "Precisamos conversar". Você pode planejar antecipadamente se vai beber ou se irá permanecer totalmente sóbria; se vai deixar o cabelo solto ou assumir uma aparência controlada e cuidada; se vai ficar na periferia ou se será a primeira pessoa a brindar; e se vai se misturar com as pessoas estranhas ou usar a oportunidade para conversar com seu tio favorito.

Como casamentos normalmente incluem muitos convidados, pode estar certa de que alguém a observará a cada momento, e suas ações deixarão uma impressão. Por que não pensar um pouco nelas com antecedência? Se você estiver morrendo de fome, e não quiser parecer uma esfomeada no bufê, faça um lanchinho antes de sair. Se sabe que terá de sair cedo, desculpe-se antecipadamente para não parecer rude quando estiver saindo no momento em que os noivos forem cortar o bolo.

Algumas vezes refletir um pouco com antecipação pode fazer mais do que simplesmente deixar uma boa imagem sua, pode facilitar a passagem por uma situação potencialmente difícil. Esqueci meu passaporte numa viagem recente a Toronto. Isso não era um problema na saída dos Estados Unidos para o Canadá, mas eu sabia que seria um problema na volta. Sabia que teria dificuldades com o agente da imigração no aeroporto, e assim planejei cuidadosamente como lidaria com a situação.

Ao me preparar, refleti sobre qual seria a melhor maneira para atingir meu objetivo: voltar aos Estados Unidos, sem ter de pedir que alguém me enviasse o passaporte e esperar um ou dois dias por ele. Decidi que devia agir de modo deferente, respeitoso, me desculpando e mostrando arrependimento, e de fato eu me sentia desse modo. O agente tinha o poder de me criar muitos transtornos ou de me deixar voltar para casa. Queria garantir que ele soubesse que eu respeitava esse poder, e assim não se sentisse obrigado a exercê-lo. Também presumi que ele estaria mais inclinado a facilitar as coisas para mim se soubesse que eu tinha percebido a gravidade de minha transgressão. Desculpei-me pelo esquecimento e garanti a ele que da próxima vez eu me lembraria do passaporte. Não gostei de ter de me comportar como uma estudante bagunceira na sala do diretor – mas voltei para o país.

O que eu devo dizer?

A palavra falada é o modo mais fácil de as pessoas descobrirem coisas a seu respeito. Elas irão ouvir aquilo que você diz e normalmente o aceitarão, especialmente se não estiverem atentas para as diversas técnicas de leitura de pessoas. Por esse motivo, sempre que você estiver falando com uma pessoa ou com mil pessoas, as palavras que saem de sua boca têm importância crítica. Não fale tudo que passar por sua cabeça ou você se arrependerá mais tarde.

Há algum tempo, eu estava num simpósio com aproximadamente cem advogados de Los Angeles. Estavam presentes homens e mulheres de todas as raças e países. A única coisa que eles tinham em comum era serem advogados. Durante uma apresentação, o palestrante disse algo que só poderia ser interpretado como um preconceito em relação aos imigrantes. Senti a tensão crescer enquanto ele falava. Estou certa de que ele faria qualquer coisa para apagar aquele momento.

A maioria dos lapsos verbais não são tão públicos nem tão catastróficos, mas todos os cometemos. Não existe jeito de garantir que você nunca solte uma palavra errada no momento errado. Mas isso será menos provável se você pensar antecipadamente no que deseja dizer, especialmente se estiver falando com estranhos. Antes de entrar em qualquer situação em que tenha de falar com pessoas que não conheça bem, dê alguma atenção aos seguintes pontos:

- O que eu conheço sobre o histórico deles?
- Existe algo que eu possa dizer e que seria considerado ofensivo ou polêmico?
- Se eu tiver de abordar assuntos polêmicos, será que posso contextualizá-los de um modo gentil e racional?
- Tenho certeza de que desejo abordar esses assuntos com essas pessoas?
- Quais são as reações possíveis àquilo que eu tenho a dizer? Que respostas eu posso dar a essas reações?

Com pequenas modificações, essas sugestões podem ser aplicadas a qualquer discussão, mesmo uma que envolva um amigo íntimo. Depois de ter dito algo forte demais, feito um comentário embaraçoso ou ofensivo, ou revelado muito de si mesmo, você quase sempre irá repassar o encontro mentalmente e imaginar como *desejaria* ter lidado com ele. Normalmente não existe nenhuma razão pela qual você não possa ensaiar mentalmente o encontro com antecedência. Pense a respeito do que você quer dizer e como deseja dizê-lo – antes que diga algo de que se arrependerá depois.

LEIA, REAJA E LEIA UM POUCO MAIS

Mesmo os planos bem formulados falham às vezes. Nós podemos pensar que iremos falar para uma audiência de representantes de vendas experientes, de meia-idade, para depois descobrir que a sala está lotada com vinte e poucos *trainees*. Podemos supor que a associação do nosso bairro irá gostar muitíssimo de nossa sugestão para uma festa de 4 de julho, apenas para descobrir que a maioria das pessoas deseja paz e quietude.

A preparação é importante, mas manter-se apegado a um plano de jogo que não está funcionando é um caminho certo para o desastre. Nunca fique apegado demais a seus planos. Tenho visto as conseqüências dessa atitude centenas de vezes nos tribunais. Às vezes um advogado que tenha decidido examinar uma testemunha de um modo específico, irá persistir nessa abordagem mesmo quando seu cliente esteja sendo crucificado pelas respostas que a testemunha está dando no julgamento. Um bom advogado é flexível. Ele ouve e reage. Se prevê que uma dada testemunha precisará ser questionada de modo bem agressivo mas a testemunha se mostra mansa, ele sabe que seria um erro continuar atacando. Em primeiro lugar, a testemunha poderia perder sua atitude cooperativa; em segundo lugar, os jurados ficariam imaginando por que o advogado está atacando uma testemunha tão gentil.

Esse mesmo conceito se aplica ao vendedor que tenta convencer um cliente, ou ao pai que está levantando fundos para a Associação de Pais e Mestres. *Para que as outras pessoas o leiam de modo favorável, você precisa ser flexível e receptivo, e dançar conforme a música.* Descobri algumas técnicas úteis para fazer isso.

Não pense como um velho walkie-talkie

Os *walkie-talkies* de brinquedo que eram vendidos quando eu era criança tinham um botão do lado, que você pressionava para falar. Quando terminava, soltava o botão para poder ouvir o que a outra pessoa queria dizer. Você não podia ouvir a outra pessoa enquanto o botão estivesse pressionado; você podia enviar ou receber uma mensagem, mas nunca as duas ações ao mesmo tempo.

Você não saberá como as pessoas estão lendo você, se o seu receptor estiver desligado enquanto você fala com elas. Mas se você prestar atenção enquanto fala, as pessoas lhe revelarão o que está acontecendo. Ao observá-las, aplique as habilidades que você aprendeu nos capítulos anteriores deste livro, sobre linguagem corporal, voz, técnicas de comunicação e ações.

- O que a linguagem corporal da pessoa está lhe dizendo? Ela está virando os olhos? Existe contato ocular? Existem sinais de tédio ou de atenção? Ela está se aproximando ou se afastando de você?

- O tom da comunicação está mudando? Existem pausas ou silêncios incômodos? As pessoas continuam ouvindo você de modo tão atento quanto no começo? Elas estão começando a fazer barulho, a murmurar, ou a falar uns com os outros? As pessoas estão participando da conversa ou se afastando dela?

- As pessoas estão ficando mais tempo do que o previsto? Ou aqueles que não tinham dado nenhuma indicação de que precisariam sair cedo estão dando sinais de ir embora?

- Você e sua audiência estão começando a fazer contato? A comunicação está se desenvolvendo melhor ou pior do que você esperava? As pessoas estão começando a se expor ou estão se retraindo?

Você poderá ler o modo como os outros o estão lendo e responder de modo produtivo se estiver alerta a essas e a outras pistas que já aprendeu. Se ignorar esses sinais, você pode perder uma ótima oportunidade, ou pode piorar ainda mais uma situação.

Posso ilustrar este ponto com um de meus aborrecimentos prediletos: a pessoa que vem ao meu escritório num momento em que eu estou muito ocupada e que insiste em falar imediatamente comigo. Existem momentos em que preciso me concentrar totalmente em meu trabalho, sem interrupções. Nessas ocasiões, não desejo ser rude, mas quero que as pessoas sejam sensíveis as minhas necessidades.

Entretanto sempre existe alguém que não entende a mensagem. Mesmo que eu diga "estou realmente muito ocupada agora – isto não pode esperar?", ela responderá "Bem, só vai levar um minutinho". À medida que o monólogo dela se arrasta, eu invariavelmente começo a me mexer impaciente na cadeira, mexo nos papéis ou olho para o que estava fazendo. Não seria necessário muita atenção para perceber essas pistas, mas ela continua mesmo depois de eu dizer que preciso dar um telefonema, ou que simplesmente preciso voltar ao trabalho. A menos que eu a expulse, ela irá continuar a falar, aconteça o que acontecer. Com o passar do tempo, eu fico cada vez mais ofendida por sua insensibilidade as minhas necessidades.

Ironicamente, os mais ofensivos são aqueles que saem de meu escritório parecendo muito felizes por terem conseguido ter a "conversa" que esperavam comigo, no momento em que o desejavam. Apesar dos numerosos sinais que eu estava enviando, eles não perceberam que eu considerava rude e impensado o modo como estavam se comportando. Eles desejavam tanto enviar sua mensagem que não receberam a minha.

Entre devagar na água

Para planejar sua abordagem você precisa conhecer sua audiência, mas algumas vezes você não tem muita informação antecipada. Ainda assim você pode preparar o que considera como a melhor apresentação, mas não se jogue de cabeça nela – seja cauteloso no início e só acelere quando estiver seguro de estar causando uma impressão positiva.

Por exemplo, pode ser benéfico colocar humor num ambiente empresarial. Mas histórias engraçadas num momento errado ou que não sejam entendidas ou apreciadas pela audiência podem congelar o ambiente em vez de quebrar o gelo. Pode ser arriscado começar uma apresentação de vendas com humor em demasia: você pode ser visto como um piadista, mas não como um profissional competente. Algumas pessoas apreciam uma boa piada, enquanto que outras podem pensar que você é estranho ou tolo. Um comentário romântico num primeiro encontro pode ser considerado lisonjeiro, ou pode ofender.

Quase sempre é possível experimentar a água com um dedo por vez, até ter certeza de que as pessoas estão vendo você do modo que você deseja. Por exemplo, se estiver inseguro sobre como o humor irá soar numa reunião, você pode começar contando uma piada leve. Se a resposta for positiva, você pode ir entremeando mais humor em sua apresentação. Se ele não for bem recebido, corte todas as piadas.

Logo depois do julgamento de O. J. Simpson, um clube feminino me convidou para falar sobre o sistema de justiça americano. Eu não sabia bem o que me esperava, mas tinha consciência de que muitas pessoas estavam insatisfeitas com o veredicto e me criticavam por ter trabalhado com a equipe de defesa. Não queria que minha apresentação se transformasse num debate sobre o caso Simpson, e assim decidi não mencioná-lo, pelo menos não no começo de minha palestra.

Supus corretamente que minha audiência seria formada principalmente por mulheres brancas idosas. Como grupo, as mulheres brancas idosas estavam incomodadas com a absolvição, e assim eu continuei com meu plano. Entretanto, perto do final de minha apresentação eu abri um espaço para perguntas, e descobri que essas mulheres estavam fascinadas pelo julgamento de Simpson. Comecei, um pouco hesitante, a responder suas perguntas, observando cuidadosamente seus rostos, procurando sinais de desaprovação ou de raiva. Elas ouviram atentamente enquanto eu falava sobre O. J., sobre Johnnie, o juiz Ito e os jurados. E ao contrário do que eu temia, elas não eram nada hostis. Vi em seus sorrisos e em seu interesse animado que não estavam me vendo criticamente, mas que estavam respondendo com interesse e entusiasmo. Apesar de sua frustração com o veredicto, elas respeitavam meu papel no processo e queriam ouvir sobre isso.

APRENDENDO A OLHAR-SE NO ESPELHO

Há muitos modos de você melhorar sua habilidade de ver a imagem que projeta. Estas técnicas são simples e relativamente a prova de acidentes, mas você precisa ser objetivo consigo mesmo, o que não é fácil. Como foi discutido em "Prontos para Decifrar", a falta de objetividade é o principal obstáculo para ler efetivamente as *outras* pessoas. É ainda mais difícil reconhecer nossos *próprios* defeitos. Mas se você não o fizer, lerá errado o modo como os outros estão decifrando você.

Use todas as suas habilidades de decifrar pessoas o mais objetivamente possível, e experimente as técnicas seguintes da próxima vez que for especialmente importante causar uma boa impressão.

O espelho nunca mente

Olhe-se inocentemente num espelho imaginário e finja ser outra pessoa decifrando você. Olhe para seu cabelo, roupas, postura, linguagem corporal. Dê uma passada pelas listas dos Apêndices A e B. Avalie o tom e o volume de sua voz, e o modo e o conteúdo de sua fala. Pense sobre como interpretaria suas ações se fosse outra pessoa. Pergunte a si mesmo: "Se eu fosse uma pessoa com o histórico e as crenças da pessoa que irá me ver, como eu veria alguém que agisse como eu, falasse como eu e tivesse a minha aparência?".

Abra seus ouvidos

Ouça cuidadosamente aquilo que os outros dizem sobre você, quer eles estejam sendo brincalhões ou muita sinceridade. Pergunte-se qual o motivo de as pessoas comentarem sua aparência ou às vezes mencionarem seus gestos. Não deixe de lado aquilo que pode ter sido um esforço para indicar polidamente seus hábitos ofensivos. Como minha mãe dizia, "nunca recuse uma bala de hortelã; você nunca sabe por que ela está sendo oferecida". E não ignore os comentários dos outros só porque eles são feitos de modo casual ou brincalhão. Como dissemos antes, mesmo que as pessoas digam "eu estava só brincando", normalmente não estão.

Isto ficou muito claro durante a escolha do júri para o julgamento de O. J. Simpson, quando Márcia Clark perguntou a uma jurada se tinha dito ou feito algo que a ofendesse. A jurada, uma mulher idosa e conservadora, ítalo-americana, respondeu: "Bem, suas saias são curtas demais".

Essa objeção não era tão surpreendente considerando-se a idade e o histórico cultural dos jurados, mas foi um pequeno choque ouvi-la de um modo tão direto. Algumas pessoas no tribunal suprimiram uma ou duas risadinhas, e de modo geral o comentário não foi levado muito a sério. Entretanto, eu pensei nessa jurada mais tarde, quando a mídia pareceu ficar obcecada com o comprimento das saias da sra. Clark. Aparentemente, a opinião da mulher idosa não era tão estranha assim.

Peça a opinião das pessoas em quem você confia

Seus amigos e sua família podem lhe dizer muito sobre a impressão que você causa – se acreditarem que você não ficará ofendido com o conselho deles, por causa de experiências passadas ou porque você garante sinceramente isto. Mas seja seletivo. O ponto fundamental é pedir a opinião de pessoas em quem você confie e respeite. Se for importante que você pareça profissional, peça a opinião de alguém que conviva sistematicamente com profissionais e que possa avaliar sua aparência e sua roupa. Se você quiser parecer mais atraente, encontre uma amiga honesta e confiável para ajudá-la a determinar se suas roupas, maquiagem e estilo de cabelo levam a esse objetivo.

Grave a si mesmo

Jogadores de golfe, esquiadores e jogadores de tênis assistem gravações de si mesmos para identificar o que podem estar fazendo certo ou errado, e você pode fazer o mesmo. Um vendedor pode gravar a própria apresentação para ver se a postura, contato ocular, gestos e entonação estão realmente comunicando a crença no produto. Um recém-formado pode gravar uma entrevista de emprego simulada, com um amigo fazendo o papel de empregador.

A câmera de vídeo pode ser uma enorme ajuda mesmo que você não tenha nenhum objetivo específico a não ser melhorar sua imagem geral. Se você não tiver uma, peça emprestado a um amigo. Coloque numa sala, focalize vocês dois e ligue-a. Fale sobre qualquer coisa de que você goste – sua infância, o trabalho, os planos para o próximo verão. O resultado provavelmente irá surpreendê-lo, de modo agradável ou não. Algumas pessoas são tímidas demais para pedir conselho a alguém, e para elas o método de gravar a própria imagem traz uma visão muito diferente da que vêem no espelho, e muito mais objetiva. Mesmo que você fique agradavelmente surpreso com o modo como se saiu, provavelmente encontrará formas de melhorar ainda mais.

TENHA CUIDADO COM O QUE VOCÊ PEDE – VOCÊ PODE CONSEGUI-LO

Você aumentará o controle que exerce sobre a maioria dos relacionamentos e das situações, se der uma forma consciente a sua imagem e sintonizar-se no modo como as pessoas estão respondendo. Algumas vezes esses esforços podem parecer pouco naturais ou manipuladores. O grito dos anos 60, "seja honesto consigo mesmo", é entendido literalmente por muitas pessoas. Para elas, ser honesto consigo mesmo significa apresentar a mesma aparência e o mesmo comportamento, independente da ocasião; qualquer outra coisa é vender-se. Mas a maioria das pessoas tem mais do que um lado em sua personalidade, e cada faceta merece nossa atenção consciente. O que há de errado em mostrar o seu melhor lado?

Ainda assim, não há dúvida de que aprender a projetar-se de um certo modo pode ajudar você a manipular os outros. O vendedor que aprende a parecer mais honesto irá vender mais, mesmo que esteja vendendo um produto defeituoso. O homem egoísta e centrado em si mesmo que finge ser generoso e gentil irá atrair mais mulheres do que aquele que revela sua verdadeira natureza no primeiro encontro.

Existem sem dúvida pessoas que irão pegar todo o conhecimento que adquiriram neste livro e se devotar a manipular os outros. Mas se você quiser que essas técnicas ajudem-no a melhorar seus relacionamentos, e sua vida, tenha em mente que usar essas habilidades para se transformar em alguém que você não é, trará apenas sucessos superficiais e passageiros.

Em muitos casos, criar uma impressão falsa pode ser muito prejudicial. Uma mulher que finja interesse em esportes apenas para atrair um homem que ela sabe ser viciado em esportes estará cometendo um grande erro. Ela terá de estar preparada para assistir a muitos jogos, ou terá um namorado muito decepcionado quando ele descobrir que ela o enganou sobre seus interesses. Do mesmo modo, um candidato a emprego que afirma ter habilidades que não tem pode conseguir o emprego, mas como ficará seu currículo quando ele for despedido depois de duas semanas de trabalho? E por quanto tempo um homem pode fingir ter muito dinheiro para atrair uma mulher? Em algum momento ele terá de pagar as despesas.

Criar uma falsa imagem pode até ter conseqüências negativas que você não imaginaria. Por exemplo, conheço advogados solteiros que costumam usar uma aliança durante os julgamentos porque acreditam que os jurados os considerarão mais confiáveis se perceberem que eles são casados. A atitude deles é "que mal pode fazer?". Bem, quando eu os ouço falando desse truque, eu os leio como não muito honestos ou éticos. Talvez os jurados nunca saibam, mas seus colegas saberão. Será que vale a pena?

Quando preparo as testemunhas para o julgamento, sempre tento ajudá-las a projetar a melhor imagem possível. Dou atenção à aparência pessoal, à linguagem corporal, à voz e, é claro, ao modo como testemunham. Também considero a impressão que a aparência e o comportamento dos advogados causarão no júri. Mas eu aprendi que os clientes, testemunhas e advogados que deixam as melhores impressões são aqueles que agem de modo natural e honesto. Um júri perceberá algo estranho numa testemunha que seja precisa e analítica de coração, mas que tente ser jovial e informal no julgamento. Um advogado calado e reservado que tente adotar um estilo agressivo e de ataque quase sempre cairá de cara no chão.

Existe uma diferença clara entre fazer o melhor possível com o que temos e colocar uma máscara. O primeiro é um objetivo elogioso; o último é uma receita para o desastre. Como disse Abraham Lincoln: "Você pode enganar todas as pessoas por algum tempo; você pode até enganar algumas pessoas o tempo todo; mas você não pode enganar todas as pessoas o tempo todo".

12

A Necessidade de S.P.E.E.D.: Fazendo Julgamentos Imediatos que Tenham Sentido

Estava viajando com minha família pela costa da Califórnia. Escurecia e nós estávamos ficando com pouca gasolina. Vi uma pequena loja de conveniência e um posto de gasolina ao lado da rodovia, e assim peguei a saída e diminuí a velocidade para entrar no estacionamento. Um carro estava parado em frente à loja. Não havia nenhum carro abastecendo. Olhei o resto da cena: um jovem usando uma jaqueta larga entrava na loja, enquanto que dois outros usando roupas semelhantes permaneciam de pé nos dois lados do prédio. Eles não estavam falando um com o outro, mas olhavam nervosamente para a rua.

Você pode chamar de intuição ou simplesmente de resultado de anos de envolvimento em casos criminais, mas tive uma sensação muito desconfortável. Algo não estava certo. Deveria entrar? Deveria parar e observar para ver se tinha algo errado? Ou eu deveria voltar para a rodovia e dirigir alguns quilômetros até a próxima cidade para encher o tanque? Eu tinha apenas alguns segundos para decidir. No momento, senti que provavelmente estava reagindo de modo exagerado, mas decidi continuar dirigindo. Na manhã seguinte li no jornal que a loja de conveniência tinha sido assaltada à mão armada por três jovens.

Num mundo perfeito nós teríamos todo o tempo de que precisássemos para avaliar uma situação, decifrar as pessoas envolvidas e tomar nossas decisões. E normalmente isso acontece. Mas na vida real, às vezes as situações se desdobram numa questão de segundos, e precisamos tomar decisões imediatas. Acostumei-me a fazer esses julgamentos rápidos no tribunal. A maioria dos casos não envolve dias, semanas ou meses de escolha de júri, como ocorre nos casos famosos. Algumas vezes eu tenho apenas alguns minutos para observar e ouvir um jurado antes de tomar uma decisão que pode representar a vida ou a morte de um cliente. Depois de anos de prática, desenvolvi um método que aumenta substancialmente as possibilidades de ler as pessoas acertadamente. Eu o uso sempre que preciso ler com *S.P.E.E.D.*

Ler com *S.P.E.E.D* não é à prova de enganos, mas se você memorizar a técnica e a praticar cuidadosamente, aumentará muito a qualidade de suas decisões – independente da velocidade com que elas sejam tomadas. Existem cinco passos para o processo de ler com *S.P.E.E.D.*: scanear, podar, expandir, examinar e decidir.

A abordagem que uso quando preciso ler com *S.P.E.E.D.* é essencialmente uma versão abreviada das técnicas de leitura de pessoas discutidas nos capítulos anteriores. Mas não a use a menos que o tempo seja essencial. Ler com *S.P.E.E.D.* não é tão confiável quanto uma análise refletida e paciente que dá tempo para que os padrões se desenvolvam mais completamente. Lembre-se sempre: *quanto menor o tempo que você tiver para avaliar alguém, maior será a probabilidade de cometer erros.* Não se apresse para julgar a não ser que você realmente precise.

Embora entender as pessoas e prever o comportamento delas não seja um processo que permita atalhos, você realmente precisa de algum método para fazer julgamentos imediatos ou estará despreparado para as emergências da vida real. Ler com *S.P.E.E.D.* funciona para o motorista de táxi que todas as noites precisa decidir que corridas são seguras, para o supervisor que precisa decidir se o operador de um equipamento pesado que volta de um almoço demorado esteve bebendo, e para o pai que precisa decidir se deixa seu filho numa festa à beira da piscina e acreditar que pessoas que ele mal conhece serão suficientemente vigilantes para evitar uma tragédia. Este método é igualmente efetivo para quando você estiver comprando alguma coisa num mercado de antigüidades ou parando num banco 24 horas e houver alguém vagueando por perto.

Mesmo que você seja obrigado a ler uma situação com *S.P.E.E.D.*, esteja atento para pistas adicionais que possam provocar uma reavaliação de seu julgamento imediato. Se aceitar apressadamente uma carona para voltar para casa e três quarteirões adiante perceber que o motorista está bêbado, não hesite em mudar sua decisão. Lembre-se, poucas decisões são irreversíveis. Continue testando sua impressão com qualquer informação adicional que seja revelada com o tempo.

SCANEIE

Inúmeras informações estavam disponíveis para mim no momento em que comecei a sair do posto de gasolina na Califórnia, entre elas: o horário, o tempo, a localização da loja de conveniência em relação ao posto de gasolina, a posição dos três homens, o fato de eles não estarem conversando, o modo como agiam, as roupas e o comportamento deles comparado ao que eu esperaria de três jovens que tivessem parado para fazer um lanche ou para beber alguma coisa. Eu não podia avaliar tudo isso nos poucos segundos que tinha para decidir se devia ou não parar. Precisava enxergar a situação do modo mais amplo possível para poder decidir rapidamente qual informação era crítica e qual era irrelevante.

Quando você tiver de confrontar uma circunstância assim, primeiro *scaneie* o quadro inteiro, e depois caminhe das impressões gerais para as mais específicas. Comece pelo cenário: o ambiente, a localização, o tempo, e outros aspectos físicos da cena. É como se você estivesse olhando para um palco e observasse o cenário e os objetos. Depois passe para os atores no palco. Quantas pessoas estão lá? O que elas estão fazendo? Como estão se relacionando umas com as outras?

Depois de ter chegado a uma impressão geral do contexto e de todo o elenco, concentre-se nos indivíduos. Considere a aparência física deles e sua linguagem corporal, como olhos, movimentos e fala. Se estiver falando com eles, observe suas expressões faciais e tente avaliar o modo como estão se relacionando com você. Enquanto faz tudo isso, *esteja atento para qualquer coisa peculiar ou única* – algo que possa definir a pessoa ou o momento. Reúna toda a informação que puder, o mais rápido possível, do geral para o específico. Dê uma repassada em toda a informação que está disponível para você.

PODE

Depois de ter scaneado o palco e os atores, observando a aparência e o comportamento deles, *pode* a informação de modo a conseguir manuseá-la. Para isso, *identifique os itens ou traços que se sustentam*. Se você tiver pressa, terá de se limitar a no máximo cinco ou seis traços. Se focalizar mais do que isso, provavelmente não terá tempo para completar sua avaliação antes de ser obrigado a reagir.

Se não tiver uma idéia clara do que precisa para decidir sobre alguém, você não conseguirá selecionar rapidamente os traços críticos. Assim, antes de decidir quais são os traços importantes que compõem sua lista, reflita por um momento na pergunta que precisa responder. Por exemplo, suponha que uma mulher vá a uma festa com amigos que estão disponíveis para levá-la para casa, mas quase no fim da noite, um homem que ela conheceu na festa lhe oferece uma carona. Antes de aceitar, ela deveria se concentrar em suas preocupações e identificar a informação de que precisa para avaliar o homem.

Se estiver em dúvida se o homem está suficientemente sóbrio para dirigir de modo seguro, ela deverá se concentrar nos sinais de embriaguez. A fala dele está enrolada? Ele está agindo de modo exagerado ou inadequado? A conversa dele é coerente? Quanto ele bebeu? Ele mostra algum sinal de falta de equilíbrio ou de controle motor diminuído?

Se ela estiver preocupada com as intenções dele, deveria se concentrar num conjunto totalmente diferente de fatos. Ele tem sido educado com ela até agora? Ela observou o modo como ele tratou outras mulheres na festa? Ele é amigo de alguém que ela conheça, e que possa lhe assegurar que ele não é o próximo maníaco do parque ? Havia alguma coisa sugestiva em sua linguagem corporal, voz ou palavras quando ele ofereceu a carona?

Quando você precisa tomar uma decisão rápida, precisa também identificar quais são suas principais preocupações e depois concentrar-se nos traços que se relacionam *diretamente* com elas. Nessas circunstâncias você não terá tempo para examinar tudo cuidadosamente.

EXPANDA

Depois de ter podado as centenas de bits de informações disponíveis para você, o próximo passo no processo de ler com *S.P.E.E.D.* é *expandir* aqueles poucos traços que são mais importantes e focá-los. Pense nisso como se você estivesse olhando através das lentes de um telescópio. Ao scanear o ambiente, você viu diversos aspectos que quer ver mais de perto. Agora você se foca neles, e dá um zoom.

Você precisará se concentrar se espera conseguir expandir rápida e claramente os traços chaves. Elimine qualquer distração. Se você sabe que terá apenas um curto período de tempo para ler alguém numa reunião, então desligue os telefones, o rádio ou a *TV* antes de a reunião começar. Elimine outros pensamentos de sua mente, tais como o que você vai comer no jantar, ou a necessidade de passar na lavanderia a caminho de casa. Feche a porta para que ninguém entre na sala e desvie sua atenção. Mantenha o mesmo foco quando a reunião começar.

Este foi exatamente o processo que usei quando tomei aquela decisão crítica de não entrar no posto de gasolina. Eu tinha apenas alguns segundos para ampliar minha consciência dos fatos chaves que se desdobravam à minha frente. Depois de ter scaneado o ambiente e identificado minhas preocupações, pude podar as centenas de informações e deixar apenas algumas, e assim pude focar-me nas mais importantes. concentrei-me nos dois jovens de pé do lado de fora da loja de conveniência. Eu os observei cuidadosamente e vi que não estavam falando nem olhando um para o outro; em vez disso, estavam nervosamente olhando para a rua – e para o meu carro. Observei a linguagem corporal deles, e a ansiedade que ela transmitia. E me desliguei de meus filhos, do barulho do rádio do carro e de todas as outras distrações. Era como se o resto do palco, os objetos e até os outros membros da audiência tivessem desaparecido, deixando apenas os atores, que se tornaram o único foco de minha atenção. Nesse processo, os pequenos detalhes do comportamento deles emergiram ainda mais claramente.

EXAMINE

Agora que focalizou e expandiu as peças de informação mais importantes, você precisa examiná-las. Para isso, use os instrumentos que apresentamos por todo o livro – mas faça-o rapidamente. Você precisa continuar concentrado. Quanto mais focado você estiver mais seu exame será preciso.

Procure os desvios em relação ao comportamento normal. Tem sentido três jovens saírem de noite, irem até uma loja de conveniência e não entrarem juntos, mas em vez disso um entrar na loja enquanto dois se posicionam como sentinelas? Tem sentido que os dois jovens de pé do lado de fora não falem um com o outro? Você não esperaria que eles falassem, rissem e contassem piadas, em vez de ficar de pé, calados e olhando de modo nervoso para a rua?

Procure pelos extremos. Qual a distância entre os dois jovens? Eles falam pouco, ou nenhuma palavra? Eles parecem especialmente nervosos ou vigilantes? Existe alguma outra explicação lógica para o comportamento deles?

Sempre pergunte a si mesmo se um padrão indica uma direção específica. Não havia nada incomum em três jovens entrarem numa loja de conveniência dentro de um posto de gasolina e não colocarem gasolina. Isso acontece o tempo todo. Do mesmo modo, pode não significar nada apenas um deles ter entrado. Talvez os outros dois só quisessem tomar ar. Poderia até não ser incomum que os dois não estivessem conversando – talvez tivessem brigado. Mesmo o fato de estarem olhando para a rua não significava necessariamente que estivessem fazendo algo errado; eles podiam estar esperando um amigo que estivesse para chegar. Mas junte todas essas pistas, e aparece um padrão claro. Esse padrão específico me disse que havia uma probabilidade razoável de que algo estivesse errado, e eu deveria tomar cuidado.

DECIDA

Você scaneou, podou, expandiu e examinou; *agora precisa tomar uma decisão. Se não decidir, e rápido, você corre o risco de que alguém tome a decisão por você.* Se eu tivesse demorado demais no posto de gasolina, um dos homens armados poderia ter ficado nervoso e me pedido para sair do carro, ou coisa pior.

Quando você estiver lendo com *S.P.E.E.D.* sempre existe uma possibilidade de tomar a decisão errada. O que pode acontecer em qualquer outra situação, mas nos casos em que é necessário tomar uma decisão imediata, a margem de erro é muito maior. É por isso que eu sempre sigo uma regra: *se você for errar, erre do lado seguro.*

Uma das razões pelas quais tenho tido tanto sucesso como consultora de júri é que quando estou em dúvida, sigo o caminho que tem menor probabilidade de provocar conseqüências negativas. Estou certa de que entre as pessoas dispensadas a meu pedido, porque eu estava incerta a respeito delas, estão inúmeras que teriam sido jurados maravilhosos. Não tem tanta importância se cometo um engano e dispenso alguém que seria um bom jurado, desde que eu tenha confiança no jurado chamado em seu lugar. Por outro lado, as conseqüências podem ser catastróficas se estou preocupada com alguém e nós a deixamos no júri sem nos darmos ao trabalho de procurar outra pessoa. É melhor sentir-se seguro do que arrependido.

Os engenheiros usam a expressão "projeto seguro nas falhas" para se referir a produtos planejados de tal modo que se falharem, farão isso de modo que ninguém se machuque. Uma máquina que esteja funcionando mal trava automaticamente. Uma correia que se rompa cairá num lugar onde não causará nenhum dano sério. O conceito de projeto seguro nas falhas deveria ser aplicado ao processo de tomada de decisão – especialmente quando você estiver lendo com *S.P.E.E.D.*

No posto de gasolina, eu considerei rapidamente minhas opções e suas conseqüências. Se minhas preocupações estivessem corretas e estivesse acontecendo um assalto, eu exporia a mim e a minha família a um dano potencialmente sério se entrasse no posto. Mas se eu optasse por dirigir até a próxima cidade e os homens não estivessem roubando o posto, na pior das hipóteses eu gastaria alguns minutos. Minha decisão era fácil. Eu sabia que a próxima cidade estava apenas a alguns quilômetros de distância e eu tinha gasolina mais que suficiente para chegar lá. Teria sido mais difícil tomar essa decisão se eu estivesse dirigindo já no fim da reserva de combustível, e não parar no posto significasse que poderíamos ficar sem gasolina na estrada à noite.

É crucial pesar as conseqüências de uma decisão. O pai que leva o filho para uma festa à beira da piscina pode ficar atento a se existe uma supervisão adulta adequada, especialmente se seu filho não sabe nadar. Ao avaliar a cena, ele pode olhar para ver quantos outros pais estão por perto e se os adultos parecem estar atentos. Ele pode perguntar se as crianças estarão brincando sem supervisão perto da piscina, e se os adultos estarão bebendo álcool. Depois de ter reunido e pesado toda a informação, a decisão final deverá depender das conseqüências possíveis. Se ele estiver preocupado, e achar que o ambiente inclui um risco de afogamento, ele poderá permanecer na festa, especialmente se não houvesse uma forte razão para estar em outro lugar.

Quanto mais importante for a decisão, e mais devastadoras forem as conseqüências se você estiver errado, mais sábio será errar do lado da segurança. Se você não tiver tempo suficiente para eliminar o risco, vá pelo caminho mais seguro.

A PRÁTICA TRAZ A PERFEIÇÃO

Com a prática fica mais fácil ler com *S.P.E.E.D.* À medida que você for se tornando mais atento, concentrado e sua capacidade de percepção se ampliar, você conseguirá identificar e entender mais rapidamente os traços importantes. E você ficará mais confiante em sua habilidade de fazer julgamentos imediatos e sensatos conforme suas decisões forem melhorando e você começar a confiar em suas habilidades de leitura de pessoas.

Não fique surpreso se no começo se sentir um pouco sobrecarregado por toda a informação que terá de scanear, podar, expandir, examinar e decidir. No início, o processo pode parecer difícil, mas depois de algum tempo ele se transforma numa segunda natureza – como dirigir um carro. Lembro-me de como sentia-me completamente sobrecarregada com todas as coisas que tinha de ter em mente quando comecei a dirigir. Tudo que eu podia fazer era manobrar o pedal da embreagem, o acelerador e a alavanca de câmbio – como alguém podia esperar que eu desse sinais, olhasse no espelho retrovisor e observasse os outros carros? Entretanto, depois de poucos meses eu nem pensava mais sobre mudar a marcha; isso simplesmente acontecia.

Conforme você for praticando ler com *S.P.E.E.D.*, irá se tornar tão competente como ao dirigir um carro. De qualquer modo, *não desista*. Ler as pessoas nas circunstâncias cotidianas, quando você tem bastante tempo, vai melhorar bastante seus relacionamentos, mas talvez seja ainda mais importante ser capaz de tomar as decisões corretas quando não tem tempo. As duas habilidades usam os mesmos instrumentos, e ambas o ajudarão a ter controle sobre sua vida. Sempre que penso naquele posto de gasolina, agradeço ao destino não só por ser capaz de ler aqueles homens, mas por lê-los com *S.P.E.E.D.*

Apêndice A

Os Traços Físicos e o que Eles Revelam

Para aguçar suas habilidades de observação, da próxima vez em que você encontrar alguém pela primeira vez, imagine que está tirando uma foto da pessoa. Congele-a por um momento, e depois dê um passo para trás mentalmente e olhe-a de cima a baixo. Você irá examinar as características físicas dela e observar os traços consistentes, bem como um ou dois que ressaltem. A seguir há uma lista dos tipos de coisas que você deve notar. Ela pode parecer longa, mas na realidade você pode obter muito rapidamente a maior parte dessa informação. E fica mais fácil com a prática.

Características Físicas

Corpo

- Altura
- Condição física
- Pêlo corporal
- Peso
- Postura
- Proporção/forma
- Tamanho geral

Rosto

- Cabelos
- Dentes
- Lábios
- Nariz
- Olhos
- Pele
- Pêlos faciais
- Rugas

Extremidades

- Dedos
- Dedos dos pés
- Mãos
- Pés
- Unhas dos dedos dos pés
- Unhas e cutículas

Pele

- Acne
- Cicatrizes
- Erupções
- Palidez
- Pigmentação
- Rugas
- Sinais de nascença
- Suada
- Urticária
- Verrugas

Irregularidades deficiências físicas

- Aparelhos corporais
- Aparelhos de audição
- Ataduras
- Cicatrizes
- Deformações físicas
- Óculos incomumente fortes
- Próteses
- Talas

Jóias e bijuterias

- Abotoadura
- Alfinete de gravata
- Alfinete de lapela
- Anéis e argolas
- Brincos
- Broches
- Colares / correntes
- Pulseira de relógio

- Pulseiras / tornozeleiras
- Relógios

Maquiagem

- Base
- Batom
- Blush
- Cílios postiços
- Contorno de lábios
- Delineador
- Maquiagem corporal
- Pó facial
- Rímel
- Sombra

Acessórios

- Bolsa
- Chapéu
- Cinto
- Echarpe
- Enfeites de cabelo
- Gravata (laço, normal, borboleta)
- Lenço de bolso
- Lenços de cabeça
- Meias
- Óculos (tipo, estilo)

Roupas

- Calças
- Camisa / blusa
- Camiseta

- Casaco
- Jaqueta
- Short
- Suéter
- Vestido

"Corporificações" (alterações voluntárias do corpo)

- Alteração do formato das sobrancelhas
- *Body piercing*
- Cabelo tingido
- Cílios / sobrancelhas
- Cirurgia plástica
- Unhas postiças

Higiene

- Cabelo
- Dedos
- Dentes
- Hálito
- Mãos
- Nariz
- Odor corporal
- Orelhas
- Pés
- Rosto
- Roupas
- Unhas

Depois de haver obtido as informações referentes aos diversos traços dessa lista, você poderá começar a interpretá-los. A seguir são mencionadas 12 características comuns e seu *provável* significado. A única maneira de interpretar de modo preciso o significado desses traços físicos é considerá-los no contexto de outras características físicas e também dos gestos, ambiente, voz e ações.

PELE

A pele pode revelar muito sobre o comportamento e os valores da pessoa, especialmente se ela tenta modificá-la.

Bronzeado Um rosto bronzeado pode revelar que o trabalho ou os *hobbies* da pessoa fazem com que ela fique muito tempo ao ar livre. O bronzeado também pode indicar que a pessoa é vaidosa e consciente de sua aparência, ou apenas que acabou de voltar das férias num lugar ensolarado. Você precisa procurar outras pistas para descobrir qual é a explicação. Por exemplo, se um homem é muito bronzeado, tem rugas profundas e calos nas mãos, ele provavelmente tem passado muito tempo trabalhando ao ar livre, pois poucos *hobbies* ao ar livre causariam calos. Por outro lado, se você vir um homem com unhas manicuradas, vestindo um terno imaculado e com pele bronzeada, provavelmente ele acha que fica melhor assim e tem tempo para se bronzear, ao ar livre ou num salão. Tanta atenção ao tom da pele indica vaidade e consciência da própria imagem.

Pele pálida As pessoas cuja pele é muito pálida geralmente têm poucos *hobbies* ao ar livre, e trabalham em ambientes fechados. Como sempre, existem exceções: alguém pode proteger a pele por questões de saúde, ou pode estar doente, pode ser do noroeste do Pacífico, ou de outro lugar onde haja períodos longos de tempo nublado. No passado, eu descobri que pessoas de pele clara e pálida tendiam a ser menos ativas fisicamente e menos conscientes da saúde do que aquelas que mostravam pelo menos alguma exposição ao sol. Mas essa conclusão algumas vezes não faz mais sentido, pois as pessoas estão mais conscientes dos efeitos prejudiciais do sol.

Irregularidades As irregularidades faciais, como verrugas, são importantes, especialmente se forem bem visíveis, pois hoje a maioria das pessoas tem possibilidade de removê-las. Algumas vezes essas irregularidades indicam um histórico socioeconômico no qual a aparência física tinha uma prioridade muito pequena. Mas muitas vezes uma pessoa tem razões mais complexas para manter uma irregularidade facial. Se alguém não se dá ao trabalho de remover uma verruga grande e escura do nariz, isso pode indicar que ela se sente muito bem consigo mesma, com verruga e tudo. Ou pode ser que ela não queria se alinhar com nossa sociedade consciente de imagens, e nesse caso poderia também revelar uma inclinação à rebeldia. Mas lembre-se, existem atrizes e modelos famosas conhecidas por suas "marcas de beleza".

HIGIENE

A higiene é um dos traços mais significativos e observáveis. Uma higiene precária revela muito sobre uma pessoa, mas é essencial distinguir entre as pessoas que são desleixadas e aquelas que são sujas. As pessoas que são desarrumadas, mas limpas, caem numa categoria completamente diferente. A aparência amarrotada pode ser encontrada na seção "Desalinho", mais adiante neste apêndice.

A higiene pode indicar a educação, a classe social, a percepção de si e dos outros, a inteligência, a organização, a preguiça, a falta de cuidados, a segurança, a auto-imagem, a rebeldia, o histórico cultural, a consideração pelos outros, o desejo de agradar e o desejo de aceitação social.

Os sinais de higiene precária incluem:

Cabelo despenteado ou oleoso.

Mãos, rosto ou corpo sujo.

Unhas sujas

Dentes sujos, manchados ou faltando.

Mau hálito.

Odor corporal.

Roupas sujas e malcheirosas.

As pessoas podem ter uma higiene precária por diversos motivos:

- *Falta de percepção do efeito que causam nos outros.* Isto indica algum nível de egocentrismo; uma falta de bom senso; e incapacidade de perceber as reações das pessoas a sua volta. Essas pessoas são desligadas.

- *Insensibilidade.* Elas podem perceber o efeito que provocam nos outros, mas não se importar. Isto pode indicar uma falta de educação ou uma atitude descuidada para com os outros, e também egocentrismo.
- *Doença mental ou abuso de drogas ou de álcool.* As pessoas que estão deprimidas muitas vezes negligenciam a higiene pessoal. Aquelas com outras doenças mentais crônicas, inclusive abuso de drogas e álcool, também ignoram freqüentemente a higiene pessoal.
- *Incapacidade de cuidar de si mesmo por causa de um problema médico crônico.*
- *Um histórico socioeconômico de muita pobreza.* Existem pessoas que não têm dinheiro suficiente para serem limpas. Algumas pessoas que foram criadas na pobreza nunca aprenderam a cuidar da higiene pessoal e às vezes nunca adquirem o hábito de tomar banho regularmente nem de colocar roupa de baixo limpa todas as manhãs.
- *Preguiça.* Algumas pessoas simplesmente não querem ter o trabalho de se manter limpas.

A higiene pessoal, como todos os traços, precisa ser considerada no conjunto. Meu primeiro caso, há 15 anos, envolvia um homem acusado de seqüestro, estupro e assassinato de uma menina de dez anos. A mídia de Los Angeles o chamava de "Homem Sorvete" porque ele havia atraído a menina para seu caminhão enquanto vendia sorvete. Ele usava barba e bigode compridos, eriçados, desleixados e sujos; e suas unhas eram longas e sujas. Os dedos dele estavam manchados de amarelo porque ele fumava e não lavava as mãos. Os olhos dele muitas vezes apresentavam secreções. Esta total falta de atenção à higiene indicava o pior tipo de histórico socioeconômico. Na verdade, ele havia sofrido abuso sexual quando criança e não tinha estudado; ele não possuía objetivos na vida, e menos ainda auto-estima. Queria morrer, e o júri ficou feliz em concordar com ele. Ele está ainda hoje no corredor da morte.

Por outro lado, um lapso isolado de higiene não merece demasiada importância, especialmente se você puder identificar uma razão para ele. Conheço um fabuloso advogado criminal que fala vários idiomas e é um modelo de profissionalismo. Também é apaixonado pela restauração de carros antigos. Como resultado, por mais que lave as mãos, é freqüente que tenha graxa embaixo das unhas. Suas unhas sujas não prevalecem sobre o resto de seu padrão e

294

não indicam falta de higiene. Ao contrário, elas trazem informação sobre os *hobbies* dele e, talvez ainda mais importante, sobre sua natureza prática e despretensiosa.

DETALHISMO

O detalhismo pode refletir-se numa barba perfeitamente aparada, em roupas recém-passadas, um lenço de bolso colocado de modo preciso, e em outros traços similares. Como todos os traços, ele tem diversos graus. Conheci pessoas que passam suas camisetas e até seus lençóis. Outras pessoas arrumam e rearrumam constantemente suas roupas ou suas mesas. Esse grau de detalhismo é incomum. Quando atinge o extremo, pode indicar que a pessoa está sofrendo de um distúrbio obsessivo-compulsivo.

Com exceção das poucas pessoas que sofrem desse distúrbio clínico, descobri que geralmente quanto mais detalhista a pessoa é, mais ela tende a ser egoísta, estruturada, inflexível, sem imaginação, vaidosa e preocupada com o que os outros vão pensar. Quase sempre, as pessoas detalhistas aprenderam esse traço com seus pais, e assim o detalhismo normalmente reflete uma forte influência dos pais.

As pessoas do lado oposto do prisma podem usar sapatos gastos e estragados, camisas furadas, descosturadas ou com botões faltando, ou calças com bainhas desfeitas. A primeira coisa que faço é verificar se a falta de manutenção pessoal é apenas uma indicação de que o dinheiro está curto. Se uma pessoa está limpa e todos os itens que podem ser mantidos sem muito dinheiro estão em ordem, eu normalmente só posso concluir isto a partir desta característica isolada. Mas se o dinheiro não parece ser o problema, eu procuro as características da pessoa desleixada, descritas adiante.

FRASES, LOGOTIPOS E IMAGENS APARENTES

As palavras ou imagens exibidas nas roupas são anúncios virtuais do estilo de vida e dos valores de uma pessoa. Eles podem refletir o trabalho da pessoa, seus *hobbies*, sua preferência religiosa, seu histórico cultural, sua opinião política e muito mais. Eles também trazem pistas sobre a personalidade. O gato adormecido usado por uma avó idosa é um símbolo da natureza, de serenidade, compaixão, calor humano e contentamento. É difícil imaginar um jovem fuzileiro naval escolhendo essa camiseta numa loja. Ele provavelmente preferiria a imagem de um buldogue ou de um pit bull – que ficariam felizes em comer o gato –, símbolos de poder, agressão, virilidade e confiança. As afirmações sexualmente sugestivas devem ser observadas, e também as engraçadas ou intelectuais. A maioria das pessoas não coloca aleatoriamente roupas com palavras, logotipos ou imagens específicas. Ao contrário, elas escolhem aquilo que se relaciona com sua personalidade, transmite seus interesses, ou reflete uma imagem que desejam apresentar. Por exemplo:

- Logotipos e marcas bastante visíveis podem indicar alguém que tem consciência da imagem que projeta, e que talvez tenha pouca confiança em si mesmo. Ele pode estar tentando comprar credibilidade com a marca de um *designer*.
- Camisetas com imagens de outras cidades e estados, de parques nacionais e assim por diante, podem lhe dizer que a pessoa é um viajante ou gosta da vida ao ar livre.
- Camisetas ou camisas pólo com emblemas esportivos podem indicar que a pessoa é um torcedor ou um jogador. Muitas vezes, o corte de cabelo que ele usa e seu grau de atletismo irão lhe dizer qual é o caso. Um fato interessante é que alguns emblemas de times foram adotados por algumas gangues como um tipo de uniforme.

Muitas dessas deduções são bem óbvias, mas lembre-se de que a chave é ver o padrão. Todo mundo tem algumas camisetas com imagens ou logotipos sem importância, mas alguém que sempre use uma certa marca ou logotipo está tentando conscientemente transmitir uma prioridade pessoal.

TATUAGENS E OUTRAS "CORPORIFICAÇÕES"

Chamo de corporificações as mudanças que efetivamente alteram nossos corpos. Como roupas e jóias, muitas corporificações são temporárias, do mesmo modo que os estados mentais que elas refletem. Por essa razão, eu analiso traços como sobrancelhas depiladas muito fininhas e unhas postiças do mesmo modo que analiso outras ornamentações. Mas repare quando alguém toma uma decisão de alterar *permanentemente* seu corpo com tatuagens, implantes ou *body piercing* radical.

Por exemplo, as tatuagens são muito reveladoras. O assunto por si só pode ser revelador. Uma florzinha ou uma borboleta podem indicar que a pessoa tem uma natureza artística e está tentando acrescentar beleza ou interesse a sua vida. Alguém que esteja servindo no Exército pode fazer uma tatuagem que simbolize sua unidade. Independente do assunto, tatuagens grandes e óbvias podem demonstrar:

- Uma necessidade de ser diferente.
- Rebeldia.
- Não-conformismo.
- Uma natureza artística ou boêmia.
- Participação num grupo, como os militares ou uma gangue.
- Histórico socioeconômico ou educacional inferior (você raramente vê uma pessoa rica com tatuagens).

Se alguém optou por fazer uma tatuagem observável isto normalmente indica que ela é individualista e não-conformista. Você pode esperar pensamento original e espontaneidade. Você também pode encontrar um pouco de "não me importo nem um pouco com o que os outros pensam". Quanto maior, mais colorida, mais audaciosa e escandalosa for a tatuagem ou tatuagens, mais elas revelam esses traços de personalidade.

Outras corporificações voluntárias, como implantes, também são pistas muito importantes sobre uma pessoa. Cada uma das inúmeras maneiras pelas quais podemos mudar ou melhorar nossos corpos irá indicar o que uma pessoa valoriza, em si mesma e nos outros. Alguém que opta por implantes nos seios, normalmente deseja enfatizar a sexualidade. Ela é vaidosa e preocupada com o que os outros, especialmente os homens, pensam dela. Um homem que faça lipoaspiração para remover seus "pneuzinhos" também é consciente de sua aparência e poder de atração. Ele é vaidoso e normalmente tem estabilidade financeira suficiente para gastar com isso. Do mesmo modo que no caso das tatuagens, é importante observar o grau de qualquer alteração cirúrgica. Um leve toque ao redor dos olhos não é a mesma coisa que um *lifting* facial radical, e pequenos implantes nos seios não dizem o mesmo que implantes enormes. Esses extremos enfatizam os traços que já discutimos. Se as alterações cirúrgicas forem de tal extensão que a maioria das pessoas as consideraria grotescas, eu só posso pensar que o egocentrismo da pessoa e sua natureza emocionalmente carente estejam nublando sua autocrítica e a capacidade para entender como os outros a percebem.

BOM GOSTO

O bom gosto é um conceito fugidio. Cada cultura tem sua própria definição de bom gosto e falta de gosto – *não julgue erradamente uma pessoa ao confundir preferências culturais com falta de gosto.*

Por exemplo, algumas vezes eu ouvi pessoas comentarem que sungas pequenas, estilo biquíni, são vulgares e inadequadas. Mas essas sungas são muito comuns na Europa. Os homens americanos podem se sentir desconfortáveis usando sungas tão reveladoras, mas os europeus sentem-se bem, e isto não reflete nada a respeito de seu bom gosto.

Você pode descobrir muito sobre alguém a partir de suas preferências em relação a roupas e outros acessórios físicos se conhecer sua cultura e seu histórico.

O bom gosto pode revelar:

- Boa autocrítica e consciência das normas sociais.
- Sensibilidade à imagem e às opiniões dos outros.
- Sofisticação. As pessoas que aprenderam a se vestir com bom gosto também tendem a agir e a pensar com sofisticação social.
- Prosperidade. Bom gosto, do mesmo modo que vanguardismo, pode ser caro.
- Influência paterna. O bom gosto normalmente é aprendido com os pais, junto com as boas maneiras. Você normalmente não vê uma coisa separada da outra.

Mau gosto tende a revelar exatamente o oposto desses traços. Mas gosto é uma categoria muito difícil de classificar, e assim qualquer orientação que eu possa lhe dar começa com um alerta: tome o cuidado de examinar todos os outros traços antes de fazer um julgamento.

ESTILO REGIONAL

Jóias do sudoeste, roupas africanas, uma sunga de estilo europeu, botas de caubói, um chapéu de pescador – qualquer roupa, jóias ou acessórios específicos –, freqüentemente são uma referência ao lugar onde a pessoa foi criada. Se não, provavelmente indica que a pessoa ou viveu naquela região e gostou daquele período de sua vida, ou se identifica com o local, por alguma razão. Mantenha os olhos abertos para itens com um estilo regional distinto; quase sempre eles têm um significado especial.

Não faz muito tempo, entrei num posto de gasolina em Beverly Hills, atrás de um Jaguar conversível vermelho novinho. Uma mulher de uns 50 anos saiu dele, carregando um pequeno poodle branco, bem penteado com laços vermelhos cuidadosamente colocados em seu pêlo. Os laços eram exatamente da cor do carro. A maquiagem da mulher era perfeita. Ela tinha um cabelo louro-platinado e estava usando saltos altos e um terninho colante de veludo azul-royal. Essa mulher tinha cultivado a perfeita imagem de riqueza de Beverly Hills. Aparentemente ela achava importante projetar uma imagem de sexualidade e juventude, riqueza e sucesso. Em Beverly Hills, sua aparência podia fazer com que os outros a vissem como ela pretendia. Mas o que pensariam dela em Little Rock ou em Nova York?

IMAGENS CULTIVADAS

Uma imagem específica que alguém tente intencionalmente cultivar pode refletir sua verdadeira natureza ou simplesmente sua tentativa de parecer um participante. Algumas das imagens mais comumente adotadas pelas pessoas são *country*, *fashion*, *punk*, *hippie*, *grunge*, mauricinho e atlético. De modo geral, é mais provável que um jovem tenha escolhido um estilo específico para refletir um papel, em vez refletir sua verdadeira natureza. Mas quer a pessoa seja velha ou jovem, normalmente é necessário algum tempo e informações adicionais para saber se alguém está representando um papel ou é realmente assim.

Recentemente coordenei um grupo específico no qual um dos jurados simulados era um homem branco de 55 anos. Ele tinha um rabo-de-cavalo longo e limpo, e sua pele bronzeada e enrugada mostrava os efeitos de anos ao sol. Seus pés estavam metidos em meias curtas e em sandálias de couro, e ele usava uma camiseta com a estampa de uma borboleta pintada à mão. Esse homem transmitia a imagem de um sobrevivente *hippie*.

No início, fiquei imaginando se ele realmente teria a visão liberal, criativa, artística e não-conformista representada pelo movimento *hippie*, ou se ele era apenas um homem de meia-idade que queria parecer *hippie*. Ele era um professor de sociologia numa universidade local, vivia numa área rural fora da cidade, e dirigia uma caminhonete com dez anos de idade. Como seu estilo de vida combinava com sua aparência *hippie*, acreditei que a aparência não-conformista provavelmente era um reflexo acurado do homem interior.

Por outro lado, os bares *country* de todos os Estados Unidos estão cheios de caubóis urbanos usando chapéus Stetson e botas de couro de cobra. São necessárias mais informações para saber quanto de sua aparência é um esforço consciente para adotar a imagem do Homem de Marlboro – forte, macho, independente. Assim, observe. Você pode estar procurando por um homem durão com modos simples e valores de cidade pequena, mas acabar encontrando apenas um garoto da cidade grande fantasiado.

ESPALHAFATO *VERSUS* CONSERVADORISMO

O espalhafato se caracteriza por cores brilhantes, por estilos chocantes ou diferentes, por jóias que chamam a atenção e assim por diante. O conservadorismo se reflete nos estilos clássicos, cores suaves e modo cuidadoso e detalhista de se arrumar. Quase todos os traços listados neste capítulo podem estar entre os extremos deste prisma. O lugar ocupado pelos traços de alguém – brincos vistosos, anel nos dedos dos pés, um cinto espalhafatoso –, lhe trará pistas para saber se é mais espalhafatoso ou mais conservador. Mas lembre-se: para ter um coração espalhafatoso você não precisa se vestir como Liberace ou Elton John.

A maior diferença entre esses dois tipos é seu desejo de chamar atenção. As pessoas espalhafatosas geralmente querem aparecer; as pessoas mais conservadoras normalmente querem se misturar. Eu descobri que pessoas extremamente espalhafatosas algumas vezes são inseguras, solitárias, carentes, entediadas e insatisfeitas com sua vida. Mas o espalhafato é um daqueles traços que podem refletir os opostos. As pessoas espalhafatosas também podem ser confiantes e seguras de si.

Independente de serem solitárias ou confiantes, as pessoas espalhafatosas geralmente têm algumas características em comum:

- Elas são criativas, artísticas, e têm imaginação.
- Normalmente têm algum dinheiro, pois roupas e jóias espalhafatosas geralmente são bem caras e não muito práticas.
- Elas não costumam ser pessoas muito práticas.

- São pessoas não-conformistas. Não se importam com o que os outros pensam delas, desde que tenham uma platéia.
- São independentes, e talvez até um pouco arrogantes.

As pessoas conservadoras, por outro lado:

- Costumam se importar com a opinião dos outros e querem se encaixar e ser aceitas.
- São conformistas que se sentem mais à vontade quando seguem as normas e expectativas sociais.
- Freqüentemente são práticas, autoritárias e analíticas.
- São menos criativas e têm menos imaginação que as pessoas espalhafatosas. Tendem a ser pensadores mais convencionais.

Uma pessoa pode se vestir de modo muito conservador por causa de insegurança, num esforço para ser aceita ou para se encaixar, ou pode ser que ela seja muito segura e confiante. Você terá de examinar outras pistas para descobrir como ela é. Normalmente é necessário observar e perguntar cuidadosamente antes de poder dizer se sua amiga conservadora é confiante ou se tem medo de aparecer. O mesmo ocorre com as pessoas espalhafatosas – é necessário mais que um olhar rápido para descobrir se ela é solitária e carente ou se é totalmente liberada. Mas qualquer que seja o caso, a atenção cuidadosa quanto à aparência de alguém será um ótimo ponto de partida para começar a desenvolver o padrão que finalmente irá revelar a resposta.

PRATICIDADE *VERSUS* EXTRAVAGÂNCIA

Muitas pessoas simplesmente ficam no meio-termo em seu modo de aderir à moda, nem espalhafatosa nem conservadora. Mas a maioria cai em um dos dois campos distintos com relação à praticidade e à extravagância.

Tudo que enfatiza conforto, custo ou utilidade em detrimento do estilo irá indicar uma pessoa prática. Normalmente eu preciso de muito pouco tempo para determinar se alguém está mais interessado em conforto e praticidade do que em estilo e imagem. Muitas características diferentes na aparência das pessoas nos ajudam a colocá-las em uma ou em outra categoria.

Uma mulher:

- Usa acessórios combinando com suas roupas, ou prefere pretos e marrons básicos que são fáceis de combinar?
- Tem unhas longas, manicuradas e cuidadosamente pintadas, ou curtas e funcionais?
- Usa saltos baixos ou altos?
- Tem um corte de cabelo difícil de manter?
- Usa jóias grandes que podem facilmente desfiar suas meias ou se enroscar em algo?
- Usa muita maquiagem, que é cara e demorada para aplicar?

Um homem:

- Usa gravatas, lenços de bolso, meias ou outras roupas com as cores combinando?
- Usa um relógio leve e esportivo ou um pesado Rolex?
- Usa sapatos comuns ou mocassins italianos em sua caminhada matinal até o trabalho?
- Mantém suas unhas manicuradas?
- Corta freqüentemente o cabelo, ou permite que seu cabelo cresça um pouco antes de apará-lo?

A natureza dos "brinquedos" de uma pessoa também diz algo sobre sua praticidade ou extravagância. Alguém que só joga golfe raramente mas que possui um caro conjunto de tacos, ou que joga tênis com pouca freqüência mas que tem várias raquetes, provavelmente é extravagante e pouco prático. O mesmo pode ser dito de alguém que escolhe um carro caro e de manutenção difícil.

Posso fazer algumas generalizações a respeito de uma pessoa depois de ter determinado o quanto ela é prática ou extravagante. As pessoas que estão interessadas em conforto e praticidade normalmente:

- Estão à vontade consigo mesmas e com sua posição na vida.
- Não são egocêntricas.
- Estão dispostas a ser não-conformistas, se isso for necessário para se sentirem confortáveis.
- São simples.

As pessoas extravagantes freqüentemente:

- Têm consciência da própria imagem.
- Têm baixa auto-estima.
- Desejam aceitação e aprovação, e precisam do respeito e da admiração dos outros.
- Gostam genuinamente de dar. Dar presentes aos outros lhes traz grande prazer.

Antes de concluir que alguém tem os traços típicos da pessoa extravagante, dê uma boa olhada no que ele gasta seu dinheiro. Se ele o gasta no que será percebido pelos outros – em roupas, jóias, carros, grandes festas e assim por diante –, então ele provavelmente se encaixe no perfil extravagante. Mas alguém pode gastar muito dinheiro sem ter os traços típicos da personalidade extravagante. As regras normais não se aplicarão se ele normalmente gasta dinheiro onde poucas pessoas irão perceber – por exemplo, em férias, numa casa de veraneio para sua família, ou em contribuições para causas caritativas.

SUGESTIVIDADE SEXUAL

Algumas pessoas usam roupas e acessórios excepcionalmente sexy, mesmo no contexto de nossa cultura altamente sexualizada. O homem ou a mulher que usa roupas sexualmente sugestivas pode ser tremendamente confiante ou muito inseguro. Entretanto, quase sempre é verdade que ele ou ela está querendo chamar a atenção. Muitas vezes uma pessoa assim é expansiva, egocêntrica e vaidosa. O uso de roupas reveladoras em momentos inapropriados também indica falta de autocrítica. Também é provável que essa pessoa seja sexualmente liberada, embora existam exceções, e ela possa ser apenas confiante e provocadora.

DESLEIXO

O desleixo é uma outra categoria que pode ter significados opostos. Os homens e mulheres que parecem desleixados (homens assim costumam ser chamados de amarrotados ou de relaxados) tendem a estar de fora da corrente principal da sociedade e são insensíveis às questões de aparência.

Sinais comuns de desleixo incluem:

- Roupas amassadas, mas bastante limpas.
- Roupas e acessórios informes, ultrapassados ou sem estilo.
- Cabelo despenteado.
- Corte de cabelo fora de moda ou que não favorece a pessoa.
- Sapatos batidos e gastos.

O desleixo pode indicar:

- *Um histórico socioeconômico inferior.* Bom estilo muitas vezes é um reflexo do status financeiro. Obviamente existem exceções; muitas pessoas que cresceram sem muito dinheiro se vestem com muito estilo. Mas se uma pessoa sempre usa roupas amassadas, existe uma boa chance de ela nunca ter sido ensinada a agir diferente. Isto acontece com maior freqüência em famílias de classe baixa ou média-baixa do que em famílias de maior renda, mas pode ocorrer em qualquer nível socioeconômico.
- *A síndrome do artista, do intelectual ou do "professor distraído".* Algumas pessoas se vestem desleixadamente simplesmente porque não dão atenção a sua aparência. Isso é típico de pessoas cuja vida intelectual ou criativa deixa em segundo plano todas as outras preocupações. Engenheiros, cientistas, inventores e artistas muitas vezes caem nesta categoria.
- *Preocupação com outras coisas.* Algumas pessoas decidiram que a verdadeira paixão de sua vida é viajar, ou criar cães, registrar coleções, ou navegar na Internet. Elas simplesmente não gastam muito tempo nem energia com a aparência e não se incomodam com o que o mundo pensa. Muitas vezes elas se ligam a outras pessoas com interesses semelhantes que têm a mesma aparência e se vestem do mesmo modo que elas.
- *Negligência.* Existem pessoas que não estão obcecadas com seu computador nem perdidas num esforço para encontrar a cura do câncer ou para colocar um homem em Marte. Elas são apenas negligentes – pura e simplesmente. A casa delas é uma confusão. O carro delas é uma confusão. O armário delas no trabalho é uma confusão. E claro – elas são uma confusão. A aparência simplesmente não é uma de suas prioridades.

Apêndice B

A Linguagem Corporal
e o que Ela Revela

Existem tantos movimentos corporais que podem trazer pistas quanto existem pessoas e momentos no dia. Como a lista das características físicas no Apêndice A, a seguinte, por mais longa que seja, não inclui todos os aspectos potencialmente reveladores dos movimentos corporais de uma pessoa. Mas contém aqueles que você verá com mais freqüência. Examine esta lista com o objetivo de ampliar sua visão. Ninguém observa todas essas pistas possíveis o tempo todo. Mas você irá começar a reparar cada vez mais se pelo menos pensar nelas de vez em quando.

Movimentos do Corpo Inteiro

Andar

- Lento / rápido
- Vigoroso
- Hesitante
- Passos largos
- Ritmo constante

Posicionamento

- Em grupos
- Em duplas
- Sozinho
- Proximidade com as pessoas
- Peito para fora
- Relaxado

Movimento

- Tremer
- Balançar
- Contrair
- Agitar
- Pular
- Correr
- Oscilar
- Parar
- Arrastar
- Movimentos rápidos e abruptos
- Dar um passo atrás
- Dar um passo a frente

Cabeça

- Acenar

- Balançar
- Caída
- Sacudir
- Fazer um círculo
- Olhar para baixo ou para cima
- Olhar ao redor
- Olhar em espelhos
- Com o nariz para cima

Olhos

- Abertos ou fechados
- Olhando fixamente
- Mover para trás e para frente
- Mover para cima e para baixo
- Piscar
- Pestanejar
- Fechar freqüentemente
- Tremer
- Olhar de soslaio
- Sorrir
- Olhar por cima dos óculos

Boca / maxilar

- Lábios abertos
- Lábios cerrados
- Sorriso
- Lábios franzidos
- Carrancuda
- Bocejante
- Cantos voltados para cima
- Passar a língua sobre os lábios
- Morder os lábios

- Dentes cerrados
- Boca contraída
- Careta
- Maxilar firme
- Maxilar tenso
- Seca
- Passar a língua sobre os dentes

Sobrancelhas

- Franzida
- Movendo-se para cima e para baixo

Outros

- Franzir o nariz
- Tiques faciais

Toques

- Aperto de mão
- Acariciar
- Dar tapinhas nas costas
- Encostar-se

Braços, mãos, pernas e pés

- Tamborilar com os dedos ou os pés
- Juntar a ponta dos dedos
- Girar os polegares
- Gestos obscenos com as mãos e os dedos
- Tapar a boca com as mãos
- Colocar as mãos no queixo
- Colocar as mãos nas têmporas
- Colocar as mãos nos quadris
- Colocar as mãos nos bolsos

- Colocar as mãos no colo
- Torcer as mãos
- Cerrar os punhos
- Coçar o rosto ou as orelhas
- Torcer o cabelo
- Puxar o cabelo
- Espreguiçar
- Coçar a cabeça
- Cruzar e descruzar os braços ou pernas
- Acenar

Inquietação

- Roer as unhas
- Limpar as unhas
- Esfregar a barba ou o bigode
- Tocar ou puxar as roupas
- Girar os óculos
- Brincar com o relógio
- Brincar com canetas

Vocalizações

- Respiração (profunda, superficial, curta, rápida, lenta, expirar rapidamente, "assobiar")
- Arrotar
- Suspirar
- Engolir
- Ofegar
- Tossir (nervosa, profunda, seca, limpar a garganta)
- Murmurar
- Assobiar
- Ficar calado
- Fazer barulho

Cada um dos traços ou emoções discutidos nas seções a seguir é revelado mais claramente por meio de uma combinação de muitos movimentos corporais diferentes, e também do ambiente, da voz e das ações. Não se sinta perdido com o fato de os mesmos movimentos corporais poderem ter significados muito diferentes. Se você olhar para o padrão completo, quase sempre chegará à conclusão correta.

Arrogância / humildade

Um futuro rei se mantém acima da multidão. Um verdadeiro príncipe anda no meio dela.

A essência da arrogância é a tentativa de se elevar acima dos outros. O cerne da humildade é o reconhecimento de que seja qual for o status de uma pessoa, ninguém é melhor nem pior que os outros.

Não é de surpreender que as pessoas arrogantes tentem se separar dos outros, enquanto que as pessoas humildes optam por um contato despretensioso e por se comunicar com os outros independente de seu nível. As pessoas arrogantes nem sempre são seguras, enquanto que a humildade normalmente reflete algum nível de segurança profunda. Como resultado, as pessoas humildes terão uma probabilidade muito menor de serem exageradamente competitivas, especialmente com os amigos e com a família. Elas perdoam mais, são mais compreensivas e compassivas.

A aparência pode ajudar a determinar o lugar de alguém na escala arrogância / humildade. A atitude, a roupa e o comportamento da pessoa arrogante com freqüência refletem seu esforço para sobressair: ela pode usar roupas caras, pretensiosas ou pouco práticas, ou se vestir de modo mais formal ou menos formal que os outros. E muitas vezes ela age de modo desinteressado, entediado ou pretensioso. As pessoas humildes tendem a se vestir e a agir de um modo mais sensato.

As pessoas arrogantes muitas vezes:

- São vaidosas.
- Olham para seu reflexo nos espelhos e janelas.
- Tentam ser o centro da discussão.
- Fazem gestos amplos e espalhafatosos.
- Ficam mais distantes dos outros fisicamente (embora algumas pessoas arrogantes sintam-se autorizadas a invadir o espaço pessoal dos outros e o façam de modo inadequado).

- Se entediam facilmente e param de ouvir (as pessoas arrogantes na verdade não se importam com o que os outros têm a dizer).
- Têm movimentos e posturas sexualmente sugestivas.
- Vangloriam-se.
- Adotam ares afetados.

Os sinais de humildade são:

- Focar-se nos outros e não em si mesmo.
- Saber ouvir.
- Saber rir de si mesmo.
- Uma aparência tranqüila.
- Gentilezas, como ceder uma cadeira ou abrir uma porta para outra pessoa.

É importante assegurar-se de que existe um *padrão* de arrogância. Uma mulher barulhenta e impetuosa pode ter consideração pelos outros, e um homem calado pode não estar prestando atenção à conversa simplesmente porque está cansado. Procure mais de um sintoma.

Confiança / liderança

Um político está sentado tranqüilamente, com as costas retas, olhando para a frente, as mãos pousadas no colo, um leve sorriso no rosto, enquanto espera o início do debate.

Não é de surpreender que os líderes tendam a ser confiantes, e os seguidores tendam a ser inseguros. Conseqüentemente, para identificar os líderes é necessário ter sensibilidade para os traços exibidos por alguém que seja confiante e vice-versa. E descobrir os seguidores é o mesmo que identificar as pessoas passivas e inseguras.

A liderança e a confiança não precisam estar ligadas a uma personalidade expansiva, dominante e agressiva. Existem líderes tranqüilos e confiantes, e existem outros barulhentos e agressivos.

Os líderes e as pessoas confiantes normalmente:

- Dirigem (e muitas vezes controlam) as conversas.
- Têm várias pessoas a seu redor, por causa de sua personalidade.
- Colocam-se numa distância adequada ao falar com alguém (embora um líder "louco por controle" possa invadir o espaço pessoal do outro).

309

- Se oferecem para tarefas desagradáveis.
- São bons ouvintes.
- Têm um sorriso seguro de si, sem exagerar nem mostrar todos os dentes, mas algumas vezes quase convencido.
- Andam com confiança, quase com passos largos, e muitas vezes seus braços se mexem bastante.
- Têm um aperto de mão firme.
- Andam bem vestidos.
- Têm boa higiene.
- Vestem-se de modo conservador e adequado à ocasião.
- Usam roupas mais caras e de bom gosto.
- Raramente seguem algum modismo.
- Estão dispostos a se envolver numa conversa.
- São atléticos e têm boa forma física.
- Fazem bom contato ocular.
- Têm um corte de cabelo conservador.
- Têm uma postura ereta.
- Adaptam a posição de seu corpo à pessoa com quem estão falando.
- Carregam acessórios que algumas vezes são associados com responsabilidade, como pasta, calculadora, telefone celular, *pager*, ou agenda.

As pessoas muitas vezes esperam que os líderes sejam expansivos e agressivos, e subestimam os tranquilos e confiantes. Nem todos os líderes e pessoas confiantes andam de modo afetado como galos de briga. Os líderes quietos e reservados ainda assim terão um aperto de mão firme e manterão contato ocular direto. Numa conversa, eles ficarão atentos e serão bons ouvintes.

Os líderes normalmente ficam numa posição de poder em qualquer sala. Se houver uma mesa, eles tenderão a se dirigir para a cabeceira. Se as pessoas estiverem espalhadas na sala, o líder normalmente estará mais perto do centro. Os líderes não mostram sinais de nervosismo e frequentemente cuidam bem de sua saúde e de seus corpos.

Confusão

Visualize um brinquedo de pilha, correndo para uma direção até bater na parede, virando-se e indo para outra direção. O movimento é aleatório e não-ordenado.

Normalmente a confusão está associada a outras emoções básicas. Freqüentemente, uma pessoa que esteja confusa também estará frustrada ou indecisa e mostrará sinais dessas emoções. Mas mesmo quando associada a outros estados emocionais, a confusão costuma ser bastante perceptível. Uma pessoa confusa perdeu o rumo e está tentando encontrá-lo.

Os sintomas da confusão incluem:

- Repetição verbal.
- Movimento repetitivo.
- Pegar alguma coisa e largá-la novamente.
- Comportamento conflitante ou inconsistente.
- Andar arrastado ou agitação.
- Sinais de indecisão.
- Sinais de frustração.

Defesa

Imagine um gato acuado num canto por um cachorro. Ele está contra a parede, com o pêlo eriçado. Procura uma chance de fugir, mas está pronto a atacar se for necessário.

A maioria dos gestos defensivos são modos instintivos de nos protegermos. É extremamente desagradável sentir-se na defensiva; é um resultado de se sentir atacado. No mínimo, alguém que está na defensiva também se sentirá desajeitado e vulnerável. Como resultado, seu comportamento refletirá um desejo de evitar a situação, afastando-se física ou verbalmente, ou desviando-se do ataque.

A maioria das pessoas detesta enfrentamentos, e normalmente nós nos sentimos na defensiva quando alguém nos confronta. Algumas vezes também ficamos na defensiva se tememos a ocorrência de um confronto, ou se entendemos um comentário neutro como sendo um desafio. Não é de surpreender que muitos dos sintomas da defesa sejam semelhantes aos sintomas da raiva, mas você também pode ver sinais parecidos aos do nervosismo ou do desejo de ocultar alguma coisa.

Os sintomas da defesa incluem:

- Cruzar os braços, pernas e/ou tornozelos.
- Cerrar os dentes, o maxilar ou os lábios.
- Desviar os olhos.
- Corpo em ângulo reto, não para o outro lado (confronto).
- Mãos nos quadris.
- Expiração rápida.
- Fechar a boca de modo tenso e se recusar a falar.
- Sair da situação desconfortável.

Uso de drogas e álcool

A negação é um grande problema. Não ignore os sintomas óbvios.

O abuso de drogas e de álcool vai além de todas as fronteiras socioeconômicas, culturais, profissionais e de idade. Os sinais são bastante óbvios e têm recebido bastante publicidade. Mais difícil do que ver é admitir para si mesmo que você está vendo esses sinais, especialmente numa pessoa querida. Depois de conhecer os sintomas de abuso de substâncias, não se recuse a reconhecê-los.

Não procure os sinais de embriaguez apenas nos dependentes crônicos, mas também nas pessoas que usam drogas apenas de vez em quando. Você não deseja entrar num carro com um motorista bêbado, mesmo que ele se embriague apenas uma vez por ano. Não importa quanto uma pessoa seja responsável e confiável quando está sóbria; as drogas e o álcool costumam transformar o Dr. Jekyll em Mr. Hyde, alterando o comportamento de modo óbvio mas também de modo sutil.

Os sintomas de uso de drogas e de álcool são:

- Fala confusa.
- Fala extremamente rápida.
- Comportamento inadequado, especialmente se for exagerado (muito próximo ou íntimo, barulhento demais ou quieto demais).
- Olhos vermelhos.
- Olhos semicerrados.
- Bolsas sob os olhos.
- Alterações de humor (comportamento animado / deprimido).

- Perda de inibições.
- Tremor.
- Nariz vermelho e bulboso.
- Odor.
- Incoerência, especialmente se for dramática, de aparência e comportamento de uma situação para outra.
- Falta de higiene.
- Afastamento da atividade social normal.
- Tronco grande e pernas finas, ou uma pessoa magra mas barriguda (esses dois tipos corporais são comuns em alcoólatras).

Vergonha

Pense num garoto entrando empertigado numa lanchonete. Ele escorrega e cai na frente de todos. O rosto dele fica vermelho; ele se arruma, tentando, meio sem jeito, não deixar que sua vergonha transpareça, e se esconde numa mesa num canto.

A vergonha muitas vezes não chega a ser percebida, pois as pessoas que estão envergonhadas tentam disfarçar a todo custo. Muitas pessoas reagem a situações embaraçosas afastando-se silenciosamente, na esperança de que o momento embaraçoso seja esquecido. Outras tentam rir do acontecido. É importante ser capaz de reconhecer os sinais de vergonha, pois a menos que você esteja atento a eles, poderá facilmente confundir vergonha com raiva, defesa ou mesmo nervosismo. Ou você poderia nem perceber os sinais, e supor que a pessoa seja insensível ou anti-social, quando na verdade ela pode estar profundamente envergonhada de suas ações embaraçosas e apenas não saiba como pedir desculpas.

Os sintomas de vergonha incluem:

- Riso nervoso.
- Evitar o contato ocular.
- Balançar a cabeça.
- Afastar-se.
- Ficar ruborizado.
- Evitar as pessoas; sair da sala.

Medo

Visualize um veado, paralisado em seu caminho no meio da estrada, olhos arregalados, corpo tenso.

O veado sob a luz dos faróis é uma metáfora perfeita para a aparência que freqüentemente as pessoas mostram no estágio inicial do medo. A surpresa é a principal emoção nesse ponto, mas se o medo continua, a defesa e o nervosismo também surgem. É claro que o medo é uma de nossas emoções mais básicas. A maioria das pessoas raramente experimenta o medo – que é diferente de ansiedade –, mas vale a pena conhecer os sintomas.

Os sintomas de medo incluem os sinais de surpresa:

- Olhos arregalados.
- Gritos.
- Mãos sobre o rosto.
- Ficar paralisado.
- Rubor.
- Engolir.
- Olhar ao redor (olhar sobre o próprio ombro).
- Segurar uma das mãos com a outra ou apertar fortemente outro objeto (nós dos dedos esbranquiçados).
- Colocar as mãos na frente do corpo.
- Inclinar-se para trás.
- Afastar-se (especialmente a parte de cima do corpo).
- Agitar rapidamente ou esticar as extremidades.
- Agarrar outras pessoas.
- Tremer.
- Respiração pesada.
- Respiração rápida e superficial.
- Prender a respiração.
- Andar rapidamente.
- Rigidez ou tensão.
- Passar a língua nos lábios.
- Dar passos pequenos e hesitantes (como se estivesse numa sala escura).

Pessoas diferentes respondem ao medo de modo diferente. Eu e minha amiga Denise descobrimos isto em primeira mão quando estávamos viajando pela França há dois anos. Enquanto estávamos paradas num farol, um homem pulou na parte de trás de nosso carro e roubou parte de nossa bagagem. Denise começou a gritar descontroladamente, enquanto que eu fiquei paralisada. Os cientistas sociais descobriram que a maioria das pessoas tem uma dentre duas reações possíveis quando são confrontadas com um ato agressivo ou hostil: "luta ou fuga". Denise e eu somos a prova viva de que o menu de respostas possíveis é muito mais amplo: nós nem lutamos nem fugimos. Geralmente, se prestarmos um pouco de atenção, é possível perceber se uma pessoa está com medo, independente dos sintomas que ela esteja exibindo.

Ressentimento

Imagine uma garota de ginásio que não foi escolhida para ser líder de torcida, observando os ensaios das escolhidas. Seus braços estão cruzados, os olhos levemente fechados e o corpo está tenso.

Normalmente o ressentimento é um subproduto da raiva ou de ciúme. Qualquer que seja sua origem, o ressentimento é demonstrado por meio de um conjunto de gestos com o objetivo de estabelecer uma distância entre uma pessoa e aquilo de que ela se ressente.

Os sintomas de ressentimento são:

- Cruzar os braços.
- Tensionar o corpo.
- Fazer caretas.
- Ficar amuado.
- Evitar o outro.
- Olhar para o outro lado.
- Sinais de raiva.

Os advogados podem ser uma turma bem egoísta. É isso que lhes dá o impulso para ser bem-sucedidos, mas também pode levar a uma competitividade que se transforma em ressentimento da noite para o dia. Estive envolvida em muitos julgamentos onde dois ou mais advogados representavam um único réu. Cada advogado normalmente traz um talento específico para a mesa da defesa, mas quase sempre um deles emerge como o líder. Essa pessoa pode variar de dia para dia ou de semana para semana. À medida que acontece essa maré e fluxo de supremacia no tribunal, eu vejo com freqüência o desenvolvimento de sinais clássicos de ressentimento. As cadeiras dos advogados começam a se afastar ligeiramente. Eles começam a ficar com os braços cruzados. O olhar de um advogado fica fixo na direção oposta enquanto o outro fala. Estou certa de que a resposta seria não, se você perguntasse aos participantes dessa cena se têm consciência de sua linguagem corporal. Mas como tantos outros gestos, os que se referem ao ressentimento podem passar despercebidos, especialmente para a pessoa em questão.

Tendência a ocultar algo / transparência

Pense num jogador de pôquer, com a face sem expressão, observando atentamente as cartas, que ele segura firmemente perto do rosto.

As pessoas que estão abertas se expõem em gestos e fala. As pessoas que desejam ocultar algo, revelam muito pouco sobre si mesmas e guardam cuidadosamente a informação pessoal. Muitas vezes preferem manter as diversas áreas de suas vidas separadas, e são abertas em relação a uma ou mais áreas – trabalho, diversão, escola, relações amorosas –, mas ocultam as outras. As pessoas que não desejam se expor podem literalmente manter uma distância, como se tivessem medo de chegar muito perto e deixar que você as avaliasse de modo mais efetivo.

Os sintomas de tendência a ocultar algo são:

- Murmurar.
- Uma postura "guardada", com os ombros curvados.
- Cobrir a boca com a mão.
- Corpo parcialmente afastado da outra pessoa.
- Lábios firmemente fechados.
- Maxilar tensionado.
- Raramente invade o espaço pessoal dos outros, pois não deseja que os outros entrem em *seu* espaço.
- Evitar interações sociais ou outras circunstâncias em que poderiam ter de revelar algo de si mesmas.
- Revelar pouca emoção.
- Aperto de mão curto e quase mecânico.

- Olhar para baixo freqüentemente durante a conversa.
- Olhar em volta da sala quando é abordada, em vez de retornar um olhar.
- Cobrir ou remover instintiva e rotineiramente qualquer material pessoal que esteja à vista.

Os sinais de abertura são:

- Corpo totalmente voltado para a pessoa com quem está falando.
- Ficar de pé bem perto da outra pessoa (mas sem invadir o espaço pessoal).
- Contato ocular freqüente e prolongado.
- Sorriso relaxado e caloroso.
- Beijar ou abraçar ao cumprimentar.
- Aperto de mãos firme e às vezes prolongado.
- Gostar de interação social.

Ao avaliar se uma pessoa está ocultando algo, considere se esse comportamento específico é um traço isolado ou parte de um conjunto de hábitos. A pessoa verdadeiramente fechada geralmente mostrará muitos traços de ocultação, não apenas um ou dois. Não tire conclusões apressadas se uma pessoa que normalmente é expansiva não disser muito sobre a razão de estar falando tanto ao telefone naquele dia: talvez ela esteja planejando uma festa surpresa de aniversário para você. E a pessoa que habitualmente tranca as gavetas de sua mesa antes de ir almoçar, mas que é expansiva e aberta, pode estar escondendo algo, ou pode ter sido vítima de um roubo durante a hora do almoço. Você não tem como saber, sem mais informações.

Interesse sexual ou romântico

Uma mulher sedutora num filme de detetive dos anos 40 passa as mãos lentamente dos lados de seu corpo para arrumar o casaco. Ela anda lentamente ao entrar na sala, olhando de alto a baixo para o detetive rude, e depois senta-se sobre a mesa dele e cruza as pernas.

A atração sexual normalmente estimula as pessoas a fazerem contato. Qualquer ação que revele, enfatize ou atraia a atenção para a sexualidade de alguém pode ser vista como um sinal de interesse sexual. Existem listas de comportamentos que são conhecidos como sinais de interesse sexual, e muitos livros foram escritos sobre esse assunto. A lista a seguir inclui apenas os traços mais óbvios.

Os sinais de interesse sexual incluem:

- Estabelecer contato ocular.
- Sorriso exagerado.
- Riso.
- Olhar fixamente.
- Piscar.
- Umedecer os lábios.
- Cruzar e descruzar as pernas.
- Projetar o peito ou os quadris para a frente.
- Andar sinuoso ou rebolante.
- Andar lentamente.
- Enfeitar-se.
- Sorriso recatado.
- Balançar a cabeça ou o cabelo.
- Entrar no espaço pessoal de alguém.
- Qualquer roupa reveladora (especialmente se não for adequada à ocasião).
- Tocar em si mesmo (alisar as meias de náilon ou brincar com os botões da blusa).
- Tocar a pessoa em quem se está interessado.
- Maquiagem exagerada, ou perfume excessivo.
- Vestir-se bem demais para a ocasião.
- Murmurar ou outro modo de tentar ser íntimo.
- Ouvir atentamente.
- Olhar atentamente de cima a baixo para a outra pessoa.
- Tentar ficar sozinho com a outra pessoa.

Surpresa

As luzes se acendem e todos gritam: "Feliz aniversário!".

A surpresa pode ser resultado de medo, empolgação ou prazer. A resposta é a mesma, independente da causa da surpresa: movimento corporal rápido e uma perda temporária do controle sobre os pequenos músculos. Normalmente a pessoa voltará rapidamente a sua postura "pré-surpresa".

Os sintomas de surpresa são:

- Dar um passo para trás (se estiver de pé) ou se inclinar para trás (se estiver sentado).

- Boca aberta.
- Olhos arregalados.
- Esticar braços e pernas.
- Dar um salto.
- Engasgar ou gritar.

Os sintomas de surpresa normalmente não variam muito, quer a notícia seja boa ou ruim. O último dia do julgamento criminal de O. J. Simpson comprovou este ponto nas mentes de muitas pessoas. A mídia passou muitas vezes a reação física de Robert Kardashian, amigo e advogado do réu, ao ouvir o veredicto de inocente. Os comentaristas apontavam o fato de a boca do sr. Kardashian ter se aberto conforme o veredicto era lido e sugeriam que ele tinha ficado surpreso. O escritor Dominick Dunne também estava sentado na galeria. O sr. Dunne acreditava firmemente que o sr. Simpson era culpado. A absolvição foi uma boa notícia para o sr. Kardashian; mas para o sr. Dunne foi uma notícia terrível. Entretanto a expressão facial do sr. Dunne se parecia muito com a do sr. Kardashian, embora fosse um pouco mais extrema.

Suspeita / descrença

Visualize um juiz inglês idoso, inclinado sobre sua tribuna, empurrando com o dedo os óculos um pouco para baixo, de modo que você pode ver-lhe os olhos por cima das lentes, enquanto ele balança lentamente a cabeça.

A diferença entre a suspeita e a descrença é uma questão de grau. Suspeitar é ter dúvida, mas ainda não ter uma opinião formada. A pessoa que suspeita de algo ainda está pensando no que deve acreditar e conseqüentemente as características da suspeita incluem as de estar absorto nos próprios pensamentos. A suspeita surge mais freqüentemente quando alguém duvida da veracidade de uma afirmação. Quando ele decide mentalmente que a afirmação é falsa, as características de estar pensando dão lugar às da descrença.

Os sintomas de suspeita incluem:

- Sobrancelhas franzidas.
- Piscar de olhos.

- Virar a cabeça levemente para baixo e olhar um pouco para cima (olhar por cima dos óculos) ou balançar levemente a cabeça.
- Tensionamento dos lábios.
- Sinais de estar absorto nos próprios pensamentos.

Os sintomas de descrença são:

- Girar os olhos.
- Balançar a cabeça.
- Fazer caretas.
- Virar os cantos da boca para cima.
- Expirar rapidamente "entre os dentes".
- Sinais de frustração.

Preocupação

Pense num pai nervoso andando de um lado para outro enquanto espera notícias da sala de parto.

Quando alguém está preocupado, ele normalmente fica ansioso, nervoso ou com medo. Conseqüentemente, sempre que vejo sinais de ansiedade, nervosismo ou medo, associo-os com preocupação.

Os sintomas de preocupação são:

- Ação repetitiva, como bater com o pé no chão.
- Roer as unhas.
- Torcer as mãos.
- Tremer.
- Inquietação.
- Esfregar o rosto.
- Passar as mãos no cabelo.
- Falta de concentração.

A ansiedade ou preocupação agitada não é difícil de ser percebida. Mas não acontece o mesmo com a ansiedade constante e entorpecida que sentimos às vezes. Alguém que esteja assistindo aos últimos minutos do jogo de basquete do time em que sua filha joga, com o placar empatado em 50-50, provavelmente mostrará muitos dos sinais clássicos de preocupação ou de ansiedade. Mas o que acontecerá com uma mulher que por vários dias esteja constantemente com medo de perder o emprego, num momento em que a empresa onde trabalha está fazendo um corte de pessoal? Ela pode parecer ansiosa, mas também pode demonstrar atenção ou absorção nos próprios pensamentos, pois está concentrada em seus problemas e no modo de lidar com eles. Ou ela pode ter caído em depressão, pensando que pode ser demitida e no que isso representaria para sua família. Nesse caso, os sintomas de depressão dominariam seu quadro emocional. O importante é ter em mente que a preocupação, como quase todas as emoções, pode assumir muitas formas. Mantenha os olhos abertos para todas as formas.

Envie-nos Suas Melhores Dicas para Decifrar Pessoas!

Todos nós temos nossa história favorita sobre como pudemos saber que nosso amigo estava mentindo, que nosso filho estava perturbado ou que nosso patrão estava de mau humor. Nós queremos conhecer as suas histórias!

Enquanto escrevíamos *Decifrar pessoas* e discutíamos o texto com amigos e familiares, eles freqüentemente sugeriam que nosso próximo livro deveria incluir as dicas de nossos leitores sobre decifrar pessoas. Achamos que essa era uma grande idéia, e estamos para publicar uma coletânea de dicas. Suas histórias da vida real e suas palavras de sabedoria serão agrupadas por categoria (como saber que alguém está mentindo, como distinguir entre o fanfarrão e o verdadeiro líder, etc.), e serão acompanhadas por nossos comentários e impressões. Será um livro divertido e informativo.

Se você quiser que sua história favorita seja incluída no livro, simplesmente envie-a, com seu nome e endereço, para:

Reading People
P. O. Box 305
Bonita, Califórnia 91908-035

Ou mande um fax para:
(619) 475-7122

Ou envie um e-mail para:
Tips@ReadingPeople.com

Ou visite nosso website em:
www.ReadingPeople.com

Sobre os Autores

Jo-Ellan Dimitrius, Ph.D., foi consultora em mais de 600 julgamentos por júri, inclusive nos casos de Rodney King, Reginald Denny, John DuPont, pré-escola McMartin, e O. J. Simpson. Ela apareceu na *TV* em *Oprah*, *Good Morning America*, *Today*, *Larry King Live*, *Face the Nation* e *60 Minutes* e foi consultora de muitas empresas incluídas na *Fortune 100*.

Mark Mazzarella trabalha como advogado em San Diego há 20 anos. Foi presidente dos 200 membros da seção de litígios da Ordem dos Advogados da Califórnia, profere muitas palestras e escreve regularmente.

Impressão e Acabamento

GEOGRÁFICA
editora